スポーツマネジメント入門 (第2版)

プロ野球とプロサッカーの経営学

西崎 信男 著
Nobuo Nishizaki

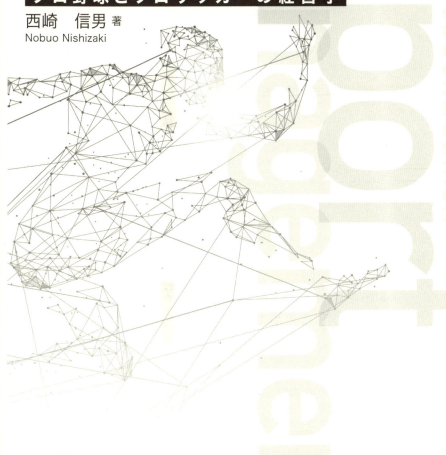

税務経理協会

第 2 版出版に際して

　2015年3月に初版を上梓するに際して，心がけたのは他の先生方のスポーツマネジメントに関する書籍との競合を避け，拙著の独自性を発揮することであった。
　そこで選んだのは，まずスポーツマネジメントの経営学的分析というドメインである。自らの研究経験，および英米での留学，ビジネス経験を活かして，特に先進事例である英米のスポーツマネジメントの実情を詳しく紹介することであった。その際，理論的分析，現実のビジネスから乖離しないことに留意した。
　もうひとつの特色は，米国ビジネススクールの教科書の書き方を踏襲したことである。日本の教科書は，学生に対して講義するという観点から詳細は記述せず，授業でそこを埋めるスタイルをとっているものが多いため，自習が難しい。それに対して米国ビジネススクールの教科書はどれもA4版ハードカバー600〜700ページもあり，初歩からスタートして中上級レベルまで詳細に説明されていて，地道に取り組めば理解できるものとなっている。それを自ら2年間経験して，そのシステムがタフではあるが，科目を体系的に理解することに大いに役立ったと信じるからである。
　その狙いが初版でどこまで成功したか定かではないが，大学教科書としてのみならず，研究書として専門研究者，大学院生以外にも，コンサルタント，金融機関関係者，メディア関係者および高校生からも望外の反響をいただいた。特におそらく小職が日本で最初に考え方を導入したと思われる「サポータートラスト」についての照会が多かった。人口減少の社会に突入した日本で，地域活性化のシンボル，牽引役としてのプロスポーツの経営が大きなテーマになっていることを実感した。

　第2版の執筆に際して，初版に加えて以下の加除修正を行った。
(1)　第1部については，全般的に，可能な限り数字および状況を直近のものに書き換え，わかりにくい点を易しく解説した。
(2)　この2年間の間に大きく変化した点を新たに2章加えることで最新動向にキャッチアップした。具体的には，FIFAの汚職問題をめぐる法的問題（第12章）およびワールドカップラグビー2019年日本大会を控えて，プロ化に遅れたラグビーの組織的な展開・経営戦略（第15章）を加えた。プロスポーツも当然企業活動を行う。したがって経営的に自立することが求められる。この過程で，一般企業同様に，消費者ニーズに適合すること，競争に勝ち抜くこと，税金面での方策等に工夫を凝らすこと，また過度な競争の副産物である汚職等々の問題が発生している。したがって，スポーツを歴史的，文化的に捉えるのみならず，

経営学的分析（法律，税金面含む）が必要になってくるのである。
(3) 第2部に初版に掲載した小職の査読論文等3編に加えて，新たに査読論文等3編を新規に掲載している（うち1編は初版では予稿であったものを査読論文にしたもの）。
(4) コラム（Column）として，英米のトピックスをそれぞれ1編ずつ新たに書き加えた。スポーツは文化的背景があって生まれているので，それを理解することでスポーツをより深く理解し，楽しむことができると考える。

　常日頃の研究活動において，大変お世話になっている学会，研究会，大学の諸先生方にはこの場を借りて感謝申し上げたい。
　とりわけ，学会，研究会活動で有益な示唆をいただいている早稲田大学スポーツ科学学術院教授の武藤泰明先生，銀行，証券会社，大学を通じて常に議論に付き合っていただいている東京国際大学商学部教授の鯖田豊則先生，同志社大学法学部教授の堂園昇平先生，さらにロンドン時代から永きにわたりご支援・ご指導をいただいている実践コーポレートガバナンス研究会の門多丈代表理事および大学時代以来の畏友である辰巳和正法律事務所の辰巳和正所長弁護士には，特に感謝申し上げる。
　最後に，初版につづき第2版についても完成に導いていただいた，税務経理協会編集部部長の小林規明氏にお礼申し上げたい。

2017年8月

西崎　信男

はじめに

　グローバル化，国内経済の成熟化，少子高齢化の影響で，マーケットが縮小し日本はもはや高度成長は望めない。したがって，人々もひたすらハングリーに成長を追い求めるのではなく，如何に個人の生活を楽しみ豊かにしていくかを重視する健康志向・余暇志向が増えてきている。成熟した大人の国の国民の考え方である。それに合致するのがスポーツであり，大学でも，将来何らかの形でスポーツにかかわりたい学生が増えている。今後ますますスポーツが重要になってくるのは間違いない。

　その一方で，日本ではスポーツは伝統的に「アマチュアリズム」の色彩が濃く，「教育」「体育」(「するスポーツ」)に重点があり，「娯楽(「見る・楽しむスポーツ」)」「健康」の側面が欠けていることは否めない。その中で激変する経済環境の下で，国の財政状況悪化によって国・地方公共団体から支援を受ける「アマチュアスポーツ」，そして企業統治の強化によって企業の社員福利厚生・PRを目的とする「企業スポーツ」も本業外とみられ厳しい局面を迎えている。さらに本来はビジネスで収益を生んでそのスポーツ分野のリーダーとなるべき「プロスポーツ」も，独立採算で運営されているとは言い難い状況である。すなわちプロフェッショナルとして組織し運営され，その結果として利益を生む構造にはなっていない，企業スポーツの延長というのが実情である。それでは企業・産業の盛衰によっては，国民の健康・福祉に寄与するスポーツが消えてしまうおそれもある。そうならないためにもプロスポーツが企業経営同様，組織化され運営されることで利益を生む，すなわち独立企業体となることが必要である。スポーツの世界では長く「スポーツは神聖である」「勝負第一主義」が支配していて，マネジメントの側面が薄かった。今後スポーツが持続的に成長し，国民生活にますます寄与していくためにも，企業として経営されていくことが必要である。それが近年欧米で注目されている「スポーツマネジメント」である。

　日本ではスポーツ関係の教科書は「歴史・文化」「社会学」として書かれているものが多い。しかし，企業経営という側面を理解するためには，「経営学」からのアプローチが不可欠である。特に，企業経営における内部経営資源の中でも，企業の生死を握る「おカネ」の部分に焦点を当てた書物はあまり見られない。そこで筆者は，長年銀行・証券で銀行業務，証券業務に携わり，かつ英国で留学・勤務を9年余通じてファイナンス経験してきたので，そのおカネの部分にも焦点を当てて，経営学的な見方をできる限り平易に説明する。第1部で基本を説明しており，詳細は第2部の論文と併せて読んでいただきたい。ただし立派な教科書が数ある中で，

スポーツ全般について書くことはあまりに挑戦的であるので，世界で一番人気があるといわれるプロサッカー，とりわけ英国のプロサッカーリーグを事例に「サッカーファイナンス」を紹介する。

第一部でスポーツマネジメントの考え方，サービス業としてのスポーツビジネス，経営学的にスポーツを考えるための経営学の基礎ツール，そして経営資源（ヒト・モノ・カネ）の側面から，プロスポーツの経営学を説明する。第二部の事例研究では，筆者の博士論文「プロチームスポーツとガバナンス〜英国プロサッカーリーグを例に〜」等論文のほか，2012年夏に米国市場で株式を上場したマンチェスター・ユナイテッド等最近のサッカーファイナンスの動きについて分析する論文・資料を掲載している。

本書がスポーツマネジメントを学ぶ学生，そして教える先生方，スポーツに興味をもつ社会人の皆様に読んでいただけることを期待している。

本書は，ビジネスの世界から大学教員になって12年間の研究，特に博士論文に取り組み始めた7年前からの論文をベースに（第二部），第一部に基本編として新たに書き下ろしたものである。日ごろの研究については，日本スポーツ産業学会，日本経営診断学会の先生方に有益なアドバイスをいただいているが，本書の作成にあたっては，特に全般にわたってご支援をいただいた東京国際大学商学部教授の鯖田豊則先生，論文作成の技術面でお世話になった東海大学基盤工学部教授藤本邦昭先生，常々スポーツ学生の視点をアドバイスいただいている東海大学経営学部講師大川康隆先生に感謝する。さらに学生の視点からのコメントをお願いし，ゲラ刷りを丹念に読んでいただいた東海大学西崎ゼミ3年白澤諒さんに感謝する。

最後に，初めての単著をなんとか完成に導いていただいた，税務経理協会第一編集部部長小林規明氏にお礼申し上げたい。

2015年3月

西崎　信男

目次
CONTENTS

はじめに

第1部 基礎編

第Ⅰ章 スポーツマネジメントとは何か

1 プロスポーツも企業である ─────────────── 2
2 企業とスポーツ：日本の戦後史と企業スポーツ
　―プロ野球の創設と球団経営史― ─────────── 3
3 スポーツマネジメント：ガバナンス（企業統治）の重要性 ── 7
4 スポーツ経済学の誕生 ──────────────── 10

第Ⅱ章 スポーツを取り巻く外部環境の変化

1 グローバル化，低成長，少子高齢化による国内製造業空洞化 ── 13
2 先進国における「サービス経済化」とスポーツ ─────── 15
3 わが国経済のダイナミズム（活力）とスポーツ産業 ───── 17

第Ⅲ章 サービス・マーケティングの重要性

1 サービスの特徴と需給調整の重要性 ──────────── 20
2 小売(モノ)マーケティングの延長としてのサービス・マーケティング ── 23

第IV章 経営学的分析のためのツール1

1 経営組織論概論 — 28
2 経営戦略論概論―経営組織論から経営戦略論へ— 30

第V章 経営学的分析のためのツール2

1 経営戦略フロー — 33
2 ポジショニング・マップ — 36
3 アンゾフ成長ベクトル — 39
4 PPM — 43
5 ドメインの再構築 — 45

第VI章 プロ野球とプロサッカーの経営学

1 米国・大リーグ野球と英国・プレミアリーグのビジネスモデル — 48
2 MLBのビジネスモデル補足 — 52
3 大リーグあれこれ — 55
Column 英国から生まれたサッカーと米国から生まれた野球 — 56

第VII章 経営資源から分析したプロサッカー「カネ」1

1 プロサッカーがTVでの最高のコンテンツ — 58
2 プレミアリーグ誕生：選手移籍金，報酬高騰，代理人 — 60

第VIII章 経営資源から分析したプロサッカー「カネ」2

1 資金調達 — 68
2 スポーツビジネスと資金調達 — 71

第IX章 経営資源から分析したプロサッカー「モノ」

1 ヒルスバラの悲劇（Hillsborough stadium disaster） ———— 80
Column Hillsborough 事件（1989/4/15）の時の私 ———— 82
2 サッカー賭博：資本主義スポーツであるサッカーへの国の介入 ———— 83
Column パイゲート（Piegate）事件 ———— 86
3 スタジアムをめぐる英米における「スポーツと都市」の関係 ———— 87

第X章 経営資源から分析したプロサッカー「ヒト」

1 ファンの経営参加—サポータートラスト— ———— 93
2 法律的側面：選手は労働者か，事業主か ———— 100
3 野茂英雄大リーグへ渡る：日米における労働に対する考え方の違い ———— 104

第XI章 プロサッカーにおける国際的なガバナンス

1 世界プロサッカー界のガバナンス構造 ———— 108
2 フィナンシャル・フェア・プレー規制：Financial Fair Play Regulation（FFP） ———— 114

第XII章 プロスポーツをめぐる汚職摘発と法的問題

1 FIFA幹部の摘発 ———— 119
2 汚職をめぐるマネーの流れおよび法律的側面 ———— 119
3 米国法に基づく司法取引および囮（おとり）捜査 ———— 121
4 その後の展開 ———— 122
5 結論 ———— 123
Column アメリカ映画「ウォールストリート Wall Street（1987）」にみる司法取引と囮（おとり）捜査 124

第XIII章 プロ野球に見るスポーツマネジメント
―日本のプロ野球（NPB）と大リーグ野球（MLB）―

1 リーグか球団か ─────────────────────── 125
2 リーグの共同生産を実行するMLB，それをまとめるコミッショナー ── 126
3 大リーグ野球の将来性 ────────────────── 129

第XIV章 大リーグ野球（MLB）から生まれた大リーグサッカー（MLS）

1 利益を求めて挑戦する米国プロスポーツのビジネスモデル：MLSの挑戦 - 130
2 リーグの共同生産（収益性）を守るための「単一事業体所有構造（Single Entity Ownership）」と「クラブ所有権と収益の分配を別にするモデル（Distributed Club Ownership）」 ───── 132
3 MLSの新たな展開と課題 ───────────────── 134

第XV章 サッカーに遅れること100年，プロラグビーの経営学

1 巨大ビジネスと化した世界のプロスポーツの競争
　―最後にバスに乗ったラグビー― ─────────────── 137
2 ラグビーの歴史：フットボールから分かれたラグビーとサッカー ── 137
3 ラグビーの組織（[4]pp.105-111，150-151） ──────── 139
4 組織運営 ───────────────────────── 141

第XVI章 まとめ：スポーツマネジメントにおける課題と将来展望

1 まとめ ────────────────────────── 146
2 スポーツマネジメントにおける課題と将来展望 ─────── 151

スポーツマネジメント基礎例題 ─────────────── 156

第2部
応用編

1 プロチームスポーツとガバナンス
　　―英国プロサッカーリーグを例に― ────────── 160
　　長崎大学大学院経済学研究科博士論文（一部加筆修正）西崎信男（2011）

2 米国におけるベンチャー起業支援施策の動向
　　―マンチェスター・ユナイテッド IPO と Jobs Act― ────── 243
　　日本経営診断学会論集 15，日本経営診断学会，pp.23-28 西崎信男（2015）

3 クラブ株式上場によるサッカークラブのガバナンス
　　―マンチェスター・ユナイテッド― ────────── 255
　　スポーツ産業学研究，Vol. 25, No. 1，日本スポーツ産業学会，pp.49〜59 西崎信男（2015）

4 ファンがスタジアムを所有しトップクラブに貸し出す：
　　CPO（Chelsea Pitch Owners Plc）────────── 269
　　スポーツ産業学研究，Vol. 26, No. 2，日本スポーツ産業学会，pp.269〜278 西崎信男（2016）

5 スタジアム拡大競争の背景にあるもの
　　―英国プロサッカーの二極分化― ────────── 281
　　早稲田大学スポーツナレッジ研究会編『スタジアムとアリーナのマネジメント』創文企画，pp54-66（一部加筆修正）西崎信男（2017）

索引 ────────────────────────── 293

第1部
基礎編

第Ⅰ章　スポーツマネジメントとは何か

1　プロスポーツも企業である

　「はじめに」に述べたとおり，スポーツとビジネスを結びつけることに眉をひそめる人々が今なお多い。そこには，プロスポーツが利益のためにスポーツを行うことであり，それがスポーツの地域での貢献とリクレーションを犠牲にするとの捉え方につながり，好ましくないと考え方がある。スポーツの定義は無限に存在するといわれているが，Oxford Dictionary of Sports Studies (2010) によれば，「スポーツとは人間的活動であり，1. 体を動かすこと，2. 競争して勝負の結果がでるか，健康，フィットネス，楽しみ (fun) のために行う」とする。

　それが経済の発展とともに，競争が激しくなったため，個人で行えることが少なくなり，複数の人が共通の目的をもって協働することが必要となってきている。まさに経営学における組織の必要性と同様の事態が生まれてきているのである。サッカーの生誕地である英国サッカーの歴史を見ても，当初こそ上流階級のパブリックスクールで主に行われていたが，19世紀中盤には，スポーツ（サッカー）は工場労働（繊維産業）の苦難を癒すために個人のレベルで複数の人数で楽しむよう行われたので，組織は任意組織 (unincorporated organization) であった。それが経済の拡大に伴って組織化の必要が出てきたが，当初は借金しないよう制限をかけるために私的（非公開）有限責任会社 (Private Limited Company) の形式をとった。その私的（非公開）有限責任会社が資本主義の発展に伴い，さらに企業規模を拡大するには資金が必要となり，公的（公開）有限責任会社 (Public Limited Company) となっていくのである。1990年代スポーツが有料ケーブルテレビの人気コンテンツとなり，放映権料が高騰するなど，サッカーバブルに乗って，英国のサッカークラブが大規模資金調達を行うために公的（公開）有限責任会社に転換して，株式を証券取引所に上場した歴史がある。これに表されるように，スポーツが本来的な意味に加えて，ビジネス的にも重要な対象となってきたのである。ビジネス的側面を否定して，純粋な意味でのスポーツを追求するスポーツ分野もあるが，今やスポーツとビジネスは不可分の関係になってきた。スポーツもビジネスであるとすれば，その組織を円滑に運営して，結果（利益）を確保することが重要である。なぜなら，利益を生むということは，顧客のニーズに適合した商品・サービスを顧客の望む価格で販売して，利益，すなわち社会に対しての付加価値を生むことになるからである。したがって，スポーツ組織も経営の考え方が必要となる。「会社は誰のものか」

は経営学の世界でも議論となっているが、現在の企業経営では会社法上での会社の持ち主である株主だけに配慮をするのでなく、顧客、従業員、地域住民等利害関係者の利害のバランスをとることによって組織のゴールを目指すことが有力なアプローチとなってきている。それをスポーツの世界に当てはめたものをスポーツマネジメントと定義する。本書においては、そのスポーツマネジメントのうちのビジネスに焦点を当てて論を進めるので、「スポーツビジネスマネジメント」が内容となる。

なお、スポーツを英語で記述する際にはsportかsportsか様々な使い方がされている。論者によって様々であるが、同じ意味で使われていることが多い。あえて異なる使用を行うときには、例えばTrenberth (2003) は、「sport」というときには集合名詞 (collective) で「スポーツ全般を語る」ときに使用する。それに対して、「sports」は「個々のスポーツ」を指すとして、sportsという単語を複数ではなく単数 (singular) の意味で使用するとしている。

2　企業とスポーツ：日本の戦後史と企業スポーツ
―プロ野球の創設と球団経営史―

サッカーJリーグが誕生するまで、日本の国民的スポーツは野球であった。その

図1-1：プロ野球入場者数推移

出典：日本プロ野球機構HPでの数字をもとに作成

図1-2：プロ野球1試合当たり入場者数推移

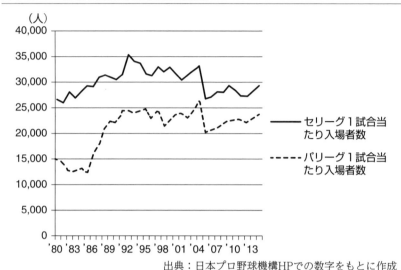

出典：日本プロ野球機構HPでの数字をもとに作成

図1-3：Jリーグ誕生（1993）以来の入場者数推移

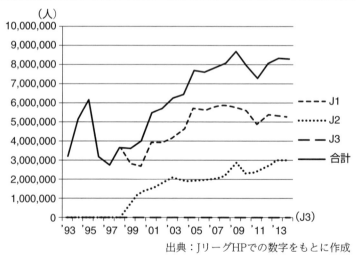

出典：JリーグHPでの数字をもとに作成

　野球がこの近年（1992年以降）衰退の兆しを見せている。特にプロ野球をけん引してきたセリーグにその色が濃い。1993年Jリーグが誕生して，プロスポーツ観客の争奪競争が始まったことは上図データからも否定できない。その中で，Jリーグはサッカーバブルがはじけるなど苦難を経て，J1が伸び悩むとJ2をスタートさせ，

さらに 2014 年には J3 を加えるなど，ファンの興味を惹きつける工夫が見られる。その点で，日本プロ野球（NPB）はどうであったのか。プロ野球の歴史を最初に振り返ってみたい。

日本のプロ野球は日米野球のために巨人軍が誕生し，本業とのシナジーモデルで数球団が生まれた。戦後ラジオの時代を経て，1960 年代以降テレビの普及に伴いプロ野球は国民的スポーツとなった。その過程で，国民の健康・福祉増進のためにプロ野球は重要とし，資金不足の中で企業がプロ野球球団を創設できるように税制上の特別措置をとるなど，政府が支援するスポーツとなった。終戦直後，荒廃の中で，国民を元気づける方法としてプロ野球が重要な役割を果たすが，政府にも資金がない中で，その中心的な役割を果たしたのが，企業であった。そこから日本のプロ野球を特徴づける，親企業の子会社としてプロ野球球団が誕生したのである。企業は本業につながる場合，または媒体として広告宣伝で使える場合に，球団の経営に乗り出した。そこで，橘川・奈良（2009）に詳しいが，まず最初にプロ野球の人気にあやかった「広告宣伝モデル」の球団が誕生した。しかしバブル崩壊後，民間企業で企業統治が厳しくなる中で本業外のプロ野球球団を所有することは難しくなり，登場したのがフランチャイズの「地域密着モデル」としての球団であった。

表 1-1：プロ野球の球団運営モデルと変化

目的＼活動範囲	全国	特定地域
ビジネス	③全国展開モデル（巨人）	④地域密着モデル（バブル崩壊以降～現在）日本ハム，ソフトバンク
本業への貢献	②広告宣伝モデル（1970〜90 年代）映画・水産・文房具・金融	①本業シナジーモデル（1950〜70 年代）新聞・電鉄

（注）時代の流れに伴い，①⇒②⇒③⇒④とモデルが変化している。

出典：橘川武郎・奈良堂史（2009）p.155 一部加筆修正

民間企業が国から支援を受けて球団経営を行う。それは制度的なガバナンス問題ではあるが，国税庁通達は現在も適用継続している。これはプロ野球に対してのみ認められている処置である。この点については，理由は異なるが，米国プロスポーツで大リーグ野球（MLB）だけが独占禁止法の適用免除を享受している状況と似ている。プロ野球球団の親企業から見れば，球団子会社は売上規模が小さいため（例：ロッテ親会社売上高：約 5,220 億円，ロッテ球団売上高約 80 億円，2010），プロ野球球団として独立採算の経営を行う意欲を失わせる役割を果たしていると思われる。

しかし，日本は人口減少の社会に突入しており，親企業にとっても赤字球団を経営し続けることが難しくなってきている。

幾多の変遷の中で種々のビジネスモデルが誕生したが，どのようなモデルであれ，プロ野球はその時代に花形であった企業(注1)によって経営されている。その意味では，プロ野球は花形企業にとっては所有する価値があるとみられ，製造業からサービス産業へとサービス経済化が進む日本の現状を示している。これは富裕個人がスポーツビジネスとして球団を経営し利益を追求する大リーグのビジネス形態とは好対照をなす。

表1-2：プロ野球球団の観客動員数，売上高，平均年俸比較

球団名	観客動員数（万人/2010年）	売上高（億円/10年度）	平均年俸（万円/11年）
中日ドラゴンズ	219（4.6▼）	110	4,882
阪神タイガース	301（0.0▼）	―	5,546
読売ジャイアンツ	297（1.1）	218	4,729
東京ヤクルトスワローズ	133（0.0）	約60	3,430
広島東洋カープ	160（14.6▼）	98	2,638
横浜ベイスターズ	121（3.0▼）	85	3,476

球団名	観客動員数（万人/2010年）	売上高（億円/10年度）	平均年俸（万円/11年）
福岡ソフトバンクホークス	216（3.6▼）	247	5,278
埼玉西武ライオンズ	159（5.0）	100弱	3,669
千葉ロッテマリーンズ	155（5.5）	約80	3,129
北海道日本ハムファイターズ	195（2.3▼）	103	3,981
オリックスバッファローズ	144（12.3）	―	2,798
東北楽天ゴールデンイーグルス	114（5.1▼）	82	3,656

※観客動員数は各リーグまとめ，カッコ内は前年比％，「▼」はマイナス。売上高は，巨人，広島，楽天は公表値，中日は愛知県が情報公開した決算資料，その他はGLOBEの取材・推定より。「―」は非公表。平均年俸は日本プロ野球選手会の調査結果より。外国人選手を含まない。

出典：朝日新聞GLOBE 2011/9/4

(注1) 終戦後プロ野球再開後の球団は，1951年で見ると新聞社系（読売，名古屋：中日，

毎日）3 球団，映画会社系（松竹，大映）2 球団，漁業会社系（大洋）1 社，市民球団（広島）1 球団，電鉄系（大阪：阪神，南海，国鉄，西鉄，阪急，近鉄，東急）7 球団の 14 球団であった。まさに終戦直後復興期の日本の状況を表す親会社の分布となっている。なお広島は親会社がないという意味で市民球団といわれており，市民が球団を運営していたわけではない。現在存続している球団は，読売（巨人），名古屋（中日），広島，阪神の 4 球団にしか過ぎない。またソフトバンク，DeNA，楽天等 IT 関係の企業が親会社となっている。産業の栄枯盛衰が見てとれ日本経営史としても興味深い。
表 1-2 についても利益は発表されていない。橘川・奈良（2009）は，「慢性的な赤字経営にとどまっている球団は，全体の半数前後にまで減少した」とあるが，プロ野球機構をはじめ，数字は開示されていない。

3 スポーツマネジメント：ガバナンス（企業統治）の重要性

　スポーツであっても企業と同様に組織で運営されており，またその組織を取り巻く利害関係者との利害調整の問題がある。それを経営者が適切に行うことを担保する仕組みを企業統治という。
　日本のスポーツ界で，スポーツと企業統治の問題が大きく取り上げられたのが，読売巨人軍経営に対して親会社のオーナーが口を出したことに対して，球団の代表である人物が「コンプライアンス違反だ」と異議を申したてた件（2011）である。スポーツと企業統治は縁遠いものと捉えられていただけに世間の注目を喚起した。普段は日本のスポーツに対して関心が薄い欧米のメディアもこの事件を大きく取り上げた。なぜなら，日本的経営とは終身雇用と年功序列が基盤であり（さらに企業別組合を加えて日本的経営の 3 種の神器といわれるが），したがって，自分を現在のポジション（球団代表）につけてくれたボスに対して反旗を翻した点が，日本的経営が変化しつつある証と捉え驚いたからである。すなわち日本人は「一社懸命」で，不満や夢があれば外に出ていくのが当たり前の欧米の人からは，考えてもみなかった事態が発生したからである。ここでもスポーツと経営の接点が注目されたのである。
　コンプライアンスとは規則の遵守のことであるが，法令遵守から社内規定の遵守，さらに企業倫理，社会貢献をも含む概念に伸長してきている。この時に問題として提起されたのは，球団の意思決定ラインが社内規則に規定されているので，それを飛び越えて親会社のトップが経営に口を出したのはコンプライアンス違反と訴えたのである。
　先にプロ野球の球団経営史でみたとおり，歴史的に日本のプロ野球は親会社の広告宣伝，業務拡大のために存在したといっても過言ではない。球団の親会社各社を見たとき，新聞社系は非上場会社であることが目につく。米国では例えばニューヨークタイムズが上場（ニューヨーク証券取引所）しているように新聞社であっても

上場しているが，日本の場合は，報道の中立性を守るためにと「非上場」となっている。非上場会社であっても上場会社と同様に企業統治は必要であるが，上場していないために株価を通しての企業経営に対するガバナンスが機能しない点が問題であろう。例えば，非上場会社が親会社であれば，親会社の財務諸表も非公開であり，さらに子会社の球団の財務諸表も非公開である。その点，親会社が上場企業であれば，財務諸表は公開されており，またその子会社の球団の経営が親会社の経営に影響を及ぼす規模であれば，球団の経営についてもある程度の情報開示が行われる。学生からの質問でよくあるが，巨人（親会社は非上場会社）は多額の契約金を払って有望選手をとっているが，日本ハム（上場会社）はダルビッシュ（現・テキサス・レンジャーズ）等を除けば，有望選手獲得を行っていない。なぜか。まさにその点からの指摘であろう。すなわち上場企業である親会社サイドの企業統治からすれば，親会社のビジネスにとってプロ野球経営がメリットを与えているか，株主のためになっているかがチェックされる。本業でいくら儲けているか？　赤字が出るような「道楽」をやっていないか？　株主の厳しい監視にさらされる。いわんや一般私企業が企業スポーツとして野球部をもつ際には，本業との関係で野球部をもつことの意味を問われる。

　第二の視点は，球団における意思決定ラインにおける組織構造の問題である。

　同じ野球であっても米国大リーグでは，フィールドサイド（野球のプレー）とビジネスサイド（球団運営）の分業体制ができており，トップにオーナーが座り，各部門に直接指示を出している。球団は上場していないので，まさにオーナーのリスクで球団を所有し運営している。企業統治といった際には，株主（オーナー）だけでなく，他の利害関係者の利害を調整する必要があるが，法的に企業の所有者とされる大株主（オーナー）が自分のリスクで球団を運営する自己責任原則が徹底されている。それ故に，球団経営に成功し，球団価値が増加すれば，オーナーとしてはほかの商品サービス同様，キャピタルゲインを獲得するために球団を売却することもある[注2]。したがって，球団組織も球団として利益を生むように，分業化⇒専門化⇒効率化⇒コスト削減が徹底された構造となっている。他方，日本のプロ野球は親会社の事業の付随物として存在し，また事業規模も親会社の事業規模からすればとるに足らない規模であるので，組織構造も親会社からの人材派遣で賄われている形式に見える（図1-4参照）。この形式では組織の効率性でも問題が起こるし，「モチベーション」の問題も大きいといわざるを得ない。これは日本的経営として特徴的な「終身雇用」と「年功序列」の制度がプロ野球球団組織でも踏襲されており，プロフェッショナル組織における経営の問題を引き起こしている。親会社の経営不振とプロ野球球団売却の問題は，2004年に経営難でオリックス・ブルーウェーブ

(現:オリックス・バファローズ)との合併が決定された大阪近鉄バファローズ買収を堀江貴文氏が申し出たことから一挙に注目された。効率的な組織構造に進化するためには，プロ野球球団経営と親企業ビジネスの関係を明確化し，球団が独立組織体として組織され運営されるよう検討する必要があるのではないか。そうでなければ，親会社の都合で，長く国民の娯楽の中心であったプロ野球が衰退の危機に陥る可能性もある。日本は少子高齢化のみならず人口減少の社会に入っており，その波を大きく受けているのが電鉄会社で，沿線の乗客数，特に会社通勤の定期客の減少に悩んでいる。その流れを受けて，電鉄会社はプロ野球経営から撤退してきている。南海，西鉄，近鉄，東急，阪急，国鉄等本業の長期低落傾向を予測して，親会社が撤退してきている。今までのところ，現在の日本で脚光を浴びるIT業界の会社(ソフトバンク，楽天，DeNA等)がその後を継いでいるが，球団の自立はプロ野球維持・振興のためにその時代を担う企業が参入することが必須であろう。

またJリーグの運営も大いに参考になろう。Jリーグは欧州のサッカービジネスモデル(地域密着)を踏襲しており，それをトップ(チェアマン)がリーダーシップを発揮して，米国の大リーグ野球のコミッショナー的役割を果たして，長期的視野にたってリーグを運営している。これこそ経営戦略である(後章:リーグの共同生産参照)。プロ野球でもまさに地域密着モデルの球団が続々誕生している。地域密着によりファンの固定化を進めていくことが，入場者数の確保につながり，それが広

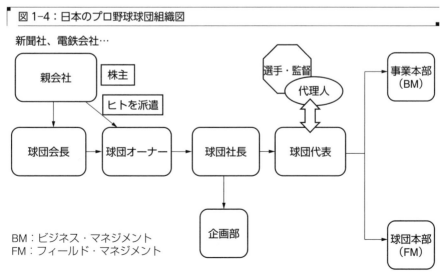

図1-4:日本のプロ野球球団組織図

BM:ビジネス・マネジメント
FM:フィールド・マネジメント

出典:橘川・奈良(2009)p.108一部改変

図1-5：米大リーグ野球球団組織図

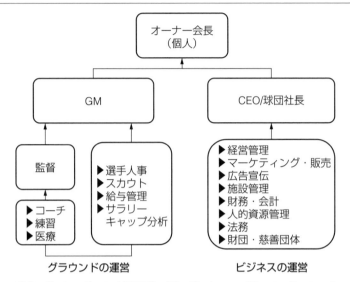

出典：Foster, G. et al(2006),：The Business of Sports: Text and Cases on Strategy & Management

告宣伝，グッズ売上につながる。後章のサービス・マネジメントで詳しく議論しているが，顧客の最大満足を獲得するためには，従業員の満足が不可欠である。それをインターナル・マーケティング（対内マーケティング）（第3章参照）というが，プロ球団の経営陣にまさに経営学的素養が必要とされる時代に入ったと思われる。

(注2) 2012年春，ロスアンジェルス・ドジャースが20億ドル（1600億円 @80）で売却された。大リーグの各チームの売上高，資産価値（フォーブズによる評価）は継続的に増加しているために売却が可能となるのである（第13章参照）。

4　スポーツ経済学の誕生

　スポーツ経済学（スポーツの経済学的分析）の先駆けとなったのはMLBを題材とした1956年のサイモン・ロッテンバーグの論文である。それまでは，リーグスポーツにおいてチーム間の格差を制限[注3]しなければ競争が過度にアンバランスになり，試合の興味がそがれるとする説が有力であった。この説を拠り所として，MLBでは他の産業であれば競争制限ととられる制限を課す理由づけとしていた。競争力均衡が一般的にはファンの利益に資すると考えられていたので，大リーグの

球団は独占禁止法（反トラスト法）違反に訴えられることを回避できたのである。ロッテンバーグ他はこの説に対して，制限は競争力均衡になんら影響を与えないと示唆した。なぜなら，どんな状況にあろうが，有能な選手は一番高く自分を評価（獲得）してくれるチームに移るからである。勝利の割合で考えると，競争制限によって弱いチームが強くなると，強いチームが被る所得の損失は，強いチームがより強くなった時に弱いチームが被る損失よりも大きいからともいえる。

この論文以降，リーグスポーツにおける経済分析の再検討が起こった。

サッカーにおいても選手の保有・移籍システム[注4]があり，選手がクラブに縛りつけられる状況が存在したが，訴訟を経由して裁判所の判決が出され，現在では撤廃されている。この保有・移籍システムと，下位リーグとの昇格・降格システムが英国のリーグサッカーの特徴である。詳細については第2部西崎（2011）参照。

- **(注3)** 保留条項（the reserve clause）：米国リーグにおける収益性を維持するために1879年にナショナルリーグで導入された条項である。球団は自らが望めば，どんな選手にも事実上一生涯拘束するものであった。この条項によって選手の給料を抑え，球団の収益を拡大することに役立った。そして1903年に大リーグ野球（Major League Baseball）が誕生した。その際にこの保留条項が独占禁止法（反トラスト法）に違反するとの訴えがなされたが，最高裁判所の判決で，大リーグは独占禁止法の適用除外でしたがって保留条項も合法であると認められた。
- **(注4)** 保有・移籍システム（the retain and transfer system）：MLBの保留条項に似た制度で，英国サッカーにおける選手の流動性に対する労働市場の制限である。1891年に正式に導入され，1963年英国最高裁の判決が出てこのシステムが取引の不当制限に該当すると判決が出るまで続いた。このシステムでは，フットボールリーグに登録されたプロ選手を現在在籍しているクラブに縛りつけ，彼の職業人生の最後まで縛りつける可能性がある制度であった。これは選手をクラブが売買するモノ扱いするものであった。導入の理由は，米国同様，規制がなければ弱いクラブは高い報酬を払えず，不均衡がますます増大するので，ファンの興味がそがれるのを防ぐためとされた。

【参考文献】

西崎信男（2013）「プロ野球のビジネスモデル～サービスの共同生産の見地から～」『証券経済学会年報』第48号　pp.230-235　証券経済学会
朝日新聞 GLOBE 2014/11/3
橘川武郎・奈良堂史（2009）「ファンから観たプロ野球の歴史」日本経済評論社
岸川善光編著（2012）「スポーツビジネス特論」学文社，pp.46-50
日本プロ野球機構ホームページ

セリーグ入場者数　1950-2014
http://www.npb.or.jp/statistics/attendance_yearly_cl.pdf
パリーグ入場者数　1950-2014
http://www.npb.or.jp/statistics/attendance_yearly_pl.pdf
Jリーグ HP　Data Site: https://data.j-league.or.jp/SFTP01/

西崎信男（2007）「スポーツマネジメントとホスピタリティ〜スポーツが自立するためのマネジメント〜」日本ホスピタリティ・マネジメント学会誌 HOSPITALITY 第14号 2007

Tomlinson, A.（2010）Oxford Dictionary of Sports Studies Oxford University Press

Trenberth, L（2003). Managing the business of sport Dunmore Press

Symanski S. Baseball economics in Andreff, W. & Szymanski, S.（2006）Handbook on the Economics of Sport, Edward Elgar

The Rules of Association Football 1863, The Bodleian Library, University of Oxford（2006）

日韓ロッテグループ業績報告：http://lotte.co.jp/sp/corporate/outline/pdf/report2011.pdf

Foster, G. et al:The Business of Sports:Text and Cases on Strategy & Management, Thomson South-Western

第Ⅱ章 スポーツを取り巻く外部環境の変化

1 グローバル化，低成長，少子高齢化による国内製造業空洞化

わが国の経済は，グローバル化，情報化（IT化），少子高齢化等大きな構造変化に直面している。グローバル化は貿易自由化交渉の進展や1989年のベルリンの壁崩壊に端を発した東西冷戦構造の終結等に伴い，貿易の拡大，企業の海外展開の拡大が急激に起こっていることを指す。また情報化の進展は，インターネットの急速な普及により，地理的，時間的距離が一挙に縮まり，グローバル化の加速化を導いた。このことは市場から秘密がなくなっていくことを意味し，容易に利益を得ることができなくなっている。他方，グローバル化の進展は，ビジネスの国境を超える急拡大を生む。後述するが，プロスポーツビジネスがまさにその典型的な例である。

こうした変化と並び，わが国にとって大きな影響を及ぼすのが，少子高齢化の問題である。2010年時点で，高齢化比率が20％を超えている国は世界でも，日本（23％），ドイツ（20.8％），イタリア（20.3％）の3か国のみである。わが国は世

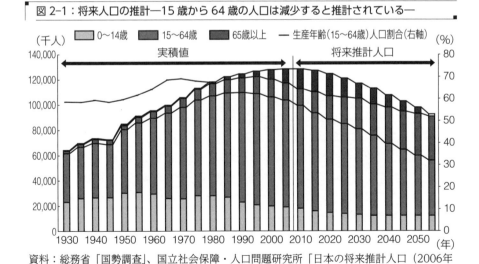

図2-1：将来人口の推計—15歳から64歳の人口は減少すると推計されている—

資料：総務省「国勢調査」、国立社会保障・人口問題研究所「日本の将来推計人口（2006年12月推計）」
（注）1．将来推計人口は、出生中位（死亡中位）推計による。
　　2．生産年齢人口割合は総人口に対する15〜64歳人口の割合を指す。

出典：2008年版中小企業白書p.22

界に先駆けて，人類がいまだかつて経験していない「超高齢社会」に突入していくこととなる。すでに2011年から本格的な人口減少時代に入ったといえる（中小企業白書2014年版）。

　少子高齢化がもたらす国内経済への波及効果を簡単にまとめると，以下のとおりとなる（次頁の図2-2参照）。まず少子高齢化，さらに人口減少の社会になると，まず国内市場が縮小することになる。人は労働者であると同時に消費者（顧客）である。顧客が国内で減少する一方，アジア諸国の急速な発展により，それらの国々が低賃金による生産拠点から，豊かな消費者が急増する一大消費市場へと進化している。それによって，国内企業は海外進出を急いでおり，その結果，国内産業空洞化が発生している。この問題は，生産拠点を海外に移し始めた20余年前からの流れであるが，今はその性格を変えて，消費者市場との捉え方が増えてきている。国内市場が縮小するに従い，今までライバルであった企業同士が企業合併をはじめとする戦略的提携が増加している。キリンとサントリーの合併（結果的に実現せず（2010年））はその典型例で市場を驚かせた。

　国内にとどまる企業の中にも優秀な企業が多数存在しており，それを買収しようとする外国企業も増加している。アジアの発展，特に中国が1980年代の日本と同様に，積極的に海外企業の買収に動いているのが目につく。2009年に秋葉原の家電量販店であるLAOX（ラオックス）が買収され，さらに2010年には1960〜1980年代までアパレル業界をリードしたレナウンまで中国企業の傘下に入ったことが新聞紙上を賑わせた。少子化，人口減少は他方で生産人口が減少することであるので，納税者が少なくなり，また非生産人口となった人たちへの年金支払，医療費負担が増加するので，国内経済の成熟化による法人税減少も相まって，国の財政の困窮度が増している。これを補うためには，国債発行による国民からの借金，消費税率引上げに見られる増税が選択肢となってくる。それが今度は経済成長の重荷につながっていくのである。

　少子高齢化の流れは容易に止められないが，方法として提案されているのが，
　第一に，今まで就業していなかった層，例えば主婦であるとか，高齢者を雇用する，すなわち新規労働者を増やすことで労働力不足を補う方法がある。
　第二に，労働生産性を上げることである。

労働生産性＝（付加価値額：産出額）/（労働時間又は労働者数）

　すなわち，新製品・サービスを開発する等により，分子である付加価値を上げるか，または機械設備の導入，合理化によって分母である労働時間，または労働者数を減らすことが可能となる。

　別の観点から少子高齢化を見ると，それは経済成長一本やりの高度成長ビジネス

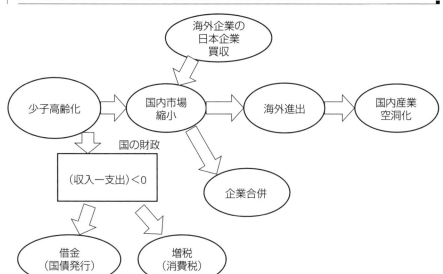

図 2-2：少子高齢化がもたらす，国内経済への波及効果概念図

筆者作成

モデルから，余暇志向，健康志向を重視する生活重視のビジネスモデルへの転換である。高齢者は生産者から引退していくが，消費者としては今後ますます重要な位置を占めていくのである。それに対応して，マーケティングの世界でも大きな変化が表れている。今まで顧客数増加（新規顧客）を追い求める方向から，顧客一人一人（既存顧客）の一生涯にわたるニーズに対して商品・サービスを提供する「顧客生涯価値（LTV: Life Time Value）」の方向が重視されてきている。情報化の進展が顧客情報の収集・蓄積・活用に大きな役割を果たしている。

　以上が，現代日本が抱える課題であり，方向性である。スポーツもスポーツの世界だけでもはや完結しないことは自明の理である。これらの外部環境の激しい変化に対応して，スポーツ業界はどのような方向性を取るべきであろうか。次章以降で検討していきたい。

2　先進国における「サービス経済化」とスポーツ

　産業構造とは，「一国の国民経済が諸産業によってどのように構成されているかを示す状態」であり，第一次産業は農業・林業・漁業，第二次産業は鉱業・建設業・製造業，第三次産業は電気・ガス・水道・運輸・通信・小売・卸売・飲食・金融・保険・不動産・サービス・公務・その他の産業で示される。

表 2-1：経済構造の変化（名目 GDP（注）に占める各産業の構成比）：産業構造の変化
（付加価値：名目）

暦年	1900	1920	1940	1960	1970	1980	1990	2000	2010
第一次産業	39.4	30.2	18.8	12.8	5.9	3.5	2.4	1.7	1.2
第二次産業	21.2	29.1	47.4	40.8	43.1	36.2	35.4	28.5	25.2
第三次産業	39.4	40.7	33.8	46.4	50.9	60.3	62.2	69.8	73.6
（内サービス業）	na	na	na	7.4	9.3	13.7	15.5	19.6	22.3
合計	100	100	100	100	100	100	100	100	100

出典：金森久雄他（2013）日本経済読本第 19 版 東洋経済新報社　p.31 を一部加工

　ペティ＝クラークの法則にあるように，経済発展に伴い，産業構造も変化する。すなわち第一次産業から第二次産業，第二次から第三次産業へと国民所得に占める比率および就業人口の比率の重点がシフトしていくことが観察されている。米国では 1950 年代から，企業は多国籍企業化して，生産を海外に移転してきたが，日本もプラザ合意を受けて，1980 年代後半から，製造業を中心に工場の海外移転が進展し，国内産業空洞化が懸念されている。国内はまた少子高齢化，さらには人口減少の社会を迎え，企業もますます海外シフトを進める状況である。そこで国内に残るのは第三次産業（サービス業）が中心となる。それが第三次産業の国民所得に占める比率が飛躍的に上昇している背景にある。サービス業の定義は種々あるが，例えば企業用複写機を例に挙げると複写機そのものを購入するのではなく，アフターケアというサービスを含めて，購入しているのである。それがサービス化経済の進展といえる。そこで第三次産業全体をサービス業と捉える見方が増えている（池尾他（2010）マーケティング）。「我が国経済のサービス化の進展を概観する上でサービス産業を第三次産業として捉えてきたが，サービス産業の捉え方は多様であり，一律の定義は存在しない」（中小企業白書 2008 年第 2 部第 1 節）。

(注)　GDP（国内総生産）：国籍の如何にかかわらず，国内で生産された価値の合計を示す。一方，グローバル化が進展する以前に一般的に使われた GNP（国民総生産）はその国の国民が生産した価値の合計を示す。経済が成熟化段階にある先進国では，ほぼ共通して「サービス経済化」が進展しており，日本も同様である。「一国の経済が成熟化に従って，産業構造（所得，就業などでの産業構成の重点）は第一次産業から第二次産業へ，そして第三次産業へ移行する」とのペティー＝クラークの経験則が当てはまるのである。すなわち，円高の進行，発展途上国，特にアジアの経済発展に伴い，中国を始めとする

アジア諸国が生産工場の位置づけから，まさに現地生産，現地販売の位置づけへと変わり，日本国内産業空洞化による第二次産業のGDP構成比の急低下が見て取れる。アジア経済の急発展により，市場を追いかけて海外進出した日本の製造業が日本に戻ってくることを期待するには難があるので，今後も第三次産業の割合が拡大していくものと思われる。少子高齢化から人口減少の社会に突入し，今後日本の市場は縮小が続く。その中でモノよりも販売が難しいサービスを販売していくことになる。

3　わが国経済のダイナミズム（活力）とスポーツ産業

　わが国の起業活動は，時系列でも国際比較でも低調である。政府は2000年には日本経済のダイナミズムを引き出すために中小企業基本法を改正して，元気ある中小企業を支援する体制を整えて施策を推進してきたが，その後もわが国経済の歩みは活力の減退が懸念される状況が継続している。まさに少子高齢化で生産年齢人口が減少するため，税収入が減少するとともに，また顧客の数が減るので，顧客を求めて企業が海外進出するため法人の税収も減少する一方，国内では高齢退職者が増加して，年金受給を開始する。さらに老齢化に伴い医療費が急増する状況である。本章第1項で説明したとおりである。そういう状況が継続しているため，起業活

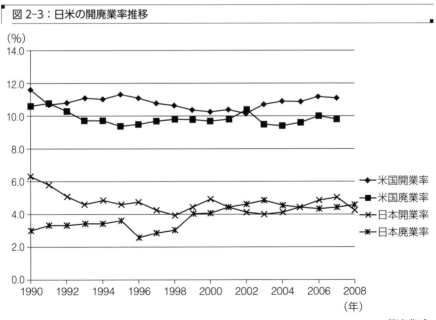

図2-3：日米の開廃業率推移

筆者作成

動の低調，高齢に伴う個人企業の廃業率の増加で，開廃業率がいずれも活力ある米国に比較して，低水準で推移，しかも開廃業率が逆転するなど，さらなる起業家マインドの衰退が懸念される状況にある（図2-3参照）。

　起業の国民経済に与える影響として，①経済の新陳代謝と新規企業の高い成長力②雇用の創出，③起業が生み出す社会の多様性が挙げられる。特に起業によって新陳代謝が活発となり，革新的な技術等が持ち込まれ，経済成長をけん引する成長力の高い企業が誕生することが期待される。企業の参入・撤退こそが，産業構造の転換やイノベーション促進力の原動力となり，経済成長を支える。また雇用の創出についても，2006～2009年に創出された雇用の約6割が，開業事務所で創出されている。また情報通信業や医療，福祉のみならず小売業，飲食店，宿泊業等サービス関連業務の開業事務所で雇用創出効果が大きい（中小企業白書2011年版）。

　グローバル化の進展は，スポーツサービスの生産と消費に大きな変化を与えている。東西冷戦の終結とともに世界が一つになっていく中，生産者と消費者の距離が通信手段の発達によってどんどん縮まってきている。世界中のファンは実際にスタジアムに足を運ぶだけではなく，無料放送や有料ケーブルテレビ，インターネットを通して，有名リーグスポーツやイベントを観ることができるようになった。スポーツに対する需要が急拡大しているのである。そうなってくると，スポーツ組織の管理者にも専門性が強く求められる時代になる。その中には，例えば米国のメジャースポーツに典型的であるが，法律家や会計専門家，そして代理人等の業務が拡大してきている。スポーツはあくまで分野であり，内容はまさに企業経営に係る知識・考え方の修得が必要とされる。そういう外部環境の変化があるからこそ，欧米のみならず，日本でも大学でスポーツマネジメントのコースを設置するところが急増しているのである。

　わが国経済のダイナミズムが失われていく中で，スポーツ産業は上述のとおり，すそ野が広くダイナミックに成長する分野である。さらに先進国における少子高齢化に対応して，消費者の健康志向，余暇志向に適合する産業でもあるので，新規創業も含めて期待できるのがスポーツ産業である。また2020年東京オリンピック開催はスポーツ産業にとっては大きな追い風である。

　しかし日本では，プロスポーツの扱いは欧米に比べて低い点に問題がある。例えば北米産業分類システム（North American Industry Classification System（NAICS）Canada 2012）では，大リーグ野球は，バスケットボール，アメリカンフットボール等と並んで「711 パフォーミングアーツ（公演芸術），スペクテータースポーツ（観戦型スポーツ），そして関連産業」の下位項目にある「711211 スポーツチームとクラブ」の中に含まれており，他の公演芸術と同格に列せられている。それに

対して日本では，総務省統計局『24年の経済センサスのカテゴリー』によれば，例えばプロ野球は「8025 演芸・スポーツ等興行団」に含まれ，「8024 楽団，舞踊」や「8064 パチンコホール」と所属が同じ「娯楽」として位置づけにある。「娯楽業」の売上高をみると，24兆10億円となっている。産業細分類別に売上高をみると，「パチンコホール」が17兆3,476億円と最も多く，次いで「競馬競技団」が1兆4045億円，「娯楽に附帯するサービス業」が8,091億円などとなっている。8025演芸・スポーツ等興行団は714億円にしか過ぎず，娯楽業の中でも目立たない（原田宗彦（訳）（2006）一部数字改変）。

スポーツ産業を今後有望な産業に育てるためにも，プロスポーツの扱いを変えていく必要がある。米国では，上述のとおり，プロスポーツの位置づけは高く，独占的ビジネスとして，自らを希少化する戦略が成功して，米国全土の地方自治体から誘致が多いため，プロスポーツというショーを演出する最高の舞台であるスタジアムに対する資金提供を勝ち得ている。日本ではプロ野球もプロサッカーも依然として借り物のスタジアムで試合を開催しているのが現状である。少子高齢化の中で，企業のみならず地方自治体も生存競争が激しくなる。そこで地元のプロスポーツ球団とタイアップして，球団の繁栄と地域活性化を目指す方向性が考えられる。まさにJリーグのみならず，プロ野球の球団も「地域密着」をコンセプトとする球団が増加してきているのは，その証拠であろう。

【参考文献】

金森久雄他（2013）日本経済読本第19版 東洋経済新報社
志築学（2008）「日本の産業発展—企業勃興とリーディング産業/中小企業—」創成社
中小企業白書2008年版 pp.112-114
中小企業白書2011年版 p.192
原田宗彦（訳）（2006）「アメリカ・スポーツビジネスに学ぶ経営戦略」大修館書店 pp.280-281 一部数字改変
池尾恭一他（2010）「マーケティング Marketing:Consumer Behavior and Strategy」有斐閣 pp.529-548, pp.568-589
Hoye, R. et al (2006), Sport management, principles and applications, Elsevier Ltd pp.3-13

第Ⅲ章 サービス・マーケティングの重要性

1 サービスの特徴と需給調整の重要性

　第2章にて先進国に共通してみられるサービス経済化について説明した。GDPにおいて約70％がサービス産業から生み出されていることを見た。これは雇用者数においても同様である。まさに日本全体として、如何にしてサービス産業を伸ばしていくかが、課題となっている。しかし、サービスにはモノと異なる特徴があるため、サービスを売ることはモノを売るより難しい。

　サービスの特徴は、モノとの対比で以下のとおりにまとめることができる。

表 3-1: サービスの特徴

サービスの特徴	モノの特徴
不可視性（無形性）	可視性
在庫できない（消滅性）	在庫できる
生産と消費の不可分性（共同生産）	生産と消費の可分性
不均一性（品質の変動性）	均一性

　ここで明らかなように、サービスはモノを売るより難しいことがわかる。サービスは目に見えないために、顧客は良し悪しをすぐには比較できない。また在庫ができないため、当日に売り切る必要がある。その点では、生ものやファッションと同じ性質をもつわけである。例えば航空機の空席は、飛行機が飛び立てば、埋めることができない。そこで出発が近づくと超特価で販売が行われることもある。さらにLCC（格安航空会社）では特にそうであるが、極論をいえば、「無料で乗せる」ことでも、機内で有料サービスの売上を上げることができるという発想になるのである。また生産と消費の不可分性がある。典型例は理髪店で、顧客の細かな注文を聞きながら、髪形を作っているのである。これは顧客と売り手のサービスの共同生産ともいえる。品質の変動性もモノとは異なる。スポーツの試合では、結果が事前にはわからないので、同じ料金を支払うが、緊迫した試合になるか、大差の試合になるか、サービス内容が大きく異なることもある。

　サービスはこのような特徴をもち、モノよりも販売が難しい。そこで複雑化し、多様化する顧客ニーズに対応し、最大の顧客満足を獲得できないとサービスを買ってもらうことができない。そうすると顧客に対応する（サービス・エンカウンター）

接客担当者と顧客の双方向コミュニケーションが大変重要になってくる。サービスの知覚品質（顧客に受けとめられている品質）は，売り手と買い手との相互作用に大きく依存しているのである。人間は感情の動物である。接客担当者も感情をもった人間である。モノは均一性が保たれているが，サービスは人間が提供するために，サービスの品質は不均一とならざるを得ない。そこで，接客担当者に如何に気分よく仕事をしてもらうかが，よいサービスが提供されるために必要となってくる。そこで，サービス・マーケティングでは，企業から接客担当者向けに行う教育訓練，インセンティブ，福利厚生施設，相談等，「内部マーケティング（Internal Marketing）」が注目されている。下図は，サービス・マーケティングを表したものである。「外部マーケティング（External Marketing）」は企業と顧客との関係での通常のPRを含めた顧客へのアプローチである。これだけでは顧客のニーズには対応難しい。顧客のニーズを感じ取り，それに即時に対応する（「双方向マーケティング（Interactive Marketing）」）のはまさに接客担当者の力量である。それを可能にするように，企業は接客担当者のマーケティング能力を向上させるべく担当者に教育訓練を行い動機付けなければならないのである。現代社会はサービス化経済が進展している。モノだけを単独で販売することは少ない。程度の差はあってもモノ＋サービスで顧客に商品が提供される。そこで，モノの販売にも，「サービス・マーケティング」の考え方は今後ますます重要になってくる。

スポーツの世界でも同様にサービス・マーケティングが重要になってきている。

図3-1：サービスマーケティング

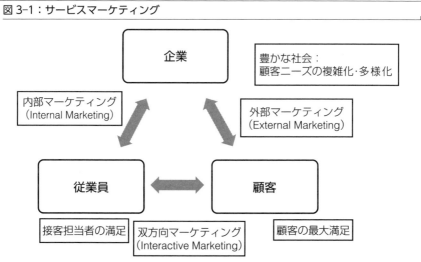

Kotler, P. & Keller, K.L.(2009)p.357 FIG.13-5改変

例えばプロ野球においても，ファン感謝デーを設定し，ファン（顧客）と選手が触れ合うことで，顧客の球団へのロイヤルティを深めている。同時に，選手が学校を回って，野球の指導をすることで，子供たち（顧客）が将来球団の核になるファンとなるのである。北海道に移転した日本ハムは新庄選手というファンとの双方向コミュニケーションが得意なスターがいたこともあり，選手とファン（顧客）との双方向マーケティングが上手といわれている。これも球団の意識が高く，そのことが選手に対する内部マーケティングとなって，選手をファンとの積極的な接触を勧めているのである。パリーグはセリーグに比較し，以前は人気がなかったので，ファンとの双方向マーケティング，またそれを可能にする球団から選手への内部マーケティングも盛んになった経緯もあると思われる。

　サービス商品は生産と消費の不可分性（同時性）があるため，サービスの需要と供給の調整が困難である。すなわち需要量が季節，週のみならず，一日の中でも相当変動する特徴をもっている。そこでサービス企業は，サービスの消滅性と需要の変動性に対応するために，需要管理と供給管理を行うことによって生産性の向上を図っている。モノ商品の場合は，在庫で調整されるが，サービス商品は在庫できないため，別途管理が必要である。

図 3-2：生産性向上のための需給管理の方法

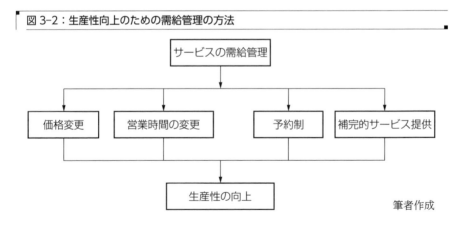

筆者作成

需要管理（1）価格変更

　需要の集中と閑散を価格で管理する方法である。野球で7回以降の入場料を安くすることによって，入場者を増やしている例がある。またゴルフ場で「夕暮れ割引（twilight discount）」を実施することは海外ではよく行われている。これは非ピーク時の需要を創造するために開発されたものである。プロサッカーでは，試合（相手チーム，トーナメント）によって価格変更を行い，需給を調整している。

需要管理（2）営業時間の変更

　サービス商品は即時性消費ニーズ（購入してすぐ消費したいニーズ）が高いため，消費者が利用したい時間帯に合わせて対応しないと需要を逃してしまう。例として英国プレミアリーグ（EPL）の試合開始時間・日程の調整がある。キリスト教国で日曜日は休息日でサッカーの試合もかつては開催されなかったが，今や伝統的な土曜日午後3時キックオフが，テレビ中継で海外に配信される都合でランチタイム12時キックオフであったり，夜7時30分，さらに日曜日のみならず，月曜日にも試合が組まれることが常態化している。これは時差が大きい海外の視聴者にむけた営業時間の変更といえる。現にプレミアリーグでは，放映権収入の上位には東南アジア各国が並んでいる。

需要管理（3）予約制

　予約制を導入することで需要管理を行いながら，サービス供給に計画性をもたせる方法である。顧客の待ち時間を短縮する効果がある。予約制は顧客の行動を制約するので，価格割引等のインセンティブが必要とされる。しかし，英国プレミアリーグではスタジアム稼働率が90％を超え，プレミアムチケットとなっているため，顧客はインセンティブを必要としていない。シーズンチケットの販売も予約制の一種と捉えることができる。

需要管理（4）補完的サービスの提供

　米国の野球場は「ボールパーク（Ballpark）」と言われているくらいで，観客の中には野球を真剣に観ることなく，外野席のテーブルを囲んで仲間とビールを飲みながら談笑している風景がテレビによく写される。「野球を観る」のではなく，「野球を観ながら仲間と楽しい時を過ごす」ことがドメイン（生存領域）なのであろう。まさに「エンターテイメント」へのドメインの再定義といえる。

2　小売（モノ）マーケティングの延長としてのサービス・マーケティング

　サービスのマーケティングとモノ（有形財）のマーケティングは決して別物ではない。サービスの特徴を勘案して，小売マーケティングを延長したものと考えると考えやすい（次頁図3-3参照）。

（注1）　市場細分化（セグメンテーション）と標的顧客（ターゲット）の明確化：サービス・マーケティングの特徴である。特に在庫できない点を勘案すると，需要変動に関してはモノ以上に管理することが求められる。そこで限られた内部経営資源を組織として提供するために，誰に何を提供するか，市場細分化と標的顧客の明確化を行う必要がある。在庫できないために，顧客の即時性消費志向が高い。これは換言すると時間と

第1部　基礎編

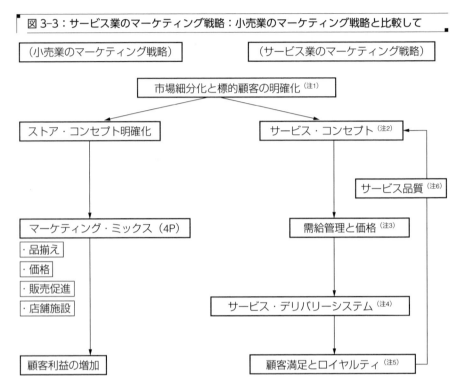

図3-3：サービス業のマーケティング戦略：小売業のマーケティング戦略と比較して

空間の制約を強く受けることである。それによって必要なサービスを必要な場所で提供できなければならない特色をもっている。したがって，在庫が可能で，時間と空間の制約が小さいモノと比較，市場細分化による標的顧客の明確化（絞り込み）はさらに重要である。

(注2)　サービス・コンセプト：顧客ニーズを充たすサービスの内容または便益（ベネフィット）のことである。誰（標的顧客）に何（どのようなサービス）をどのように（方法，技術）提供するのかを明らかにする。サービス・コンセプトはサービスのマーケティング・ミックス（具体的方策のこと）の中核となる要素であり，競争優位の源泉となる。ノーマンによれば，サービス・コンセプトには，①特別な能力の提供，②新しい結合（複数の資源を新しい方法で結びつけ，新たな付加価値を創造する），③ノウハウの移転，④経営サービス（システム）の提供等が挙げられる（近藤（2007））。プロスポーツにおいては，「専門的な能力を持つ選手」が提供するプレーと，「スタジアムが提供する装置産業的サービス」を合わせて，「観客」が終日楽しめる「エンターテインメント（娯楽）」を提供することがサービス・コンセプトといえる。スタジアムを自前で運営できるかどうかがサービス・コンセプトに影響を与える。

(注3)　需給管理と価格：前述参照

第Ⅲ章　サービス・マーケティングの重要性

(注4)　サービス・デリバリーシステム（サービス提供システム）：顧客への価値を提供する全体としての仕組みを指す。モノのように生産と区別した流通過程ではなく，無形性，生産と消費の不可分性というサービスの特徴を反映して，単なるサービス生産だけではなく，流通と消費も同時に進行する過程である。サービス・システムは，(1) 顧客に見えないバック・オフィス（サービス・オペレーションシステム：技術的なコアな部分）と (2) 顧客に見えるフロント・オフィス（サービス・エンカウンター：施設や設備等ハード部分と顧客と接する接客担当者等のソフト部分をあわせたもの）で構成される。このうち顧客との接点である部分はサービス・エンカウンターと呼ばれ，サービスの差別化や品質管理，サービスの提供の仕方，顧客のサービスに対する満足度に大きな影響を与える。なぜなら，サービスの無形性から，顧客にとってはサービスの品質を評価するのが難しいため，目に見えるフロント・オフィスの部分を評価するからである。サービスが顧客参加によって成立する双方向コミュニケーションであるため，接客担当者とのコンタクトが顧客のサービス評価につながる。そこで，企業側による接客担当者の研修や管理等内部マーケティング（Internal marketing）が近年脚光を浴びている。

(注5)　顧客満足とロイヤルティ（忠誠心）：顧客サービスの高さは顧客満足と顧客ロイヤルティを高める。サービス・エンカウンターが機能して初めて，顧客満足が生まれ，顧客はそのサービスを長い期間購入することになる。収益的に捉えれば，既存顧客，特にロイヤルティが高い顧客は顧客維持コストが低く企業にとっては収益性が高い。そこで少子高齢化の社会では，コストをかけて新規顧客開拓を図るマス・マーケティングより，一人一人の顧客に対して誕生から死亡に至る全人生から，ライフステージごとに商品サービスを提供して収益を獲得する（顧客生涯価値LTV：Life Time Value）方法であるワン・ツー・ワン・マーケティングが活用されている。顧客満足を中心に売上高拡大と利益を生み出す連鎖として展開されているのである（サービス・プロフィット・チェーンと呼ばれている）。

(注6)　サービス品質：サービスが生産と消費の不可分性から，顧客のサービス参加によって成り立つプロセスである。そこでサービスの品質自体がサービスの生産・消費に関わる顧客側の知覚に委ねられることになる。このために，サービスの提供者は顧客の知覚をコントロールすることが課題となる。すなわち顧客サービスと顧客満足の間には強い相関関係があり，その間には顧客の品質評価がある。サービスの品質評価は，顧客が事前に抱く期待と購入後の認知の関数である。事前期待が高いほど評価は低く，期待が低い時には高く評価されることが起こる。

サービスの品質評価＝購入後の認知（知覚）－事前期待

　そこで期待と知覚の両者をバランスさせることが質の高いサービスを提供することになる。

第1部 基礎編

図 3-4：大リーグ野球球団組織図

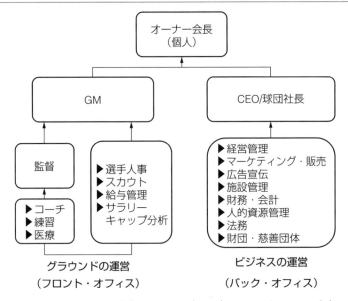

出典：Foster,G(2006)p.100 Exhibit 3-4改変

（例）大リーグ野球 MLB の組織に見るフロント・オフィスとバック・オフィス

　球団が組織として運営されるためには，コアとなるバック・オフィスの技術が必要となる。すなわち，ヒト（人的資源管理），モノ（マーケティング管理），カネ（財務管理），技術（技術管理），情報（情報管理）が観客から見えないオフィスで管理されて動いているのである。

　顧客である観客に見えるのはフロント・オフィスである。まさにサービス・エンカウンターで顧客の満足を獲得する直接的な原動力は，このフロント・オフィス（球場）から生み出されるが，フロント・オフィスを支えるのがバック・オフィスおよびバック・オフィスの諸機能である。

　大リーグ野球では，プロ野球はあくまでエンターテインメントビジネス（娯楽ビジネス）であり，日本のプロ野球のように親会社の広告宣伝塔として採算が取れないビジネスは存在し得ない。そこで大リーグ組織は利益を生み出すために，組織の機能分化を行い，専門家集団を活用することで利益を生み出している。数年前に，米国で大ヒットした映画「マネーボール」では，小都市に所在し金銭的に余裕のない球団オークランド・アスレチックスの GM が少ない予算で，選手（サービス・エンカウンターの役割を担当する接客担当者）を獲得するシーンを描いているが，自らの

強み(セーバーメトリックスという選手の価値の計算方式)をパソコンのサポートを得て徹底的に活用することで,資金を使わずして,「勝てるチームを安く」創ることに成功したのである。日本,または欧州では,「勝利(効用)」が優先され,採算が時に軽視されるスポーツ球団(クラブ)運営がみられるが,米国では「利益」優先であり,そのための組織が創られ,運営されているのである。前述のサービス・マーケティングはバック・オフィスのマーケティング担当部門が担当するのである。

【参考文献】
池尾恭一他(2010)「マーケティング Marketing:Consumer Behavior and Strategy」有斐閣 pp.529-548, pp.568-589
中小企業庁(2008)「中小企業白書 2008 年版 生産性向上と地域活性化への挑戦」ぎょうせい
テレビ東京(2012)「フット x ブレインの思考法 日本のサッカーを強くする 25 の視点」文芸春秋 p.197
和田他(2006)「マーケティング戦略 第 3 版」有斐閣, pp.291-303
近藤隆雄(2007)「サービス・マネジメント入門[第 3 版]」日本生産性本部, pp92-103
Foster, G. et al (2006), The Business of Sports, Text & Cases on Strategy & Management, Thomson South-Western, p.100
Kotler, P. & Keller, K. L. (2009), Marketing Management, Pearson Prentice Hall
ノーマン,R. (1993)「サービス・マネジメント」近藤隆雄訳,NTT 出版 pp.87-104

第Ⅳ章　経営学的分析のためのツール１

　経営学と経済学の相違点を聞かれたときに学生がもつ一般的なイメージは，「経済学」は一般に広く経済活動のことを勉強する学問であるのに対して，「経営学」はベンチャー企業を創業したり，社長になりたい人が勉強する学問であると考えることである。共通点としては，経済学も経営学も，経済活動を研究・分析の対象として経済社会の動きを捉えようとする学問であり，生きている現実の世界を扱う点である。

　一番の違いは，人間の合理性に対する信奉の有無であろう。経済学では，経済全体を見渡して経済の状況を分析する。人間を合理的な存在と規定し，無限の対象を観察して結論を下すために，できる限り対象を単純化して，完全なる市場を前提に均衡点を測る学問である。それに対して，経営学の前提は，人間の合理性には限界があり，東京と九州で同じ商品の価格に差があっても，人間にはその差を見えない。また同じ商品であってもブランドによって払う価格が異なるなど，経営学では人間は合理的になりたくてもなれない存在と規定する。その人間で構成されているのが組織であるので，組織もまた合理性に限定がある存在といえる。そこで，経営学は，経済学，法律学，工学，数学，心理学，社会学等ほかの学問を進んで経営学に導入して，少しでも現実に近づこうとする健気な学問といえる。

　経済学には，マクロ経済とミクロ経済の区分があるものの，基本的には，国家全体の経済最適が目的の学問であるのに対して，経営学は，個別の企業等の経営行動最適が目的の学問であるとのまとめ方もある。

1　経営組織論概論

　近代組織論の祖，バーナードが経営者の役割を解明する際に，組織の概念や理論から始めた。その際に「組織」とは「二人以上の人々の，意識的に調整された諸活動，諸力の体系」(バーナード (1938)) と定義した。スポーツクラブであろうが，企業であろうが複数の人間が共通目的をもち協働する。これを組織と定義する。物理的な意味で会社の建物を指すわけではない。協働するその状態を組織とするので，極論をいえば，会社が始まれば組織ができ，会社が終業となり，従業員が帰ってしまうと組織がなくなることになる。その意味で組織は朝9時から夕方5時までに存在するスナップショット（桑田他 (2010)) ともいえる。しかし社会に付加価値を生む組織をもっと確固としたものにするために，ハードとして組織構造を作り，ソ

フトとして社員全員のベクトルを合わせる組織文化を確立する必要がある。そしてそれらをまとめて組織を引っ張るのがトップ（経営者）の役割といえる。つまり，オーケストラの指揮者といえる。

　テイラーの科学的経営管理が誕生する前は，資本家と労働者は敵対関係にあり，資本家側では，労働者は必ず怠けると信じ，労働者側では資本家は必ず労働者の利益を搾取すると信じるなど相互不信で満ち溢れていた。資本主義が発展し，これから社会が豊かになっていく中で，感情的な対立で社会の発展が阻害されるのは問題であると工場エンジニアであったテイラーが課業の概念を持ち出し，ストップウォッチで作業時間を計測し，それに基づいて賃金を支払う経営管理を打ち立てた。その仕事の管理を担ったのが職長の役割で，ミドルマネジメントの重要性を見出したのがテイラーであった。テイラーの経営管理論では，課業，時間研究，職能的職長制，率を異にする出来高制を中核概念とする。それをフォローしてベルトコンベアシステムを発明したのがフォードであった。徹底した生産合理性の追求，標準化，機械化に基づく分業原理の革新を行った。ベルトコンベア（機械）は人間の労働を軽減し，効率的生産を促進するものとして導入されたが，結果としては機械が人間を使い，同じ仕事ばかりを割り当てられた労働者は人間疎外を味わうことになり，人間関係論の誕生につながることになった。勿論，組織は分業化して専門化することによって効率化し，それがコストダウンにつながる。それが資本主義の基本である。その仕事の指示命令系統を公式組織という。しかしそこで働くのはあくまで感情をもつ人間である。GEの工場での実験（ホーソン実験）から，工場施設の物理的労働条件の改善よりも，一緒に働く人間関係や，その実験の対象に選ばれたことが仕事に対する満足につながることが観察され，それが非公式組織の重要性を強調する人間関係論につながった。すなわち人間は経済人とする古典的管理論から，人間は感情人とする人間関係論に管理論は展開を見せた。勿論，非公式組織の重要性は組織運営に生かさなければならないが，組織運営の根本は公式組織による効率化の促進である。そこからさらに進んで，現代では人間はあくなき向上を目指す社会人（自己実現人）であるとの行動科学論が主流になってきている。組織は感情をもつ人間で構成されている。それを運営し最大の成果を上げるためには組織論を学ぶことが重要である。さらに「会社は誰のものか」という観点から，株主主権論，ステークホルダー（利害関係者）アプローチ等，日本的経営と欧米的経営の違いが，労働者の職業観の相違に結びついている点が興味深い。野茂英雄を皮切りに日本のプロ野球選手が多く米国に渡ったが，同じプロ野球選手であっても考え方に大きな違いがあり，適応することが困難であったことが想像に難くない。また逆に米国人選手が日本のプロ野球について，『「野球」と「ベースボール」は似て非なるスポーツだ』

と当惑したこともよく言われることである。

　ホワイティング（1977）によると，1950年代から70年代の日本のプロ野球は，選手生命を縮めてチームの勝利に貢献することが美しいとされた世界である。そこで語られる組織と個人の関係は，プロ野球に限らず日本の職場でも見られる事態である。彼は「和」「武士道」などのキーワードを通して，日米野球の根本的な違いを語っている。グローバル化の進展に伴い，日本でも個人と組織の関係は変化しているが，根本はなかなか変わらない。

　スポーツマネジメントでは，スポーツ組織の組織形態というハードと，組織を運営するソフトの部分の理解のために組織論を学ぶ必要がある。スポーツ選手は社会人経験がない学生であっても部活動で組織に関する体験が豊富である。組織構造を学ぶこと，特にモチベーションとリーダーシップという組織運営の部分が選手には有用であろう。グローバル化が進展する中で，現代は組織の時代にならざるを得ない。

【参考文献】
桑田他（2010）「組織論」有斐閣アルマ
洞口治夫・行本勢基（2012）「入門経営学―初めて学ぶ人のために―＜第2版＞」同友館
経営学史学会編（2012）「経営学史事典［第2版］」文眞堂
ロバート・ホワイティング（1977）「菊とバット―プロ野球にみるニッポンスタイル」サイマル出版会

2　経営戦略論概論－経営組織論から経営戦略論へ－

　組織とは複数の人間が共通の目的をもって協働することである。組織を作ることで，分業化が進み，専門化することで効率化が進み，コストダウンにより競争力が強化される。それが組織を作る意味である。1＋1＝2ではなく付加価値を生み5になるのである。それが1989年のベルリンの壁崩壊後，情報化の進展によって，人，モノ，カネ，技術等が地理的，時間的な壁を乗り越え，瞬時に世界を駆けめぐる世の中になった。そうなると世界中から秘密が消滅する，それは利益を上げにくくなることでもある。そこで組織は大規模化することでグローバル化の時代を生きていくことになる。まさに現代は組織の時代である。

　先に述べたとおり，経営学史を振り返ると，産業革命の後，テイラーの科学的経営管理が誕生した。そこでの人間観は，人間は経済人であり，金銭によって働くというもので，経営管理においては科学的経営管理が唯一最善の方法（one best way）で，いつの時代もどのような環境でも通用するとの考え方であった。確かに

科学的経営管理が自動車工業にみられる現代のIE（インダストリアル・エンジニアリング）にも応用され経済の発展に大きく寄与したのは間違いない。

しかし，工場の作業管理方法である科学的経営管理が，どの時代のどの産業にも適用できる管理方法であると考えるのは無理がある。そこで出てきたのがコンティンジェンシー理論（条件適合理論）である。コンティンジェントとは，英語表現でいうと「Be contingent upon～」，その企業を取り巻く外部環境次第で，経営組織は変わる，すなわち企業は自分を取り巻く外部環境を変えることはできないので，環境の変化に合わせて経営組織を変えて対応すべきであるとする理論である。すなわち組織は環境に対して異なる組織形態をとるというのが中心的命題となっている。主な論者はバーンズ＝ストーカー，ウッドワード等がいる。コンティンジェンシー理論が組織論の中で中心的な考え方になってきたが，前提条件は，組織の人間は組織を取り巻く環境を完全に理解していることである。環境に対応して組織を設計する分析型の戦略論がコンティンジェンシー理論である。ただし合理性に限界がある人間が集まって組織となるので，組織自体の合理性にも限界があるはずである。そこでコンティンジェンシー理論に対するアンチ・テーゼ（反対命題）として出てきたのが，カール・ワイクに端を発するイナクトメント（enactment）である。人間にとって，環境を完全把握することは無理がある。仮に環境を完全に把握し，それに対応する組織を組成し，戦略を策定したときにはすでに環境自体が変化してしまっている可能性がある（ミンツバーグ）。そうであれば，まずは実行することで環境に能動的に働きかけを行い，それが環境を変えることもあるとの考え方である。すなわち人間は活動して，初めてその意義を理解できるのである。イナクトメントは戦略の実行過程を重視する戦略論といえる。コンティンジェンシー理論から，イナクトメント，さらに知識の形式知（文章や数値等，言語で表現が可能な客観的知識）と暗黙知（熟練やノウハウ等言語での表現が困難な主観的知識）を分けて，環境の複雑性・不確実性が高まる中で，組織がどのように環境に働きかけるかを考えたのが，野中郁次郎・竹内弘高の提唱する知識創造理論につながるのが経営学発展の流れである。

「イナクトメント（創造）」とは，環境の中にあえて組織としての新たな行為を創出させて，その行為を反復的に行っていくことで新たな組織を創出し，戦略を展開していく考え方である。組織論の中で，実際の戦略策定プロセスを議論する概念である。

法律の世界で，何らかの意思を立法するプロセス，制定法との使い方があるように，経営学では組織がその行為・行動によって，自らを取り巻く環境を一部創造す

るとの意味で使用されている。

プロスポーツの世界でもイナクトメントの事例がみられる。

(事例：日本ハムファイターズの北海道移転)

2004年：日本ハムファイターズは本拠地を東京から北海道へ移転した。

当時オリックスと近鉄の合併構想が起こるなど球界再編の動きがあった，選手会のストライキ，選手獲得に関する不正な金銭授受問題等の問題も発生するなど動乱の時代であった。日本ハムが球団保有を開始したのが1973年，すでにそこから30年経過しており，親会社の知名度は向上しており，もはや親会社の広告塔としての意義は薄れている中での決断であった。そうした中で北海道に移転し，地域に急速に根づき，ファンを獲得，球界でも屈指の人気球団に成長した。

それは綿密な経営戦略の勝利であろうか？

「何だかわからないけれど，うまいこと行ってしまった」

勿論，巨大マーケットから北海道移転を決断したこと，「スポーツコミュニティの創造」という企業理念，「ファンサービス・ファースト」という活動指針，ファン獲得に尽力したことが成功に寄与したことは間違いではないが，「すべてがよいタイミング，よいスパイラルに当たったという事実が成功の要因として小さくない」((成田竜太郎：日本ハムファイターズ事業本部長) 並木（2013))。

まさにイナクトメントである。当時のプロ野球界は激動の時代で，プロ野球の存続すら危ぶまれたその時期に，まさに「やってみなはれ」で，実行してみて初めて活動の意義を見出し，成功していったのである。環境に受動的に反応する「コンティンジェンシー理論」であれば，とても大都会東京から，北海道に本拠地移転を決断できなかったであろう。

【参考文献】
並木裕太（2013）「日本プロ野球改造論」　ディスカヴァー・トゥエンティワン，p.114

第Ⅴ章　経営学的分析のためのツール２

1　経営戦略フロー

　米国の経営学者チャンドラーの「組織は戦略に従う（Structure follows Strategy, 1962）」という有名な命題がある。GM等アメリカの巨大企業の事業部制を研究し，どのような事業部が誕生するかは，企業の戦略に依存することを主張した。彼の関心は，企業成長の方法としての多角化と，それを管理するための新たな組織構造の出現にあった。まず組織ありきの考え方では，企業は変動する外部環境の中で生存していくことは難しい。そこで組織を取り巻く外部環境が変転する中で，まず環境変化に合わせて戦略を設定する。そしてその戦略を実行しやすい組織を構築することが重要と考える。これに対するアンチテーゼとして，より実践的な立場から，体系的な経営戦略の枠組みを示した経営学者アンゾフの「戦略は組織に従う」という命題が定義された。これは外部環境の変化が激しいために，戦略を策定してから組織を構築するのでは，環境変化に対応できない。したがって，環境変化に対応して速やかに組織を構築し，戦略を策定し戦略を実行することで，環境変化対応に必要な時間が削減され，予測可能性の低下に対応できると述べている。注目すべきは「組織」である。チャンドラーの「組織」は組織構造の意味である「Structure」と定義しているのに対して，アンゾフは組織能力である「Capability」と定義している。アンゾフは企業活動の中にはコアとなる強みがなければならないと主張した。組織能力とは組織に内蔵されたDNAともいえるもので，例えばトヨタ自動車であればToyota Wayともいえる行動パターンが該当する。同じ自動車会社であってもトヨタとホンダでは組織能力は異なる。それがまさに経営戦略における業界分析派（ポジショニング派）と経営資源派（リソース・ベースト・ビュー）の論争の論点である。経営資源派の主張はポジショニング派が主張する業界分析が重要であれば，業界内の各企業の優劣はできないこととなる。それは実態とは異なる。同じ業界内で各企業の業績に差ができるのは，まさに各企業の内部経営資源に差があるからとの主張が経営資源派の主張である。アンゾフのcapability（組織能力）に近い概念としてバーニー（1991）のresources（経営資源），プラハラード＝ハメル（1990）のcore competence（中核的能力）がある。

　以上の経営戦略の議論を踏まえた上で，経営分析のためのツールを検討する。

(1) SWOT（スウォット）分析

　企業と戦略の適合を考えるときに，特定の要因だけに着目するのではなく，全体

第1部　基礎編

像から考えることがわかりやすい。そのための有効な枠組みがSWOT分析である。SWOT分析とは，内部経営資源（一般的には，ヒト，モノ，カネ，技術，情報）から生み出される「強み（Strength）」「弱み（Weakness）」，そして外部環境がもたらす「機会（Opportunities）」「脅威（Threat）」を包括的に分析するツールである。そうすることで，様々な外部環境の要因が自社にもたらす機会と脅威を識別し，自らが保有する内部経営資源（組織能力）から生み出される強みを活用することで企業の競争優位を実現する，戦略計画策定のための分析枠組みとなる。前節で紹介したイナクトメントですでに実行された戦略行動の全体像を「事後的に把握」するためにも効果を発揮する（事後的経営戦略：日本企業に多いパターンである。有名な例はホンダのオートバイの対米輸出戦略である。「べき論」で進出したアメリカで，潜在的なニーズに遭遇し大ヒットした）。

　まず外部環境の分析が重要である。グローバル化，少子高齢化，情報化が進展する中で，まずは消費者ニーズの把握が重要である。消費者は供給過剰の経済の下でニーズは複雑化，多様化しており，企業にとって消費者ニーズの把握は難しくなってきている。消費者に対して売り手が「売る」のではなく，消費者ニーズを的確に

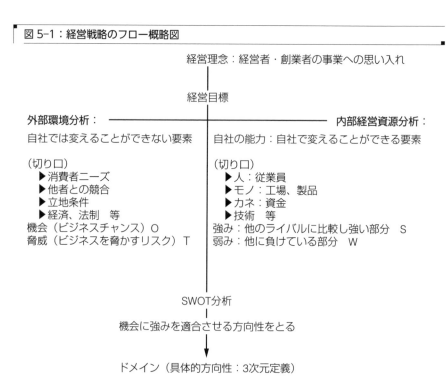

図5-1：経営戦略のフロー概略図

把握し，ニーズに適合する商品サービスを提供して，消費者に購入していただくとのマーケティング志向が基本である。それによって，ライバルとの競合に勝ち抜くのである。

(2) 五つの競争誘因

業界分析で活用する。五つの競争誘因とは，ライバルは直接のライバルではなく，代替品の脅威にもあるとおり，必ずしも見えるわけではなく「拡張されたライバル関係」を扱うフレームワークである。ポーターによれば，五つの競争誘因が業界の構造を決定する。業界の構造がわかれば，業界がどのように機能し，どのように価値を創造，共有しているかわかる。競争とは利益をめぐるせめぎ合いであり，業界が生み出す価値の分配をめぐる駆け引きである。五つの競争誘因とは，①業界内の競合企業同士の競争，②買い手の交渉力　③売り手の交渉力　④新規参入者の脅威　⑤代替品の脅威である。これらの誘因が重なり合って，業界の収益性が決定される。ドメインを狭くとり過ぎると成長を妨げるし，広くとり過ぎると内外に対する企業コンセプト，イメージが拡散するトレードオフ（二律背反）が発生する。

事例：大リーグ野球（MLB）業界

MLBはプロ野球業界であろうか，それともプロスポーツ業界であろうか，それとももっと大きくとらえてエンターテインメント業界であろうか。MLB業界では，リーグの共同生産を行っているため，ここではプロスポーツ業界と捉える。

五つの競争誘因は以下のとおり，分析できる。

① 業界内の競合企業：米国の4大メジャースポーツのライバルNFL（アメリカ

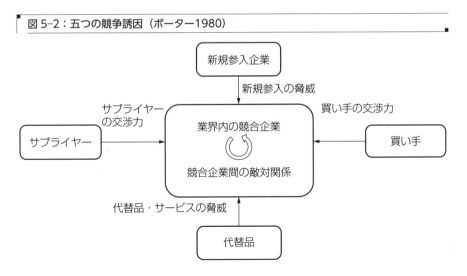

図5-2：五つの競争誘因（ポーター1980）

ンフットボール），NBA（バスケットボール），NHL（アイスホッケー）
② 代替品（エンターテイメント）：映画，コンサート，ゲーム，テレビ，アミューズメント施設，飲食チェーン，インターネット
③ 新規参入の脅威：MLBでは新規参入については，オーナー会議の4分の3の承認必要
④ 買い手の交渉力：ファンの購買力，TV局，スポンサー
⑤ 売り手の交渉力：選手，スタジアム

【参考文献】
別掲　並木（2013）p.36
網倉久永他（2011）「経営戦略入門」日本経済新聞出版社 pp.14-21,p.37-100
マグレッタ，J（2012）「[エッセンシャル版]マイケル・ポーターの競争戦略」早川書房　日本語訳（櫻井祐子）

2　ポジショニング・マップ

　業界分析で他社との競合を明らかにするツールである。互いに独立した縦軸と横軸を設定できるかが重要である。外部環境で消費者ニーズと並んで重要な要素が，ライバルとの競争である。そこでポジショニング・マップを活用して
・自社のビジネスのライバルとの競争状態を知る（思わぬライバルの存在）
・ライバルとの「競争状態」を知るだけでなく，競争が激しくない象限，競合で勝ち抜ける象限へ会社の方向性の舵をとる
ことが「経営戦略（事業戦略）」となる。

　経営理念→SWOT分析（内部の強み⇔外部の機会：競合分析でポジショニング・マップに描く＝ライバルとの競争状態をチェックする）→OKであればそれがドメインとなる（run for the space！：空いている象限を目指せ）→いくつかの選択肢＝戦略代替案策定

　適切な軸を設定できるかどうかは，自社のビジネスを理解しているか，他社との競争をどういう差別化で乗り切るかを理解しているかどうかによる。

ポジショニング・マップの作成方法
① 相互に「関連しない＝片方が動いても，もう一方へは影響を及ぼさない」2軸を設定する（例：タテ：価格軸　ヨコ：品揃え）
② 各軸の両端を正反対に設定（例：価格軸：高価格―低価格，品揃え：総合性―専門性）
③ どの切り口を設定すると，その会社の業態（営業形態）がライバルとの競争

状態にあるか「はっきりわかる切り口」を設定。右上の象限にその会社がくるように軸の設定を行い，理想的には残りの3象限にそれぞれライバル会社が位置するポジショニングが最高である。
④ 軸設定の切り口（参考）：ターゲット顧客（性別，年齢，職業他），商品・サービスの品揃え，価格，販売促進，店舗（ターゲットとマーケティングの4P等）

　流通業を例に演習を行うと，図5-3のとおりの図となる。横軸を品揃えの軸で設定すると，専門性―総合性で切り口を設定できる。縦軸を価格の軸で設定すると，高付加価値（高価格）―低価格で切り口を設定できる。日本ではバブル崩壊以降，国内経済成熟化，少子高齢化の環境下，消費者のニーズの多様化，複雑化があり，流通業は販売に苦労している。この20余年，低価格志向が消費者ニーズの中心であり，ポジショニング・マップの下半分の象限の業態が優位であった。それに対して上半分の象限の業態は劣位であった。特に品揃えの総合性で優位性を発揮するデパートの業績は毎年前年を下回る業績となっていた。商店街の商店は，品揃えも価格も中途半端でドメインがはっきりしなかった。それによって，商店は他業態との競争に敗北して，その数は減少の一途をたどっている。経営戦略的には，右上の象限（専門店）に移る方向性であろう。右下の象限は専門性があれば高付加価値商品として高価格で販売できるので，専門店の象限に移動する。しかしグローバル化の中で例えばアパレルの分野ではユニクロが右下の象限に位置する。理由として，流通業はメジャープレイヤーが生存をかけて世界的に熾烈な競争しているので，その「通常ならあり得ない象限」においてライバルであるザーラ（ZARA），H&M，ギャップ（GAP）等と専門性のみならず価格でも競争しているのである。結果として，国内メーカーとの競争ではアパレルでは世界と勝負するユニクロ（UNIQLO）が圧倒的な強さを発揮している。このように自らのビジネスを規定し，ライバルを選んで，それらとの競合分析を行うためには，ポジショニング・マップは有効といえる。切り口の設定が重要であることは言うまでもない。そこに経営者，マーケッターの視点がポイントとなる。ポジショニング・マップで競争状態を知った上で方向性を決める。
　スポーツ業界でポジショニング・マップを活用してみよう。リーグ運営の特徴を比較して，大きな違いがあるものを2軸に設定することによって，リーグのビジネスモデルの違いをビジュアル化することができる。MLBは，昇格降格がない閉鎖型モデルである。メジャーリーグとマイナーリーグは，ライバルではなく，マイナーチームは親会社メジャーリーグチームにとってのファーム（実質2軍）で選手供給基地となっている（選手の全員が大リーグの契約下にある）。労働市場ではドラフ

図 5-3：流通業のポジショニング・マップ（例）

高付加価値（価格の軸）
デパート
専門店
総合性
コンビニ
専門性（品揃えの軸）
中小商店
スーパーマーケット
ディスカウントストア
低価格

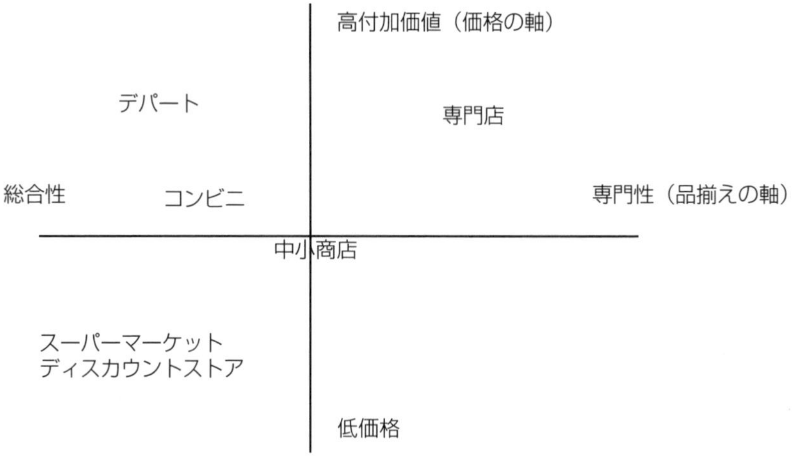

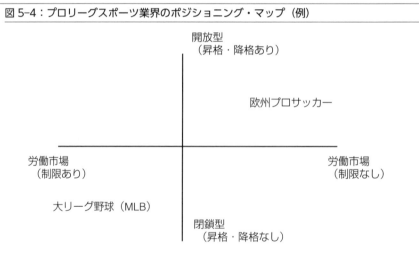

図 5-4：プロリーグスポーツ業界のポジショニング・マップ（例）

開放型
（昇格・降格あり）
欧州プロサッカー
労働市場
（制限あり）
労働市場
（制限なし）
大リーグ野球（MLB）
閉鎖型
（昇格・降格なし）

ト制度や団体交渉の場があるなど，制限が存在する。それに対して欧州プロサッカーは開放型モデルで昇格・降格制度がある。したがって，イングランドリーグでは9部までリーグがあり，昇格・降格はその中で毎年発生する厳しい制度をとっている。労働市場では最近でこそ FFP（フィナンシャル・フェア・プレー）制度でクラブの際限のない支出を抑える試みが出てきているが，基本的には労働市場は制限がない。人気だけ比較すれば，サッカーが世界的なスポーツであるのに対して，プ

ロ野球は世界の一部地域でプレーされるスポーツに留まっている。しかし，収益的には，野球の方が安定しており，サッカーの経営は厳しい。

SWOT分析は，企業をその環境と関連づける狙いはよく，考え方を整理するのに有効であり，現代でもビジネスや経営診断の世界でも活用されている分析ツールである。問題点として指摘されているのは，一貫した理論的裏づけがないため，外部環境分析（機会と脅威），内部経営資源分析（強みと弱み）の項目の挙げ方が，主観的にならざるを得ないことである。すなわち分析者の主観によって例えば同じ要素が機会になったり，脅威になったりすることが起こり得る。それが分析者の視点であるとの言い方はあるが，客観性に欠けるのも事実である。また議論に参加した人間次第で議論が変わる可能性もある。それを踏まえて活用することが肝要である。

では，具体的にはどういう方向性をとればよいのか。それを決める際の有用なツールとしてアンゾフの成長ベクトルがある。他，一般的に適用可能なフレームワークとして，VRIOフレームワーク（VRIO framework）がある（バーニー（2002））。

3　アンゾフ成長ベクトル

チャンドラーは経営戦略を「企業の基本的目標・目的の決定，とるべき行動方向の採択，これらの目標遂行に必要な経営資源の配分」と定義している（1962）。

戦略的決定は，戦略の定義からも明らかなように，非反復性で高度の不確実性があるため，決定ルールが必要である。それが経営戦略である。アンゾフは，企業の成長にとってどの事業を行うかが重要と考えた。個々の事業は，製品ライフサイクルと同様，成長から成熟へ，そして衰退というライフサイクルをたどる。この中で，企業が存続と成長を続けるためには，新たな事業を継続的に付加することが不可欠と論じた。

すなわち，企業は成長戦略をとるためには多角化することが不可避なのである。経営者は，株主から預かった資本を最大限活用し，新たな付加価値・収益を生み出

表5-1：アンゾフの成長ベクトル　筆者改変

	既存事業	新事業
既存市場	(1) 市場浸透戦略（LR–LR）	(3) 新製品・サービス開発戦略（MR–MR）
新市場	(2) 市場拡大戦略（MR–MR）	(4) 多角化戦略（HR–HR）

（注）LR：Low Risk（低リスク）–Low Return（低リターン），MR：Middle Risk（中リスク）–Middle Return（中リターン），HR：High Risk（高リスク）–High Return（高リターン）

し，新たなビジネスチャンスにトライして，企業価値を高めることが使命なのである。なぜなら，事業（製品）にはライフサイクルがあり，単独の製品や事業にだけ特化すると，企業は衰退の可能性がある。そこで企業が成長を続けるためには「事業の多角化」が必要とされるからである。

アンゾフの成長ベクトルは，以下のとおり表される。

経営者として，まず最初に考えなければならないのは，既存の市場（顧客），既存の事業（製品・サービス）に新しい機会がないか確認することである。すなわち，まず既存市場・既存事業の象限で，市場シェアを拡大すること（市場浸透戦略）を検討する。次に，既存事業で，新市場を開拓すること（市場拡大戦略）を検討する。その次に，既存市場に対して新事業を展開すること（新製品・サービス開発戦略）を検討する。最後に，新市場に対して新事業を展開すること（多角化戦略）を検討する順番となる。

(1) 市場浸透戦略

既存市場（顧客）と既存事業（製品・サービス）の組み合わせで事業の成長を図る戦略である。ローリスク，ローリターンの戦略といえる。市場需要が成長していることが前提となる。方法として，市場需要の成長力を向上させる，一人あたりの使用量を拡大する，同じ商品であっても低価格から高価格へシフトさせることが考えられる。よく知られた例としては，（用途の変更）アウトドアでの消費をターゲットに（ビール瓶から）ビール缶を開発することで消費量拡大につながったことや，（量の変更）低価格競争に巻き込まれないために，価格引下げの代わりに，増量で価格据置きを図ることがある。

(2) 市場拡大戦略

新市場と既存事業の組み合わせで事業の成長を図る戦略である。新市場を開拓するが，既存事業を推進するため，ミドルリスク，ミドルリターンといえる。典型的な戦略は海外進出である。国内需要が少ないために海外に進出した当初の繊維産業，自動車産業がその例である。それが経済成熟化，人口減少の時代を迎えて，国内顧客減少は不可避となり，企業は，海外進出を含めて市場拡大戦略を図る必要がある。例として，1973年に日本の食品メーカーとして最初にアメリカに工場を建設したキッコーマンが挙げられる。この事例は，食文化を世界に広めるための海外進出で，その現地経営スタイルは注目を浴び，ハーバード・ビジネス・スクールのケース（事例教材）にも採用されたほどであった。

(3) 新製品・サービス開発戦略

既存市場と新事業の組み合わせで事業の成長を図る戦略である。新事業を展開するが，既存市場を対象とするため，ミドルリスク，ミドルリターンといえる。しか

しながら，新製品開発のための投資コスト過大になる可能性がある。新しいサイズ，風味，デザイン，性能を付加することによって，既存市場製品のラインを拡大することがその例である。例としては，パソコン，自動車，ゲーム機等で頻繁に行われる。ただし既存ユーザーからの不満が出る可能性がある。

(4) 多角化戦略

　新市場と新事業の組み合わせで事業の成長を図る戦略である。市場も事業も新規であるので，ハイリスク，ハイリターンの戦略といえる。有名な例として，セコムの病院事業が挙げられる。セコムは，1962年創業時は日本最初の警備保障会社で，ガードマンの派遣を主に行ってきた。それが企業向け，個人向けセキュリティ事業に発展し，1989年「社会システム産業」を宣言し，「安全のネットワークをベースに安心で便利で，快適なシステムをトータルで提供する」とドメイン拡張を行っている。新事業の中で，眼を引くのがメディカル事業で，今後の成長の柱に置いている。国内での少子高齢化の流れの中で，市場ニーズに適合するビジネスではあるが，本業の警備事業からは遠く離れており，リスクを抑えながら展開するアプローチと思われる。経営資源の制約，時間の節約のために，M&A（企業買収）が行われることが多い。

　スポーツ業界で例を見てみよう。スポーツ用品業のライバルであるアシックスと美津濃の多角化戦略を見る。両社とも国内における少子高齢化，人口減少の社会に対応し，市場拡大戦略として海外展開に重点をおいている点は同じである。美津濃はグローバルでライフスタイルスポーツ品の販売堅調で2014年3月期決算では売上高は対前年同期比11.9％のプラスを記録して，増収増益であった。フットウエアの海外市場での売上拡大を成長の柱とし，日本市場では事業の効率化を図るとともにライフスタイル分野での商品開発・チャネル開拓を進めるとある。多角化戦略で目につくのは，スクール教室・イベント事業である。
　テニス，ゴルフ，フットサル，フィットネス，野球・ソフトボール，パークゴルフ，陸上競技・ランニング，フットボール，ラグビー，ソフトテニス，バレーボール，バスケットボール，スイミング，ジム，卓球，バドミントン，ウォーキング，格闘技，ダンスその他と多岐にわたるスクール事業である。これはアンゾフの成長ベクトルでは，若者・スポーツマンを対象にスポーツ用品販売という現市場から，標的顧客は同じであるが，異なったサービスであるスクール事業への展開である。これをアンゾフでは，新製品・サービス開発戦略と呼ぶ。市場（顧客）は変えないで，商品・サービスだけ変更する。ミドルリスク－ミドルリターンの多角化戦略である。
　これに対して，アシックスの多角化戦略は美津濃と異なるものである。2014年

から新製品・サービス戦略として体育施設運営管理業務を始めた。これは今までのスポーツ用品業からの延長線上の業務である。国内の市場の成熟化，少子高齢化対策として，海外進出を積極化させ，今や世界のスポーツ用品業では第4位を占めている。特筆すべきはベクトルでの多角化戦略である。機能訓練特化型デイサービス事業である。まさに少子高齢化が深刻度を増す日本では時宜を得た新サービスであるが，顧客は若者，スポーツマンではなく，高齢者である。新たな顧客（市場）に向けて，シューズ商品開発を通じて培ったスポーツ科学の知見を活用して，頭と身体の両方に働きかけてリハビリを行う新しいタイプのリハビリ事業である。先に多角化戦略の例として，セコムのインドでの病院事業を挙げたが，図5-6の右下の象限に位置するアシックスの多角化戦略は多角化ではあるが，本業に近い多角化といえる。この事業は，従来型の在宅での介護を必要とされる方を対象にデイサービスセンターで入浴や体操・レクリエーション・食事提供を行うデイサービスとは一線を画した新事業である。スポーツを通じた社会貢献から一歩進んで，機能回復させて日常生活に戻す，または介護を受ける前に機能訓練，回復のトレーニングを行う事業で，まさに日本が抱える課題に対する問題解決型事業といえる。SWOTでいえば，アシックスの差別的優位性をスポーツ科学での知見においた経営戦略といえる。同じ業界であっても，経営戦略は異なることが興味深い事例である。

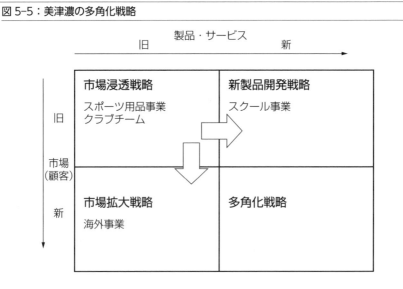

図5-5：美津濃の多角化戦略

図5-6：アシックスの多角化戦略

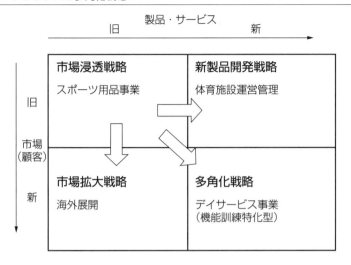

【参考文献】

バーニー，J. 岡田正大（訳）(2003)「企業戦略論（上）基本編―競争優位の構築と持続」ダイヤモンド社，pp.250-279
アシックスHP：http://www.asics.co.jp/tryus
「私の履歴書〜元アシックス会長　鬼塚喜八郎（後編）」BSジャパン 2014/11/20 放映
美津濃HP：http://corp.mizuno.com/jp/
和田充夫他（2006）「マーケティング戦略［第3版］」有斐閣アルマ　有斐閣
石井淳蔵他（2004）「ゼミナール　マーケティング入門」日本経済新聞出版社
Kotler,P., et al (2009) Marketing Management,Pearson Prentice Hall,pp.344-45
Doyle, C.（2011）,Oxford Dictionary of Marketing, Oxford University Press,pp.21-22
セコムHP：http://www.secom.co.jp/corporate/outline/about.html
キッコーマン国際食文化研究センターhttp://www.kikkoman.co.jp/kiifc/tenji/tenji14/america05.html

4　PPM

　多角化した事業をいかに管理・運営していくかという問題が次に発生する。特に，成熟化する経済の中で，内部経営資源を有効に配分する必要が生まれてくる。この問題に対して，投資資金の合理的配分から開発されたのがPPM（プロダクト・ポートフォリオ・マネジメント）である。企業の多角化した事業を市場成長率と相対的マーケット・シェアの二つの次元によって構成されるマトリックス上に位置づけ，

図5-7：PPM（プロダクト・ポートフォリオ・マネジメント）：ボストン・コンサルティング・グループ

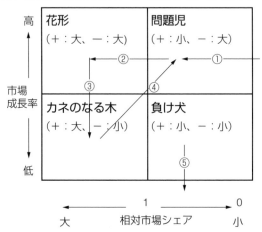

(注)（＋：キャッシュイン流入、－：キャッシュアウト流出）

　これをもとに事業間でキャッシュフロー（現金の動き）を調整しながら，長期的に安定した成長を図ろうとするのが，PPMの目的である。
　先に述べたとおり，戦略の方向性はアンゾフの成長ベクトルを活用することで得られる。しかしながら，現実的に戦略策定には具体的基準が必要である。PPMではキャッシュ（現金）の増減に焦点を当てている。前提となっているのが，製品ライフサイクルにおいては，市場成長率は「与件（自らでは変えることができない）」であり，市場地位は各企業の努力次第で変えることができることとしている。
　PPMの作図の方法は，以下のとおりである。
(1) 横軸のシェアの定義を明確にする
　基準：①売上高基準　②数量基準
　市場：①全体の市場におけるシェア　②セグメント別のシェア　③チャネル別シェア
　相対的シェア：①1位企業の場合：1位企業のシェア／2位企業のシェア＞1
　　　　　　　　②2位以下の企業の場合：当該企業のシェア／1位企業のシェア＜1
(2) 象限の区切りを数字で明確にする
　図5-7に沿って説明したい。まず企業が新規参入するときには，成長率が高い分野に進出するのが普通である。当然進出した当初は市場シェアが低いため，問題児の象限に入る。特にシェアが低いために，問題児の中でも右隅に位置することに

なる。そこから，売上高向上を通じて業界内シェアを上昇させる。すなわち，問題児の象限を左にシフトしていくことになる。ビール業界を例にとれば，1980年代まではキリンがガリバーであったが，アサヒがスーパードライでシェアを急拡大，そしてトップに躍り出た事例がある。図表では，アサヒは②の動きとなったわけである。しかし，消費者ニーズが若者を中心にビール離れが起こり，ビールの市場成長率が低下した。アサヒで見れば③の動きとなる。アサヒにとっては，この虎の子のビール（スーパードライ）から得られるキャッシュフローを次の主力商品となるものへ投資する，すなわち④の動きとなるのである。アサヒのようにトップに躍り出ることは稀で，多くはシェアを拡大できない間にその分野の市場成長率が低下し，魅力がなくなってしまうことが起こると，市場から退出する，すなわち⑤の動きとなる。

　プロスポーツクラブは，アメリカのメジャースポーツでは，スポーツチャネル等新規分野に多角化し，PPMを実行している事例が多いが，欧州プロサッカークラブについては，企業規模自体が中小企業規模であり，また利益よりも勝負が優先されてきているため，多角化は遅れているのが現実である。

5　ドメインの再構築

　企業は外部環境の変化に対応して，機会を見出し内部経営資源の強みを活かして，差別的優位性を発揮する活動領域（事業領域）設定することをドメインの設定という（図5-8参照）。ドメインは換言すれば，企業等組織が自ら定義した事業の広がりといえる。

　ドメイン設定の意義としては以下のとおりである。

図5-8：ドメインの代表的定義（エーベル1980）

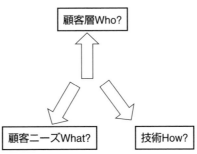

三次元定義（誰に：顧客、何を：商品・サービス、どのように：商品提供の方法）

(1) 企業のメンバーの注意を集中すべき領域を明確にすること。
(2) 企業が事業を展開する上で必要とする「経営資源」が何かを指針として提供すること。すなわち，どのようなスキル，能力，技術を蓄積すべきか明確化すること。中核的能力（コアコンピタンス）とも呼ばれる。
(3) 企業内でのアイデンティティ（当該企業で働く従業員の意識と行動を統一すること）の形成および，社会における企業の役割を明確化すること。

　レビットの「マーケティング近視眼」が主張するとおり，「顧客は商品（モノ）を買うのではない。その商品が提供するベネフィット（便益）を購入している」のである。したがって，ドメインを絞りすぎると顧客のニーズに対応できなくなる。例として米国の鉄道会社を挙げて，米国では輸送事業が急拡大したが，鉄道会社が自らを「鉄道事業」と位置づけたため，顧客ニーズに対応できず発展しなかった。これに対して，日本の鉄道会社は自らを沿線に住む住民に対するサービス業と位置づけたため，不動産業，小売業，さらに最近では「駅ナカ」等ビジネスを拡大している。ドメインは当初「鉄道事業」であったのは同じであるが，その後顧客ニーズの多様化・複雑化に対応して，ドメインの再構築を行うかどうかが企業の盛衰を握る。ドメインは企業の方向性を示すものであるので，むやみに変えるものではないが，時代の流れに応じてドメインの再構築が必要かどうか検討する必要がある。それが企業の盛衰を決定する。

　スポーツビジネスの「ドメインの再構築」の例として，プロサッカーのアルビレックス新潟が挙げられる。アルビレックス新潟は，2004年にシンガポールにアルビレックス新潟シンガポール（現地法人）を設立した。設立時は，「日本人選手に出場機会を与え，経験を積ませて，もう一度日本に戻ってプレーできる選手に育てる」ことがシンガポールのドメインであった。それが，アルビレックス新潟自体が選手を育成強化する等外部環境が変化したため，シンガポールは慢性的赤字に陥った。そこでシンガポールは本社と全く関係のないサッカー雑誌編集者をトップに据えて，ドメインの再構築を行った。再構築したドメインは，「シンガポールをアジア市場に対する選手の"ショールーム"」（2008）にすることであった。これが，東南アジアにおけるサッカーブームという外部環境の機会をつかみ，すでにシンガポールから50人以上の選手が代表選手も含み世界各国のクラブへは羽ばたいていった。それだけではなく，当初のドメインとは異なり，アルビレックス新潟から選手がシンガポールへチャンスを求めて移籍してきて活躍し始めた。このため，今やアルビレックス新潟シンガポールは2011年シンガポールカップ優勝，2012年Sリーグ（シンガポールにおける国内プロサッカーリーグ。1996年発足）3位となるなど好調で，早くも累損を解消した（日経ビジネス（2014））。

第Ⅴ章　経営学的分析のためのツール2

図5-9：アルビレックス新潟に見る経営戦略の三層構造

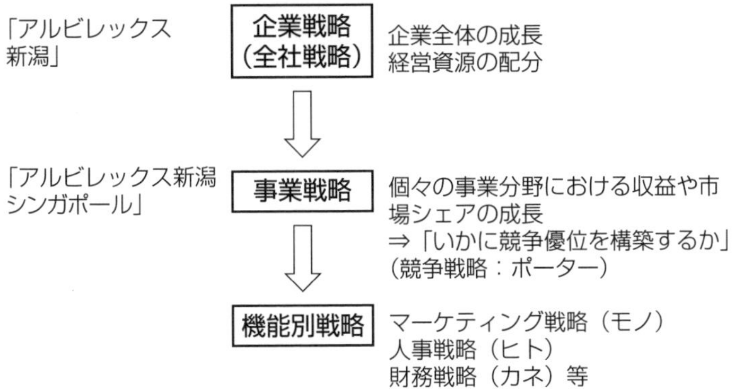

「アルビレックス新潟」	**企業戦略（全社戦略）**	企業全体の成長 経営資源の配分
「アルビレックス新潟シンガポール」	**事業戦略**	個々の事業分野における収益や市場シェアの成長 ⇒「いかに競争優位を構築するか」 （競争戦略：ポーター）
	機能別戦略	マーケティング戦略（モノ） 人事戦略（ヒト） 財務戦略（カネ）等

　経営戦略の三層構造（図5-9）からみるとアルビレックス新潟シンガポールの位置づけは以下のとおりとなる。

　アルビレックス新潟は，企業戦略（全社戦略）として企業の成長を企図してグループの内部経営資源の配分を行う。商品・サービスに限らず，企業もライフサイクルが短縮化してきており，多角化は不可避である。すなわち企業本体が業績好調な時代のうちに，次の新しいビジネスのネタを仕込むのである。それが「健全なる赤字（事業）」，PPMで表すと問題児事業をスタートさせるのである。それがアルビレックス新潟シンガポールクラブ（現地法人）である。シンガポールは，ドメインの再構築を行い，新しいドメインに基づき，ヒト，モノ，カネ，等の機能別戦略を策定し，実行したのである。この事例には，ドメイン再構築，経営戦略，事業戦略，機能別戦略の三層構造，多角化，PPM，事業部制等経営学における重要論点が満載である。

【参考文献】
網倉久永・新宅純二郎（2011）「経営戦略入門」日本経済新聞出版社
日経ビジネス2014年01月13日号　p44
大滝精一他（2006）「経営戦略［新版］：論理性・創造性・社会性の追求」有斐閣アルマ　有
　斐閣

第Ⅵ章　プロ野球とプロサッカーの経営学

1　米国・大リーグ野球と英国・プレミアリーグのビジネスモデル

　世界的にプロスポーツが人気を博している。情報化の進展によって，プロスポーツが世界的に放送・広告・宣伝の有力なコンテンツとなったためである。プロスポーツを比べるとそれぞれのビジネスモデルは異なっている部分はあるが，お互いに影響し合って似ている部分も多い。日本人にとって人気プロスポーツの頂点にある野球（大リーグ野球：MLB）とサッカー（英国プレミアリーグ：EPL）のビジネスモデルを比較することによって，プロ野球とプロサッカーの経営学を考えてみたい。

　米国ではスポーツはスタートの段階から「ビジネス（プロ）」であり，したがってMLBでも「利益最大化」が経営者の目的であったのに対して，欧州では「アマチュアが行う競技＝効用最大化」が目的であり，プロサッカーもEPL誕生（1992年）まではビジネス的には小さな市場であった。しかしEPL誕生を契機として，英国のみならず世界的にサッカーがプロスポーツの花形になった。

　MLBではリーグは，ナショナルリーグとアメリカンリーグで構成されており，他のリーグからの参入は制限されている。以前参入が試みられた際も，MLBが一致して妨害したため，参入は失敗に終わり，以来参入はない。すなわちリーグは閉鎖的であり，MLB内，または各リーグ内での競争となり，下位リーグ（マイナーリーグであるが，MLB各球団の二軍）に降格，または昇格はない。すでに解説してきたとおり，スポーツは前もって結果がわからない（生産と消費の同時性）ので，観客は試合をはらはらして観るのである。そこでそのサスペンスを演出することが重要となる。安定的な経営を行うために，リーグ内のクラブの顔ぶれは（リーグが新たにチームの参入を認めない限り）不変であるので，力量差があると，その演出は不可能になる。そこでMLBでは，戦力均衡を図るために新人選手のドラフト制度を導入しているほか収益シェアリングやぜいたく税を活用している。米国の他のメジャースポーツ（NBA，NFL，NHL）ではサラリーキャップを導入しているが，MLBでは選手会が導入に反対したため，代替手段としてこれらの手段が講じられている。これらがなければ例えばヤンキースが思う存分補強に資金を使うため，戦力格差がますます大きくなるとの懸念から生まれたものである。いわば対ヤンキース対策でもあった。米国内では，他のメジャースポーツに比べても，特別の地位(独占禁止法適用除外)を与えられ，国民的スポーツ(National Pastime)とされるのがMLBである。独占禁止法適用除外の経緯は，プロ野球があくまでレジャー(leisure)であ

り，ビジネス（business）ではないという裁判所の判断によるものである。ビジネスの中のビジネスの野球が，皮肉なことにレジャー扱いされていまだに変更がない。

これに対して，EPL では選手もクラブオーナーも観客も効用最大化，すなわち「勝利第一」が最優先される。リーグは英国（ここではイングランドおよびウエールズ）ではセミプロも含めて 9 部まであり，昇格，降格ありの完全競争の開放的なリーグ運営を行っている。MLB と比較して EPL では地域密着性が強いため，上位クラブは優勝，または昇格を賭けて争い，下位クラブは降格を避けるために争う，それにファンも選手もオーナーものめりこむスポーツなのである。国内ではリーグそのものの競争はないが，サッカーは国際的なスポーツであるので，英国だけでは完結せず，海外トップリーグとの競合は特に選手の獲得において激しい。選手は最初各クラブのユースに所属して養成され，その後トップチームに昇格したり，他のクラブへ移籍したりしていく。後章（第 8 章）で中小クラブの経営報告で紹介するが，クラブユースチーム（Youth Development）で相当の売上を上げておりビジネスとなっている。

サッカーの開放性から，競争は激しく，したがって選手の人件費抑制が大きな問題となる。プレミアリーグのみならず，欧州の各メジャーリーグは継続的に増収を記録する一方，フランスやドイツのように政府（地方公共団体）が介入するリーグ以外は，クラブベースでは経営破綻が頻繁に発生している。スポーツ，特にサッカーは欧州統合のシンボルとの特別な扱いがされているので，欧州のサッカーを統括する UEFA（欧州サッカー連盟）はフィナンシャル・フェア・プレーというクラブの支出制限を所属の全クラブに課した。マンチェスター・シティー，パリ・サンジェルマン等のビッグクラブが制限に抵触していると報道されている。世界的な人気は高いが経営的には不安定である。それがプロサッカーである（その不安定性を除去して米国のスポーツの制度を取り入れたのがメジャーリーグサッカーMLS である（後章第 14 章 MLS）。（フィナンシャル・フェア・プレーの議論は第 11 章参照のこと）。

リーグのマーケティングと収益の配分を見てみよう。MLB では地元以外の米国内と海外でのビジネスはすべてコミッショナー事務局が管理する。それに対して，地域（MLB では本拠地：フランチャイズと呼ぶ）での収入は球団が管理するのである。その放映権料の配分についても全国放映権料はコミッショナー事務局から各球団へ均等配分され，地域放映権料は球団が管理する。このように MLB ではコミッショナー事務局の役割が大きい。事務局はコミッショナーの采配の元にリーグの運営に多大なる影響力をもつ，MLB 全球団によってできた合弁会社で非営利団体（利益を配当しない）である。

これに対して，EPL ではリーグが全放映権を一括で管理するが，その収益の配

分は，国内放映権料については，全クラブに対して50%均等配分，25%は順位に応じて配分され，残りの25%は国内での放映回数に応じて配分されている。均等部分と成果部分で構成されている。それに対して，海外向け放映権料全額は全20クラブで均等分配されている。実力主義は維持したいが，EPLに所属するためには人件費をはじめ，多大なる費用がかかる。そこで均等部分で最低限を下位クラブにも保証するものである。近年のプレミアリーグの人気急上昇で放映権料は急増しており，そのため下位球団でも収入が急増しており，それが下位リーグ（チャンピオンシップ：2部）での何がなんでもプレミアリーグに昇格したいという昇格争いに火を注ぎ，財務的安定が崩れている。またEPLはビジネスとしても，名誉・勲章（trophy assets）としてもメリットがあると海外からも認められており，今や（2012/13）外国人オーナーが20クラブ中10クラブに及んでいる。これは10年前の2002/03シーズンでは1クラブにしか過ぎなかったことを考えるとプレミアリーグのグローバルビジネス化が急速に進んだといえる。またそれを受け入れるEPLの開放性は英国の文化を彷彿とさせるものである。バブル華やかなりし1980年代中盤，米・日・欧州の大銀行は競ってロンドンに進出したが（金融ビッグバンと呼ばれた），英国は自国の金融機関を優先することはしなかった。彼らの考え方は，英国人の雇用が増加するのであれば，国籍にはこだわらないのである（これは「ウインブルドン現象」と呼ばれて，全英オープンテニスでもつい最近まで英国人は勝てなかったが，選手権が盛り上がればそれで良い，英国人でなくても良いとの考え方である）。政府は極力民間に介入しない。その代り「自己責任」を追及する。クラブは上場していなくても，英国の会社法で認められた株式会社であれば，簡潔版であるが情報開示を求められる。

それに対してMLBは閉鎖的である。球団自体は株式会社や合名会社（パートナーシップ）等法人格をもつ組織であるが，多くは大会社の子会社となっており，情報開示はEPLに比較すれば限定的である。なぜなら，球団の存在自体もオーナーにとっては「商品」であり，球団の売買は頻繁に行われるし，親会社，関係会社との財務操作に使用されたりする。それが独占リーグであるMLBが多額の利益を生むはずが，必ずしもそうでない理由といわれている。グループ全体の課税の問題を回避するための器として利用価値がある。

閉鎖的なため，外国人が球団をもつこともほぼ不可能である。シアトル・マリナーズを任天堂が買収した時（1992年）にも反対が続出し，結局オーナーは日本人だが，経営は米国側に権限をもたせることで決着が図られた。それ以降，外国人オーナーは誕生していない。フランチャイズ制（本拠地）を採用しており地域から愛されてはいるが，球団経営はビジネスであるので，本拠地移転は球団にメリットがあれば行われる。EPLではサッカークラブは地域のものとの意識が強く，本拠

地移転はほとんど見られない。したがって地域密着が強く，財政的に危機に瀕したクラブを支援するために，ファンがクラブ運営に間接的に参加する点（サポータートラスト）がMLBでは見られない特色である。

しかしそれぞれのスポーツについてのガバナンスが異なる。MLBではコミッショナー事務局が企業経営で実績を積んできた辣腕オーナー30名の異なる利害を調整することに注力しているため（結果として今までは成功してきている），長期的な戦略を策定し実行するのが難しい問題がある。例えばプロ野球のグローバル化は，サッカーに比較すると遅れていると言わざるを得ない。野球はオリンピック競技から外された（2020年東京オリンピックで正式種目として復帰）。それに対して，サッカーでは種々の暴力沙汰もあったためか政府による安全対策他の介入が見られていること，グローバルな視野でFIFA，UEFA，FAという階層的な統治機構によって，長期戦略も検討されている。

以上をまとめると，下表のとおりとなる。

	大リーグ野球（MLB）	英国サッカー（プレミアリーグEPL）
オーナー：球団（クラブ）の目的	利益最大化	効用最大化（名誉・地位・スポーツファン）
リーグ運営	閉鎖的。昇格・降格なし	開放的。毎年昇格・降格あり
クラブ（球団）間競争	制限：戦力均衡	完全競争
リーグ間競争	ライバルリーグによる参入にはオーナーの同意必要	クラブの昇格降格はある。海外とは競争，国内リーグ間競争はなし
選手の労働市場	ルーキードラフト，団体交渉，ぜいたく税，収益シェアリング	特に制限なし（ユースで養成）。フィナンシャル・フェア・プレー（FFP）導入
マーケティング	全国・海外：コミッショナー事務局 地域（フランチャイズ）球団 チケット販売，地域放映権料	リーグが全放映権を一括で管理
収益の配分	球団へ均等配分：コミッショナー事務局（放映権料は全国放送のみ） 球団が独占：入場料	国内放映権料：50％均等配分，25％順位に応じて，25％国内での放映回数に応じて 海外向け放映権料：全額を20クラブで均等分配
リーグ構造	コミッショナー事務局：全球団の合弁会社で非営利団体	リーグ：所属の20クラブが株主の株式会社

クラブ（球団）組織	株式会社および合名会社。大企業の子会社が多く、経営内容開示（ディスクロージャー）不要。透明性に欠ける	独立の株式会社⇒会社法上の経営内容開示が必要
ファンの経営参加	なし	サポータートラスト
本拠地の移転	可能（地域間の誘致競争）	ほぼ不可能：地域からの要請なし
経営破綻	なし（球団買収が容易）。	下部リーグでは頻発
外国人オーナー（米・加除く）	30チーム中1チーム（任天堂）であったが，2016年任天堂は持株の90％を売却した	20クラブ中10クラブ（2012/13）
長期的戦略（ガバナンス）	政府の規制なし。MLB内自治。コミッショナーの力量	政府の規制あり。国際的なガバナンス機構 FIFA-UEFA-FA
労働協約	選手会とコミッショナー事務局：リーグ繁栄・選手の報酬は球団と選手の共存共栄前提	あり。クラブは事務局に来シーズン保有選手と契約解除選手リストを登録
統一契約書	選手（代理人）と球団：収益を奪い合う　契約期間内支払保証（NFLは異なる）	選手（代理人）とクラブ：契約期間内支払保証
エンドースメント契約（広告宣伝）	選手個人と会社	同左
市場	米国・米州，アジアの一部	世界的人気

表：Szymanski, S. et al（2005），大坪正則（2002），Lawinsportを参考に作表

2　MLBのビジネスモデル補足

　日本では日本のプロ野球（NPB）が戦後長く日本の国技として繁栄してきており，MLBより人気があったため，MLBでのリーグ運営についての情報があまり知られていない。そこでMLBのビジネスモデルについて，さらに詳しく見ていきたい。

　米国では，野球のナショナルリーグ（NL）の組織および組織運営が，米国メジャースポーツに適用されて，その後それぞれに影響し合って米国プロスポーツの標準を形作ってきた。すなわち，NLは，競争が激化すれば，選手の賃金が上昇し，それを補うためにチケットの価格が上昇するので観客数が減少する。その結果，利益が減少してクラブは破綻すると主張した。そこでこの好況と破綻の循環を回避するために，NLは選手の移籍（保留条項：reserve clause, 1879年）と地域的な独占権（フランチャイズ：franchise）に関して，契約上の制限を受け入れたチームやリーグのネットワークを築き上げた。野球における「独占」の誕生である。それはサッカーを中心とする自由競争のヨーロッパモデルとは極めて異なるものである。

第Ⅵ章　プロ野球とプロサッカーの経営学

米国モデルの特色を表す仕組みは，以下のとおりである。

(1) 収益シェアリング(Revenue Sharing)と競争力均衡(Competitive Balance)

スポーツの試合の面白さは，チーム間の戦力格差が小さくて結果が前もって予測しがたいことからくる不確実性への期待による。そこでチーム間格差を平準化することがリーグ運営の課題となる。そこで米国のメジャースポーツで導入されている仕組みが，収益シェアリングである。

収益シェアリングとは，MLBの各チームの報告された地元での収益（地方テレビ，ケーブルテレビ，ラジオ，入場料，特別席，スポンサー料等合計から，借入金金利とレンタル料金の合計を引いたもの）に20％課税する。その課税相当額の75％を30チームで均等配分する（2001年施行）。残りの25％は上記地元での収益の平均より少ないチームにその不足割合に応じて配分する方法である。新人ドラフトでは前シーズン下位の球団（すなわち低収益の球団）に対してドラフトの優先権が与えられるが，下位の球団は，有望選手は契約しないと最初から予想して指名しないので，上位球団にチャンスが回ってくる。そこで上位球団ほど，有望な米国人や外国人選手を獲得できることになり，競争均衡がますます果たせなくなってきている。結果として，低収入球団は選手の給与を下げようとする強いインセンティブが生まれる。すなわち給与が低ければ低いほど成績が悪くなり，そして収入はもっと下がる。球団の収入が下がれば下がるほど，MLBの金庫からより多くの収益の配分があるという仕組みになってしまっている（モラル・ハザード）。

収益シェアリング（共有化）は，NFL（アメリカンフットボール）で特に上手く運営されているシステムである。一種のカルテルで，放映権料をそれぞれのチームが交渉するのではなく，リーグとして全国TV等と交渉する。その結果，各チームに放映権として1億4000万ドル，ライセンス料で400万ドルが支払われており，収益格差はトップと下位では1.6～1.7と小さい。NFLでは，各チームがリーグ収益の70％をシェアするので，ファンは自分たちの本拠地のチームがポストシーズン（通常シーズンを勝ち抜き，出場するトーナメント戦）に進出すると期待する。

それに対して，格差が大きいのは大リーグ野球（MLB）で収益シェアリングがなかった時には，10：1であったが，シェアリングを導入したおかげで3.5：1にまで縮小したが，依然として大きい。収益シェリングをあまり進めると，勝利への意欲が下がるため，大リーグ野球では収益シェアリングに消極的であるからである。勿論，リーグの何チームかが倒産の危機に瀕するとリーグ自体が運営できなくなる（リーグの共同生産）ので，収益シェアによるチーム間格差の平準化は意味がある。

(2) サラリーキャップ（Salary Cap）

MLBでは採用していないが，NFL，NBAで採用されているコスト削減策である。

第 1 部　基礎編

　プロチームスポーツを切り開いてきた MLB では，チームにとって最重要な戦略がライバル球団から優秀な選手を奪い取ることであった。しかしリーグで勝てる総試合数は，同数の負け試合と等しいので，結局は費やした金額は球団から，選手へ移るだけとすぐにわかった。そこでお金の流出を防ぐために導入したのが保留条項 (reserve clause) である。この保留条項は，選手のキャリア全部に渡って，選手を球団に拘束する条項である。この条項は大リーグ野球で成功してから，他のスポーツでも広がった。この保留条項は選手という財産権を球団が所有することであったが，米国では 1992 年，欧州では 1995 年（ボスマン判決）まで効力をもっていた。これらの判決によって，球団は今や選手が球団から球団へと自由に移籍する動きを禁止することはできなくなった。

　そこで米国のメジャースポーツに導入されたのがこのサラリーキャップである。目的は球団が財政的に破たんすることを避け，競争均衡を改善することにあった。サラリーキャップとは，球団の支払給与総額に設ける制限金額のことである。典型的には，選手のために準備する金額の総額は，リーグの収益の固定割合に抑えられる。その際に各チームは最低給与と最高給与の範囲内で支払うことになった。

　しかしサラリーキャップがある NFL（アメリカンフットボール）や NBA（バスケットボール）でもコストの確定はできず，せいぜいコストの制限だけが可能であるのは，他の産業と同様である。NBA で見られるように，リーグ総収益（入場料，全国 TV 放映権料等含む）の約 65 ％に球団支払総額の最高金額を定めることとしている。この制限にもかかわらず，例えば選手と長期契約を行う場合，契約時一時金を契約期間で比例配分する等の抜け道も用意している。このようなシステムが，給与の費用抑制と同時に，短期における経営側が柔軟に運営できるような配慮も行っている。

　MLB では選手会の反対でサラリーキャップは導入できなかったが，代わりに導入されたのが，収益シェアリング（Revenue sharing）とぜいたく税（luxury tax）である。

　Luxury tax（ぜいたく税）の元々の意味は，「日常生活にとって必要ではないと考えられる品物の消費あるいは移転に対する租税。例えば，我が国におけるたばこ消費税，酒税，トランプ類税など」（田中 (1991) p.553）である（アメリカでは，「リーグのクラブが地元での所得（経費控除後）の一定割合を出資し合い，それをリーグ下位の財政的に厳しいクラブへ再配分することである。」(Tomlinson (2010)))。MLB では，サラリーキャップ（選手報酬の総額に対する上限枠）の導入をめぐる労使交渉が紛糾し，1994 年に選手会が 230 日を超える空前のストライキを実施した。そこへ当時のクリントン大統領が仲裁したにもかかわらず，ワールドシリーズ（世界一を決めるトー

ナメント）が中止に追い込まれる事態となった。その後，締結された新労働協約（CBA）により課徴金制度が導入され，各球団の選手報酬の総額に上限を設定し，これを超えた球団はその額に応じてリーグにぜいたく税（luxury tax）を払うことになった経緯がある。NBAでも採用されている。

(3) リーグの単一会社化（Single Entity League）

米国のサッカーリーグ（MLS）で行われている組織運営である。詳しくは別途第13章で議論しているので，そちらを参照のこと。

3 大リーグあれこれ

(1) テレビ放映権

米国でスポーツ番組が人気を博しているのは，スポーツ番組が放送局にとって低コスト制作できる上に，どこが勝つのかというサスペンスを視聴者が楽しめるコンテンツであるからである。その結果放映権料は急上昇した。他のメジャーリーグスポーツでは，全国放映権はすべてリーグで交渉されて決定するが，MLBでは地方テレビ（地元のテレビ）との交渉は個別球団が行う。その結果ヤンキースは2001年だけで，5,700万ドル（約63億円＠Y110）も地方TV放映権料があったのに対して，モントリオールは50万ドル（約5,500万円）しかなかった。

(2) 労働組合（union）

大リーグの選手会は労働組合の認定を受けており，事務局のトップには労働組合運動の大物を据えている。この為，大リーグ選手会はスポーツ界のみならず，全産業レベルでも「最も戦闘的な組合」として知られている。大リーグでは最初のストライキが起こったのは1972年であった。選手の保留条項に対する法的な挑戦が繰り返してなされた。その結果，オーナー側は6年経過した選手にはFA（フリーエージェント：クラブを自由に移る権利）を認めた。

(3) スタジアム

1980〜1990年は大リーグにとって，スタジアムについての急成長の時代であった。詳しくは第9章で議論しているので，そちらを参照されたい。スタジアムの新装・改装によって，TV放映権料も増加したが，特別シート（VIP席）やスタジアム内収入も増加した。収入の増加を図るために支出も増加したが，フランチャイズ移転をほのめかすことによって，スタジアム建設費用の3分の2は地方自治体が負担した。

(4) 競争均衡

財政的に厳しい状況にある球団に対して，金銭を再配分するために，ある一定レベルを超えた分の全支出に対して課税するぜいたく税（a luxury tax scheme）を実

施している。これは実質的には，選手労働市場において各球団が積極的に仕掛けることを制限する結果となっているとの批判もある。依然として競争均衡が図られているとは言えないが，MLB は米国では国民的人気を誇っているのは確かである。

Column　英国から生まれたサッカーと米国から生まれた野球

　日本の経済学者でノーベル経済学賞に一番近いといわれた森嶋通夫ロンドン大学 (LSE) 教授 (1923-2004) の名著に，「イギリスと日本」がある。英国が長く，日本との比較で相当の議論を呼んだ有名な先生 (1976 年文化勲章受章) が，米国のスポーツとの比較で英国のスポーツ，そして英国人気質を書かれているので，引用させていただく (同書 36 ページ)。森嶋教授は筆者の大学院指導教授でもあった。

　・・・・英国人は「ネバー・マインド（筆者注：気にしない）」といいます。そしてあきらめて，忘れて，許してしまうのです。たとえば，アメリカから興ったスポーツは非常に厳密で，野球の場合など，ボールがホーム・ベースの上をかすったか，かすらなかったかで大げんかになりますが，イギリスから興ったスポーツの場合はずい分ルーズで，お互いに少々いんちきをしても，ネバー・マインドであります。ラグビーでボールがタッチラインを割っても，厳密にその場所でラインアウトが行われるわけではありません。たいがい一歩か二歩ずれておりますが，いっさいネバー・マインドであります。同様に，社会の枠組みもルーズで伸縮自在につくってありますから，誰も一歩右に寄ったとか，左に寄ったとか，細かいことをとやかく申しません。イギリスはご承知のように慣習法の国であります。慣習で受け入れられるようになりますと，法律になってしまいます。・・

　まさに英国人気質とそこから誕生したスポーツであるラグビーが面白く書かれている。今から 40 年前であるので，サッカーが労働者階級のスポーツで，ラグビーが知的階級のスポーツとみられた時代。ラグビーを例に挙げてあるが，サッカーも全く同じである。米国のスポーツは色々ルールがあって難しいのに対して，サッカーは極論をいえばオフサイドだけで簡単なのである。まさにそれが米国のスポーツと英国のスポーツの違いといえる。しかしそんな「ネバー・マインド」のサッカーにも，「ゴール判定システム（ホークアイ：鷹の眼）」が導入されたのは，時代の流れとはいえ「非英国的」といえよう。
　米国の厳密な野球（MLB）で「チャレンジ制度（アウト・セーフ，ホームラン等の判定に不満があれば，判定にチャレンジ（異論をとなえる）して，本部でビデオ判定を要求できる制度）」が導入されたのとは文化的背景が異なるのである。

【参考文献】

Deloitte (2014) Annual Review of football Finance, Deloitte
Andreff, W. et al (2006), Handobook on the Economics of Sport, Edward Elgar, pp. 443-446, pp.646-651
Szymanski, S. et al (2005), National Pastime, The Brookings Institution
Zimbalist, A. (2003), May the Best Team Win ; Baseball Economics and Public Policy, Brookings Institutions Press
Lawinsport, http://www.lawinsport.com/articles/contract-law/item/contractual-relations-in-the-nfl-premier-league-mls-a-comparison-part-1　2015/1/14 アクセス
大坪正則（2002）「メジャー野球の経営学」集英社新書　集英社
田中英夫編（1991）「英米法辞典」東京大学出版会
Tomlinson, A. (2010) Oxford Dictionary of Sports Studies, Oxford University Press, p.289
Major League Uniform Player's Contract
Premier League Contract
森嶋通夫（1977）「イギリスと日本」岩波新書

第Ⅶ章 経営資源から分析したプロサッカー「カネ」1

1 プロサッカーがTVでの最高のコンテンツ

　日本のみならず世界各国で、モノやサービスの供給が需要を上回る時代が続いている。グローバル化で、ビジネス競争もますます激しくなってきているのが現状である。すでに何度か述べているが、企業を取り巻く外部環境の要素として、ライバルとの競争と並んで重要なのは消費者ニーズである。そこで企業としては、グローバル競争に勝ち抜くために、消費者のニーズを把握して、それに対して商品・サービスを提供することを「マーケティング」という。マーケティングのツールとして、消費者にとって魅力があるスポーツやスポーツ選手を活用することを「スポーツ・マーケティング」という。

　スポーツは「健康、モラル、努力」を表す、すなわちスポーツは善との捉え方が一般的に広く受け入れられているので、企業はスポーツを（1）自らのイメージ向

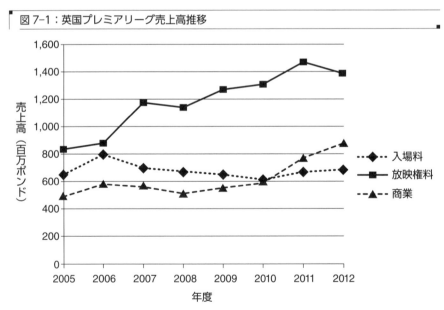

図7-1：英国プレミアリーグ売上高推移

出典：Deloitte（2014）Annual Review of Football Finance-Databook, Sports Business Group June 2014 及び2011 のデータをもとに作図
注：商業にはスポンサー料を含む

上のため，(2) 商品や企業の認知度向上のため，(3) 顧客の満足度向上のため，そして (4) 自らの商品を試してもらうため (例：時計等計測器) に活用している。

　企業，特にスポーツ用品やアパレルの多国籍企業が国際的に有名なクラブや選手をスポーツ・マーケティングで活用している。スポーツ・マーケティングは大変専門的なビジネスである。選手には大変幅広い機会が提供されているが，どの商品の宣伝に選手が起用されるのが適当であるか，すなわち選手／商品のマッチングが非常に重要なのである。後述の代理人のビジネスとして，このスポーツ・マーケティングの観点の比重が大きい。選手をあまり広告宣伝で出し過ぎる (overexposure) と広告宣伝価値が下がり，生涯収益が減少する可能性がある。この面では個人代理人より，フルサービスを提供する法人 (Full-service Firms) に優位性がある。

　スポーツ・マーケティングに関して頻出する用語として，「エンドースメント (endorsement) 契約」と「スポンサー (sponsorship) 契約」があるが，その違いについては米国の教科書でも明らかではない。そこでその二つの契約について実務で経験されてきたNFLジャパンリエゾンオフィス　シニア・アドバイザー町田光氏に取材した。

　エンドースメント契約は一般的なスポンサー契約と区別するために使用されている。スポンサー契約では，ある選手が自動車会社や飲料メーカーなど複数の企業と契約できるのに対して，エンドースメント契約では，ある選手が競技に関わる靴やスポーツウエアー，用具などについてはそれぞれ一つの企業だけと契約する。

　背景として，1990年代になってからアディダス，ナイキ，リーボックなどの元々スポーツの用品メーカーだった企業が「スポーツをするための機能性に加えファッション性を高めた」ことにより，一般的なアパレル企業の様に大衆的支持を得て，ビジネスが巨大化していった流れがある。

　最初は選手が「自発的に」どこかのスポーツ用品メーカーの用具を使用していたのを企業側が目をつけて，そこに「物品提供」を行ったのがエンドースメント契約の始まりである。すなわち「私 (有名スポーツ選手) も愛用しています」という宣伝であった。換言すると「スポーツ選手と用具・用品メーカー」のレベルの話であった。

　それがスポーツ選手の「スーパースター (ベッカムとかマイケル・ジョーダン，タイガー・ウッズのような一般的人気を誇る))」が相次いで登場し一般の人もナイキやアディダスを着るようになると，用具提供，つまりエンドースメント契約の枠を超え，一般の人々へのプロモーション (販売促進) を目的としたスポンサー契約に拡大した。

　これがスポーツビジネスにおけるエンドースメント契約からスポンサー契約への

展開である。この展開はまさにスポーツが単にスポーツをする人々の間だけではなく，世界的なビジネスとして認知されていることの証拠である。

　そうした流れの中で，スポンサー契約が企業にとってもクラブにとっても重要な取引となっている。以前は単発の取引であったが，近年は数年にわたる排他的な専属取引となっている。それによって企業は企業イメージを上げて商品・サービスを世界的に販売できるのに対して，クラブ側は巨額のスポンサー料を獲得できる。クラブにとっては，基本的サービスである試合の充実（実質的には「勝利」）のために，高額な選手を獲得することを迫られており，このスポンサー料は選手獲得費用に充てることができるのでクラブにとってもメリットがある。ワールドカップ，ヨーロッパ選手権，チャンピオンズリーグ，国内リーグ戦等メガイベントが目白押しである。スポンサー契約，特にテレビやマルチメディアとの契約によって，これらの世界的なイベントがファイナンス（資金を供与）されているのである。まさにスポンサー契約は単なる広告宣伝ではなく，スポンサー契約がなければメガイベントは開催が難しいといえるほどの重要性をもつ。

　スポンサー契約より大きな金額をクラブにもたらすのがTV放映権料である。情報化の進展と放送局間の競争の激化によって，スポーツビジネス（放映権）への放送局の需要は急激に増加を記録した。それが放送局から放映権利保有者への力のシフトが起こり，放映権料が急速に上昇した。これによってクラブの売上高が増加した。スタジアム入場者数と同様にスポーツテレビ番組に影響を与える要素として，価格，個人所得，そしてスポーツ独自の要素がある。入場者数でも議論したところであるが，スポーツの面白さは結果が前もってわからないことにある。そのためにスポーツリーグ内での各クラブの競争均衡が必要なのである。

【参考文献】

Shropshire, K.L. et al (2008) The Business of Sports Agents, University of Pennsylvania, pp.32-36

Tomlinson, A. (2010) Oxford Dictionary of Sports Studies, Oxford University Press, pp.431

Malcolm, D. (2008) The Sage Dictionary of Sports Studies, SAGE Publications, pp.236-237

2　プレミアリーグ誕生：選手移籍金，報酬高騰，代理人

　英国プレミアリーグのみならず，英国のプロサッカーリーグはリーグ全体を見れば，好況を博している。しかし，個別のクラブを見れば，経営破たんしたクラブも

多い。その主たる原因は、昇格・降格制度があるため、勝利優先で選手の引き抜き競争が激化し、移籍金、選手報酬高騰に結びついていることである。それを積極的に推進しているのが、選手代理人（player agent）との批判がある。それに対して、プロサッカーリーグ全体としても、クラブ経営を安定化させるためにフィナンシャル・フェア・プレー規制（FFP）を導入した。

　代理人になる条件が最も厳しいサッカーでは、FIFA（国際サッカー連盟）が公認代理人資格試験を実施していたが、2001年から各国協会の認定方針に変更した。日本サッカー協会も同年に公認代理人制度を採用していたが、2014年6月11日に開催された国際サッカー連盟（FIFA）総会において、FIFAは、現行のFIFA選手エージェント規則を廃止し、2015年3月末日をもって現行のライセンス制度を終了させること、さらに、新たに制定された「FIFA仲介人との協働に関する規則（Regulations on working with intermediaries）」に基づく新しい制度（仲介人制度）を導入することを正式に決定した。

　FIFAの決定に基づき2015年3月末にて選手エージェント制度（players' agents system）が廃止され、2015年4月より新たな制度である「仲介人（intermediaries）制度」が日本でも導入された。仲介人制度では、選手やクラブは、選手契約や移籍合意の交渉に際して、第三者（「仲介人」）を関与させた場合、個別協会（日本サッカー協会）に登録しなければならない（「個別登録」）。選手やクラブにより強い責任と義務が課され、選手やクラブが仲介人に関する登録手続を怠った場合は、その選手やクラブには懲罰が科される。それに加え、仲介人が各種のルールに違反した場合は、その仲介人のみならず、選手やクラブも連帯責任を負い、選手やクラブにも懲罰が科される。さらに個別登録に加え、仲介人になろうとする者が、自ら協会に事前に申請して、登録しなければならない制度（「仲介人登録」）を設けた（FIFA（2014）、日本サッカー協会）。資格の形骸化がその背景にあった。

　代理人の役割と現状について、代理人制度が発達している米国プロスポーツ業界を例に検討し、日本のプロ野球における代理人制度の現状を紹介する。

代理人（players' agent）の役割

　英米法では代理（agency）とは、二当事者間の合意により、一方（代理人）が他方（本人）に代わって一定の行為をなし、その効果を本人に帰属させる行為をいう。代理人が本人の名において行為する場合（disclosed principal）の他に、自己の名においてもその効果が本人に帰属することがある（undisclosed principal）（田中（1991）p.36）。

　スポーツの世界では、代理人はスポーツ選手の代理（represent）をする者で、雇

用主やスポンサーとの契約交渉を行うことが役割である。代理人はいくつかのスポーツでは，悪名高いイメージをもたれることになっている。特に，テレビ放映権が過去，類を見ないような巨額の収入を生み出す中で選手がクラブ／チーム間で移籍した場合，代理人は移籍料から高いパーセンテージの手数料を取るイメージをもたれている。

代理人の基本的な業務は，①選手の契約交渉，②クラブのための選手スカウト，③有名選手の肖像権（image rights）マネジメントである。それに加えて，近年業務が拡大し，①テレビ放映権マネジメント，②スポンサー，③エンドースメント（commercial endorsement），④スタジアム・マーケティング，⑤スポーツイベントの開催等，スポーツとエンターテイメント産業の連携が重要となってきているため，大手の法人代理人の優位性が大きくなってきている。しかし，個人代理人，中小の法人代理人は経営資源の問題から，若手選手の発掘・養成に注力して存在感を発揮しているのに対して，大手では総合性の強みを生かして，有名選手やすでに実績を発揮している選手をターゲットとしている。マーケティングの対象顧客が異なっているので，それぞれの代理人のドメイン（事業領域）は異なる。そのために全体としてみれば相互補完関係にあるといえる。

少年時代から運動中心に生活してきた選手が，豊富なデータを駆使するクラブの代表と契約交渉するのは不可能に近いため，代理して交渉してくれるプロフェッショナルである代理人の存在が必要となる。しかし問題は，代理人の手数料が選手の移籍金から払われるため，選手の利益，ひいては自らの手数料を引き上げることしか考えない代理人もおり，クラブ経営を圧迫するといわれている。

米国では，大学スポーツ（intercollegiate athletics）が一大ビジネスとなっているが，プロの選手代理人（professional player agents）が高い才能をもった大学運動選手を誘惑する問題が，スポーツと倫理（ethics）に関連して注目を集めている。スポーツの種類によるが，代理人に指名され選手をプロに送り込めば，成功報酬として，選手の報酬（salary）の3％から15％の手数料を受け取る。選手の活躍次第では，その手数料は跳ね上がる可能性がある。そこで代理人は，NCAA（The National Collegiate Athletic Association：全米大学体育協会）の規則で，代理人と契約したり，代理人から金銭等供与を受けたりすることを禁じていることを無視し，代わりに自分たちと契約するように種々の誘いをかける。代理人は，現金，車，飛行機チケット他を選手の契約を獲得と引き換えに学生選手に供与することで知られている。

欧州プロサッカーでも代理人の報酬は「クライアントである選手と契約を結び，選手の年俸から一定のパーセンテージのコミッションを受け取る仕組みで，（中略）

10％を超えるパーセンテージは設定していない」ようである（小澤（2012））。しかし，前ページで記載のとおり，一部で無資格者が暗躍したため，資格が形骸化し，FIFAが新制度を導入した経緯がある。

例えば，米国NFLの事例では，個人代理人または中小法人の法人代理人の場合は，有望な若手選手と契約することから代理人ビジネスが始まる。その際，代理人は選手のためにだけ働いて価値を上げることを約束する。契約後，NFLのドラフトで指名されるまでに，トレーニング施設の使用料，コーチ代，交通費，食費等代理人が負担する。その意味では，形式的には「選手本人を代理するのは代理人で，リスクは選手本人が負担する形」にはなっているが，実質的には代理人はドラフトで顧客の選手が指名されるまで，その選手に対して「投資」することになる。代理人というより，自らリスクを負担する投資家というべき業務になっているのである。大手の法人代理人と比較すると，培ってきた選手または選手家族との個人的な絆やネットワークを強みとしている。

米国で選手がクラブと契約交渉を行う場合，
(1)　プロの代理人（professional agent）を雇うこと
(2)　自分で交渉する
(3)　親兄弟，友人を立てる
(4)　弁護士を雇うこと
という選択肢がある。

その中で，代理人を雇用することは最も一般的である。特に，一生に何回も契約交渉を経験しない選手にとって初めての契約交渉を，幾多の経験を積み毎年多数の契約交渉をこなすクラブの経営者側と直接行うのは至難の業である。代理人は多数のスポーツ契約を経験しており，交渉にも慣れているので選手の負担を軽減できる。また選手は契約交渉が終わった後にクラブに入団するため，直接交渉しない方が禍根を残さないためにも代理人を通して交渉した方がよいケースが多い。すなわち直接交渉は，穏便な交渉とはならず，対立を生む結果となることが多いとする。

一方，これに対して異論を唱える関係者も多い。代理人では自らの手数料を増やすために，自分たちの手数料の計算基礎となる選手報酬等を経営者側に強硬に交渉して，多額の金額を獲得する。選手にとっては，そのやり方は自らの考え方に合わない場合もあり，また後でクラブに入った時に自分に対する風当たりが強くなることを嫌がる場合もある。

次に，選手本人が直接交渉する場合がある。新人選手では難しいが，すでに何回か契約交渉の経験があるベテラン選手（FA選手）にとって，難しくはない。MLBでも有名選手がこの方法をとっている。それでもこのスポーツ契約の場では，ス

ポーツ契約の知識・経験や衝突を避けるための戦略的な柔軟性が必要とされるので，選手本人が直接交渉することは多くはない。

その中間のやり方として，親兄弟，友人を代理人としてたてることがある。

最後に，日本と同じように弁護士を立てることを推奨する人たちがいる。弁護士が代理人に比べてよいのは，交渉サービスに対して，時間当たりの基準料金が決まっており，成功報酬ではない点である。代理人では自らの報酬を増やすために，利益相反（conflict of interest）の問題が発生する。弁護士は専門サービスを時間給で提供するので，その問題はない。さらに弁護士を活用することで安心できるのは，弁護士が全米法律家協会の規則に則って行動することを要求されていることが挙げられる。もっとも時間給にすることで，弁護士と選手のビジネス上の関係，個人的な関係が阻害されることもありえる点が弱点である。

これらの代替手段はあるものの，米国では依然としてプロの代理人に契約交渉を任せることが圧倒的に多い。彼らは，同業者間のみならず，弁護士等他のライバルとの競争に勝ち抜くために，単なる選手契約の交渉に終わることなく数々のサービスを提供することで差別的優位性を発揮しようとしている。まず税金，投資，保険等の財務管理，スポンサー契約の獲得，医療，トレーニングの管理，法律的な相談，引退後のキャリアプラニング，その他の日常生活にかかわるアドバイス等多岐にわたる。

日本では，例えばプロ野球での代理人をめぐる状況は以下のとおりである（日本プロ野球選手会HPより）。

【球団側の考え】

球団側は，日本人選手の代理人制度の導入にあたり，以下の条件づけを行っている。

1. 代理人は日本弁護士連合会所属の日本人弁護士に限る。
2. 一人の代理人が複数の選手と契約することは認められない。
3. 選手契約交渉における選手の同席に関して，初回の交渉には選手が同席する。二回目以降の交渉について，球団と選手が双方合意すれば，代理人だけとの交渉も認める。二回目以降は，選手が同席していた場合でも，双方合意すれば，選手が一時的に席を外し，代理人だけとの交渉となることも認める。

これに対する選手会側の考え方は以下のとおりである。

1. について，代理人制度の導入当初は，代理人の資格者に関する試験的運用

状況から，日本プロ野球選手会選手代理人規約においても，弁護士法（昭和二十四年法律第二百五号）の規定による弁護士に限っておりましたが，選手会は，2003年オフから，メジャーリーグ選手会公認代理人にも，代理人資格を拡大しました。2010年1月時点で，選手会登録代理人数は236名（内訳は，弁護士233名，メジャーリーグ選手会公認代理人3名），弁護士代理人経験者は61名となっています。

しかしながら，球団側は，現在も，代理人の資格を，日本弁護士連合会所属の日本人弁護士に限るという条件を緩和しておらず，メジャーリーグ選手会公認代理人による代理人交渉を否定しています（以下略）。

2. について，球団側は，一人の代理人が複数の選手を代理することで生じる問題点，弊害として，選手間の利益相反の問題や，いわゆるスーパーエージェント（何人もの大物選手を顧客として抱える高度な交渉テクニックで有名な代理人）の問題などを上げています。

しかしながら，日本において，まだまだ代理人交渉のノウハウを十分に蓄積した弁護士代理人が少ないことを考えると，有能な一人の代理人が一人の選手しか担当できないとすれば，実質的に多くの選手の代理人選択の自由は著しく害されてしまうことになり，代理人交渉を導入した意義が失われる結果にもなりかねません。（以下略）

3. （略）

2. についての弊害については，神谷（2005）は，「エージェントの『行為』に対する規則を定めたり，弁護士倫理として依頼者たる選手の利益を守り，法律を遵守する義務のある弁護士にエージェント資格を限定すること等により回避することが可能であり，むしろエージェントが担当できる選手の『数』を制限することによっては回避できない問題であるから，球団側の説明には何ら合理性はないといえよう。」と述べている。

ちなみにサッカーについては，「日本のプロサッカー契約では，選手が代理人を付けるタイミングというのはプロ入り後というのがスタンダードで，それが逆にJクラブのメリットを損なっているのではないかと考えている。一見すると矛盾しているように聞こえるが，選手はほとんどのケースでプロ入団時に代理人を付けることなく契約交渉に臨んでいるため，Jクラブにとって有利な安い年俸で期間最長の5年（18歳未満の選手は最長3年）の"囲い込み契約"を結ぶ傾向にある。（中略）したがって，場合によっては契約途中で移籍する場合の違約金設定も落とし込まれて

いない。」と述べている（小澤（2012））

　他方，プレミアリーグ等ヨーロッパのプロサッカーリーグでは，代理人（現在では仲介人）が選手と一心同体で契約交渉を行っており，連日のように有名選手の高額移籍のニュース（ゴシップ含む）が新聞紙上をにぎわせている。契約内容は個々の契約によって異なるので一般化することは難しいが，有名選手の場合は，特約条項を設定することによって高額移籍を達成しているケースが多いといわれている。

(1) 権利放棄条項（release clause）

　所属クラブがプレミアリーグに残留できない場合，チャンピオンズリーグに進出できない場合等の条件を設定し，条項に抵触する場合は契約で定められた金額を支払うクラブと交渉することができるとする。

(2) 買取条項（buy-out clause）

　スペインリーグで利用されている条項で，選手の市場価値をはるかに上回る金額を設定し，それを上回る金額を払うクラブに移籍できるものとする。実際には，その選手を獲得したいクラブが選手に資金を提供し，選手がクラブから自らの選手保有権を買い取る形式をとる（参考：danielgeey）。

　選手にとっては自分自身が商品であり，それを高く売ることが目的となる。したがって商品価値を上げるような条件設定を代理人と共同で行うのである。

　米国においては，競争原理が働き，選手は自らの立場を勘案して，いろいろな交渉手段があるが，日本では代理人を立てる場合は，弁護士に限ると厳しい制限を課している。弁護士でなければ選手代理人になれないとすると，経験者が少ない日本のプロ野球では選手の権利が守られない可能性がある。米国 MLB では，プロの代理人が選手の報酬高騰，それが球団経営に悪影響を及ぼしているとの意見がある一方，球団側も自らのスポーツチャネル開設等事業多角化を進めている。労使交渉が球団経営の発展に資する点もある。

【参考文献】

日本サッカー協会ホームページ（http://www.jfa.jp/football_family/intermediary/）
　2017/4/23

FIFA（2014）http://resources.fifa.com/mm/document/affederation/administration/02/33/57/54/circularno.1417-newregulationsonworkingwithintermediaries_neutral.pdf Zurich, 30 April 2014

Tomlinson, A.（2010）Oxford Dictionary of Sports Studies, Oxford University Press p.8

田中英夫（1991）英米法辞典，東京大学出版会，p.36

Foster, F. et al. (2006) The Business of Sports, Text & Cases on Strategy & Management, Thomson South-Western

Rosner, S. et al. (2011) The Business of Sports,Jones & Barlett Learning,p.721

Shropshire, K.L., et al (2008),The Business of Sport Agents, second edition, University of Pennsylvania Press, pp.22-36

Hamil et al (2010), Managing Football an International Perspective, Butterworth-Heinemann, pp.37-54, pp.103-117, pp.201-216

日本プロ野球選手会ホームページ：http://jpbpa.net/system/problem.html　2014/12/5

日本サッカー協会ホームページ：http://www.jfa.jp/news/00002330/　2014/12/5

小澤一郎（2012）「サッカー選手の正しい売り方」カンゼン，p.203, p.259-260

神谷宗之介（2005）「スポーツ法」三省堂　p.124

ドキュメンタリー～The REAL～ESPN フィルム-アメリカンスポーツ-スポーツエージェント特集　The Dotted Line J Sports 1

danielgeey (http://www.danielgeey.com/buy-out-release-clauses-in-football-the-basics/) 2017/04/26

第VIII章 経営資源から分析したプロサッカー「カネ」2

　プロサッカークラブも一般企業と同じで，自分の保有する希少な内部経営資源（ヒト，モノ，カネ，技術，情報）を有効活用して利益を生み，それを株主に配分する活動を行う。内部経営資源の中で，どれが優先されるかは企業によって異なるが，「カネ」はほかの経営資源とは異なる性質をもつ。すなわち，企業は経営資源を活用して諸活動を行うが，どんなに収益性の高い事業を行っていても，毎日の資金のやり繰り（資金繰り）に失敗すると，支払資金が不足し（ショートし）倒産の憂き目にあうこともあるからである。企業そのものが消えてしまう危険性があるのである。「勘定合って銭足らず（帳簿上，利益が出ているが，おカネがなく，支払ができない）」（会計上の数字と現金の数字との差異）とは資金繰りの重要性を述べた言葉である。

　前章でも述べてきたが，サッカービジネスは昇格・降格に伴う売上高変動が激しく，プロサッカー選手の年俸高騰もあって（人件費が高騰），財務管理が難しいビジネスである。そのため，英国内はもちろん欧州のプロリーグでリーグ全体では毎年売上高増加を記録するものの，個々のクラブでは経営破綻が起こっていることが新聞等で知られているとおりである。「ビジネス（利益を生むこと）第一」で生まれた米国のメジャースポーツとは異なり，イングランドで生まれたプロサッカーでは，「勝利第一」の考え方はいまだにファンのみならず，経営者にも根づいており，健全経営が後回しになってきた歴史がある。しかし，欧州においては，サッカーはただのスポーツではなく，EU（欧州連合）の統合のシンボルとして位置づけられており，それが衰退することは大きな問題になる。そこでUEFA（欧州サッカー連盟）は，フィナンシャル・フェア・プレー規制（ヨーロッパのクラブが支出と収入のより持続可能なバランス（収支均衡）を達成することを目的とする。第11章参照）を導入した。

　そんな中で，国民投票（Referendum）の結果を受けて2016年6月に英国のEU離脱（Brexit）が決定した。今後の進展によっては国際政治，国際経済に対してのみならず，英国リーグで多数活躍するEU出身の選手の扱い等に影響が及ぶ可能性がある。

1　資金調達

　企業の経営活動は，財務面から見ると，資金を調達して，これを運用し，利害関係者に再配分する活動である。

　銀行がわかりやすい例であるが，預金者から金利1％で「預金」（借入金と同じ：

負債）を受け入れ，それを例えば企業に2％で貸し出す（貸付金：資産）ことによって金利の差額「2−1＝1％」の利ザヤを儲けるビジネスとなる。製造業であれば，借入金，または株式発行で調達した資金を工場建設経由して，製品を製造して販売し，最終的に資金を回収するという長いサイクルとなるだけで，安く資金調達して，高く資金運用して，差額を儲ける仕組みは同じである。企業の資金調達を企業金融（ファイナンス）という。

図8-1：企業の経営活動：資金の調達と運用

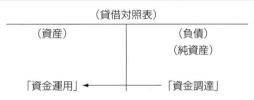

図8-2：資金調達と資金運用の流れ

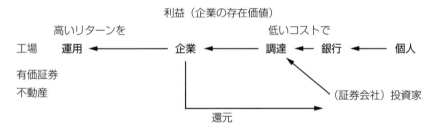

企業金融は，外部金融と内部金融に分けられる。
資金調達の方法として，以下の方法がある。概略だけは押さえておきたい。

図8-3：企業の資金調達の種類

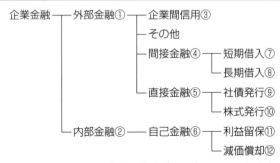

出典：齋藤他（2012）p.107一部改変

① 外部金融：企業外部から資金調達する方法
② 内部金融：企業内部で資金調達する方法。自己金融ともいう。
③ 企業間信用：代金決済を現金ではなく信用（後払いの約束）で行う企業間取引
④ 間接金融：金融機関を通じて市場から間接的に資金調達する方法
⑤ 直接金融：株式や社債（借入金と同じ性格）などの証券を発行して，資本市場から投資家の資金を「直接」調達する方法
⑥ 自己金融：内部金融のこと
⑦ 短期借入：通常1年未満の期限で行われる資金借入。運転資金に使用される。
⑧ 長期借入：通常1年超の期限で行われる資金借入。設備資金に使用されることが多い。
⑨ 社債発行：企業が証券（社債券）を発行することによって，投資家から大量に資金を集める手段である。一定の定めによって償還されるもの。発行企業は返済義務あり。
⑩ 株式発行：企業が証券（株券）を発行することによって，投資家から大量に資金を集める手段である。最初に企業の設立時に行われ，その後は，増資という形で行われる。資金提供者である株主（投資家）への返済義務はない。企業にとっては外部からの資金調達で最もありがたい安定的資金である。
⑪ 利益留保：企業が生み出した利益のうち，配当等で社外に流出した分を除いた金額をいう。企業にとってはコストゼロの資金であり，それを資金運用に回せるので（言葉を換えると，事業に再投資される），最も安定的資金源である。
⑫ 減価償却：土地を除く有形固定資産の使用可能額を使用期間内に費用として配分する手続である。財務的には，減価償却費に相当する現金支出を生じない。すなわち，減価償却相当額が企業内部に留まるので，同じ金額を資金調達したのと同じ効果がある。

　日本の企業の資金調達では，戦後の資金が枯渇した時代から，銀行が中心となる間接金融が優位であったが，グローバル化の時代を迎え，証券形態による直接金融が比重を増してきた。しかしそれは主に財務状態に優れた大企業に与えられた仕組みであり，中小企業の資金調達は相変わらず間接金融中心である。
　先に述べたとおり，日本では開廃業率が米国に比べていずれも低い水準で，かつ廃業率が開業率を上回る状態が続いている。すなわち日本経済のダイナミズムの喪失懸念がいわれている。それに対応して，会社法の改正により，資本金1円で会社設立ができるようになったが，新規創業において一番の問題は資金調達である。会社としての信用がない場合は，間接金融もままならない。

間接金融の場合は，貸出金に対して金利が約束どおり支払われるか，また最終期限（償還時）に全額が返ってくるか，その会社の「安定性」をみて貸し出しが行われるため，新規創業では資金を借りることは難しい。結局はスタートでは，自己資金，一族，友人からの借入で始めることになる。上述のとおり，おカネは借りれば返すのが当然である。しかし，会社を創業したばかりの時には，資金繰りが大変である。そこで，中小零細企業は株式発行による直接金融を希望するところが多いが，投資家から見れば，将来性が判断できず，知名度がなく，上場もしていない（すなわち証券取引所経由，他人への売却によって資金回収をすることができない）会社に投資することは極めて可能性が低い。もちろん，公的な金融支援制度もあるが，新規創業の立ち上げの資金調達は依然として困難である。米国では，「エンジェル（天使）」と称される新規創業で成功した資産家（例えばビル・ゲイツ）が，夢をもってチャレンジするアントレプレナー（新規創業者）に資金を提供するなどの環境がある。また政府も米国企業の新規創業意欲が衰退の懸念があると，2012 年に The Jobs Act という中小企業と新規創業を資金面からも助ける法律を施行している。中小企業振興と新規創業は日本だけでなく米国でも雇用創出の源となる重要な活動である。

2　スポーツビジネスと資金調達

Andreff and Staudohar (2002) の三段階モデルが，アマチュアからプロに移る過程での資金調達の重要性の違いについて，ポイントをついてまとめてあり参考になる。

表 8-1：アマチュアとプロの資金調達方法の違い

	アマチュア	従来型プロスポーツ	現代型プロスポーツ
入場料	○	◎	◎
会費・登録費	◎	○	○
寄付金	◎	○	○
政府補助金	○	◎	◎
飲食売上	◎	○	○
スポンサー・広告	×	○	◎
グッズ売上	×	○	◎
テレビ放映権料	×	○	◎

（注）◎：大変重要，○：重要，×：重要ではない

出典　Stewart (2007) p.21 Table 2.1 一部改変

アマチュアとは，地域レベルの参加に重点がある会員中心型組織である。資金調達は入場料の他は，会費，寄付金，飲食売上が中心となる。それに対して，従来型プロスポーツでは，入場料や地域からの支援を確保しつつも，スポンサー・広告や政府補助金が重要な資金調達源となる。最後に現代型プロスポーツでは，クラブのブランドやスポンサー等企業との取引を大きく増加させてきている。従来型プロスポーツの発展型である。重点は，売上高拡大である。企業規模拡大のために株式市場経由，安定的資金獲得を目的として，株式公開(上場)するクラブも増える。1990年代に英国プロサッカーがヒルスバラ事件(1989年：スタジアム施設の不備で，ファンが96名亡くなった事件)への反省，プレミアリーグ誕生(1992年)を契機として，近代的スタジアム建設等で資金需要が膨らんだが，上場資金でその建設費用(資本的支出)を賄った経緯がある。プロサッカービジネスは業績変動の大きいリスクビジネスであるので，ごく一部のクラブ(株式・社債を発行したマンチェスター・ユナイテッドや社債を発行したアーセナル等)を除いては，長期借入，またはクラブのサポーターからの支援(サポータートラスト)に依存することになる。英国のプロサッカークラブの場合，長期借入の際は，無担保借入(企業の信用に対して資金借入を行う)ではなく，スタジアムのリース債権担保等有担保借入(返済できない場合は，担保権を実行される)で資金を調達している。

3段階モデルで英国のサッカークラブを整理すると，以下のとおりとなろう。

アマチュア：9部～5部(Tier 9～Tier 5：セミプロ)

従来型モデル：4部(リーグ2)～3部(リーグ1)

現代型モデル：1部(プレミアリーグ)，2部(チャンピオンシップ)

1990年代に現代型モデルで，証券取引所に上場(40数クラブ)し，株式発行による資金調達を行ったクラブは多かったが，サッカーバブル崩壊(1997年～2000年前後)(Hamil, S. & Chadwick, S. 2010)，さらにプロサッカークラブ経営の本質的脆弱性が機関投資家(生命保険会社，年金資金ほか)から敬遠され資金調達が難しくなったため，ほとんどのクラブが上場廃止となった。しかし，そのような環境の中でも，アーセナル，マンチェスター・ユナイテッドは，社債発行で長期資金調達を行うことに成功した。

【運転資金(クラブの日常的な運営に必要とされる資金)の資金源】
1. 会費
2. 入場料
3. ホスピタリティ(食事付き特別室，特別席)
4. 特別資金調達イベント

5. くじ引きやゲーム（後章で記述）
6. グッズ売上
7. スポンサーや広告宣伝（命名権や提携契約を含む）
8. 食事提供サービス（ケイタリング）
9. 放映権（テレビ，ラジオ，インターネット等）
10. 投資収益
11. 政府補助金

【運転資金で賄う費用明細】
1. 賃金・給与（選手・スタッフ）
2. スタッフ福利厚生費用
3. マーケティング・コスト
4. 事務所費用
5. スタジアム維持費用
6. 選手の用具代，ユニフォーム代
7. スタジアム施設の減価償却

　スポーツを含めてサービス業では人件費の比重が大きい。そこで売上高人件費率（売上を1単位上げるために必要とされる人件費）がプロサッカー業界では重要指標となっている。

売上高人件費率＝人件費／売上高

　プロサッカー，特にプレミアリーグについては，人件費（wages）とリーグ成績の間に相関関係があるとの実証研究がある（2012/13 シーズンについては Deloitte 2014　p.36）。したがって，各クラブとも選手の補強に力を入れるのであるが，昇格・降格制度があるので，必ず決められた数のクラブが下位のリーグに降格する（同数の昇格クラブが上位リーグに上がる）。そうすると，その降格したクラブは翌シーズン，人気が劣るリーグでプレーするため，売上高が激減する。そうなれば高給プレイヤーを放出するかどうかの経営意思決定を迫られる。選手の方も自己の商品価値を維持するために，降格があれば移籍できる条項（権利放棄条項）を契約に入れているケースもある。財務破綻を危惧しつつ，高給プレイヤーを抱えて，翌シーズン昇格を目指すのか，それとも安全策をとって，ひとまず高給プレイヤーを放出して財務的な安定を維持するか（その場合は，翌シーズン，さらに下位リーグへ降格するリスクを抱える）である。

　Deloitte（2014）によれば，2012/13 シーズンの売上高人件費率 wage to

revenue ratio は，イングランド・プレミアリーグで71％，イタリア・セリエAでも71％，スペイン1部（プリメーラ・ディビシオン）56％，ドイツ・ブンデスリーガ1部51％，フランス・リーグアン66％となっている。1部ではないが，イングランド2部であるチャンピオンシップでは2012/13シーズンでの平均売上高人件費率は，過去最高の106％にも達している。その内，チャンピオンシップ・リーグの半数のクラブで売上高以上に人件費を使っている。これは何が何でも翌シーズンはトップリーグであるプレミアリーグに昇格するとの決意で選手陣営を整えた結果である。サッカーは先の読めないリスクビジネスではあるが，一般の企業経営からすればありえない経営行動である。（合理的とは言えない）楽観的見通しに準拠して収入以上に選手獲得や報酬にカネを払う。まさにこれがサッカービジネスの現状である。チャンピオンシップほどでなくても，選手を補強すると人件費が先に増加する。昇格すれば翌シーズンは観客入場者数が増えて，それが広告宣伝，放映権料増加に結びついて，売上高が増加するというタイムラグが発生する構造である。いわんや，選手を補強しても，昇格できなければ人件費だけ増加して，売上高は変わらず，売上高人件費率は上昇して，経営を圧迫することになる。難しいビジネスである。

現代型モデルであるサッカークラブ，特にプレミアリーグのトップクラブの資金調達については巻末に掲載している西崎（2014）（2015）を参照されたい。特にマンチェスター・ユナイテッドのニューヨークでの株式による資金調達およびその後の株価動向についての分析を行っている。

ここではアマチュア（実際にはConference Leagueというセミプロリーグ5部）からイングランド・フットボールリーグ（プロ）のリーグ1（3部）に昇格したAFC Wimbledonの財務諸表から，中小プロサッカーチームの財務状況およびクラブ運営を見ることで，プロサッカーリーグビジネスの一端を感じ取っていただきたい。

【事例研究】

AFCW PLCは，League2のAFCWの100％を所有する持株会社である。他にスタジアム会社についても100％出資PLC(注1)であるが，未上場である。AFCWは2010/11シーズンはセミプロリーグ（Conference League：5部）であったが，2011/2プロリーグ（フットボールリーグ）のリーグ2（4部）に昇格した（2016/17シーズン，リーグ1（3部）に昇格）。売上高約6億円程度の小クラブである。ファンが組成するサポータートラストが資本金全額を出資する，ファンが所有するプロサッカークラブとしてスタートした小クラブとしては特筆されるべき成績である。

10年で9部（2002年）から4部（2012年）へ昇格したが，上位リーグでその地位を維持するためにはそれなりの選手が必要となり，サポータートラストの財政支

援だけでは十分とは言えず将来への不安が残る。そこでファンがサポータートラストを経由してクラブを所有することと，クラブ外から外部資本（当面は，クラブ幹部・ファン等が多額出資する）を導入することで財務を充実させることの二律背反のバランスが必要になった。AFCW の経営陣がとった戦略は，AFCW は新会社 AFCW PLC を設立し，その新会社が AFC Wimbledon Limited（サッカークラブ）と AFCW Stadium Limited（Kingsmeadow）をそれぞれ 100％株式所有するスキームとした。二律背反を解決する方法として，複数種類株式構造[注2]議決権を普通株『サポータートラストへ割当』1 株に対して 3 割当，普通株 A『外部資本へ割当』1 株に対して 1 割当）によって必要資金の一部を外部から導入するスキームをとった。2010 年現在では 77％所有（議決権ベースでは 88％）であったか，サポータートラストが成功裏に動き出したため，増資をサポータートラストに全額割り当てることによってサポータートラストの持株比率は 2016 年現在では 91％（議決権ベースでは 97％）にまで高めることに成功した。これによって，経過的に外部資本に資金負担を頼るが，最終的にはクラブ運営をサポータートラスト経由でファンの手元に置くスキームとしている（AFC Wimbledon HP）。

　4 部のチームは，地域密着しか生き残るすべはなく，まさに AFCW や Swansea City（プレミアリーグ。2014 年映画が大ヒット）に典型的に見られるように，ファンがクラブを所有し，また金銭的に支援するサポータートラストが鍵となろう。AFCW の財務諸表や役員報告を見ると，スタッフがクラブに多額の寄付を行い，役員が無報酬で働き，さらに無配当のクラブ株式の大株主になるなど，クラブを全面的に支援しているのがわかる。いや，クラブ株式を所有することで，クラブは自分たちのものとの捉え方が徹底しているのである（「第 10 章の会社は誰のもの」の議論を参照）。イングランドと日本ではサッカーの歴史が全く異なるけれど，彼我の差は大きい。

（注1） 英国では plc（Public Limited Company：公開責任会社）であれば，会社法に則って簡易版の財務諸表が開示されている。
（注2） 複数種類株式構造（Multi-Class Equity Structure）：普通株を二つに分け，議決権の比重を変えることにより，議決権をオーナー（ここではサポータートラスト）が株数割合よりも多く所有する構造である（金子他，2008）。

表 8-2：AFCW 損益計算書推移

（損益計算書）単位：英ポンド @Y170

	2014	2013	2012	2011
売上高	3,467,809*1	3,463,595	3,038,962*2	2,329,861
粗利益	542,177	450,034	481,035	383,879
選手移籍金収支	――	(80,006)*3	(150,000)	(10,000)
その他費用	821,847*4	605,309	502,715	437,983
費用小計	821,847	525,303	352,715	427,983
営業利益	(279,670)	(75,269)	128,320	(44,104)
最終利益	(303,531)	(99,971)	104,231	(72,538)

注：(　) はマイナスを示す

【解説】

＊1：財務リスクとして最大のリスクは「降格」である。それを避けるために，クラブとしては，経費削減して，できる限り選手獲得費用・選手報酬に予算を振り向けたいとのこと。当該年度についてはクラブのスタッフの一人から多額の寄付（donation）を受けたこと，スポンサーとの契約金額増加があったため，172,000 ポンドを選手陣容増強のために使用することができたとのこと。寄付金の重要性は，アマチュア的色彩が強いクラブならではである。

＊2：直前の 2010/11 シーズンはセミプロリーグでプレー。2011/12 シーズン昇格によって，前年度比売上高 30 ％増。入場者数増加によるものと思われる。

＊3：中小のクラブは財務的に苦しいため，選手の登録権売買（移籍）（registration）によって獲得する利益は重要な資金源となっている。費用項目に上がっているため，マイナス表示となっているが，3 期連続で利益計上している。ユース育成が将来選手の移籍料を生み出しクラブ経営にプラスとして働く。

＊4：当クラブはスタジアム移転（本拠地移転）を検討中であり，そのためのデザイン費用，コンサルティング費用として 290,000 ポンド計上したため赤字幅が拡大した。経営陣は，それが可能な健全な財務状況を誇っているが，これ以上の支出をしない旨，明言している。スタジアムの狭さが財務上の上限を抑えているため，スタジアム移転が必要になる。

表8-3：AFCW 売上高明細および推移

(売上高明細) 単位：英ポンド

	2014	2013	2012	2011
入場料・賞金	1,624,285[*1]	1,740,982	1,614,058[*2]	1,053,762
グッズ	216,229	240,604	255,319	221,363
スポンサー・広告	463,262[*3]	438,208	326,364	291,030
バー・ケータリング	319,350	309,378	336,769	369,745
Community Football Scheme	121,358[*4]	116,786	82,180	62,538
寄付金	244,285[*5]	177,656	104,185	194,999
ユース育成収入	476,068[*6]	374,376	318,461	130,838
その他	2,972	65,605	1,626	5,586
合計	3,467,809	3,463,595	3,038,962	2,329,861

【解説】

*1：売上の減少は，前年度 FA カップのテレビ放送があったが，今年度は FA カップ，リーグカップとも最初の試合で敗退したため，TV 収入で 85,000 ポンド減少，さらにカップ戦での利益が 85,000 ポンド減少したため。中小クラブにとっては，カップ戦は収入源として重要である。特に対戦相手がプレミアリーグクラブになると放映権料が増える構造になっている。まさにくじ引きの運次第で売上高の増減が発生する。総売上高が小さいため，カップ戦の与える影響は大きい。売上高に占める入場料収入（放映権含む）の比率：46.8％，スポンサー・広告料・グッズ他：53.2％。下位リーグのクラブであるので，TV 放映権料は小さい。クラブの売上の中心は，入場料収入，スポンサー・広告宣伝料，そしてユース育成収入が大きい。すなわち「地域密着」がキーワードとなる。

*2：2011 年 8 月リーグ 2 に昇格したため，入場料収入他急増した。

*3：スポンサー，広告料収入は，リーグ 2 を維持することで，増加する。複数年契約が普通であるため，売上高変動は小さい。

*4：地域密着サッカー計画（Community Football Scheme）：クラブが本拠地を置いている地域の子供たちにサッカーを中心とするスキルを教えたり，イベントを開催したりして，地域密着を図る。クラブの重要なスクール事業収入となっている。

*5：まさにファンが所有するサッカークラブであるので、ファン、スタッフの寄付金は多額に上る。プロでありながら、アマチュア的色彩が強いクラブである。クラブの幹部自身（サポータートラストの幹部でもある）が率先して寄付金を提供している。

*6：Youth Development income：リーグ2のAFC Wimbledonのユースチーム。プレミアリーグが主導するEPPP（Elite Player Performance Plan）で、ユースプレイヤーを育成する制度である。シニア・チームへ選手を送り出したり、他のクラブへ移籍したりで、収入が計上される。

表8-4：売上高人件費率推移

（売上高人件費率）単位：英ポンド

	2014	2013	2012	2011
賃金・給与	2,020,732*1	1,607,831	1,536,268	1,083,327
付随費用	30,661	48,240	13,057	12,649
社会保険料負担	155,274	143,063	135,432	99,250
総費用	2,206,667	1,799,134	1,687,757	1,195,226
売上高人件費率	63.6％*2	51.9％	55.5％	51.3％

【解説】

*1：昇格前（2011）と比較して、選手を含むスタッフの費用は倍増した。セミプロからプロリーグへ昇格し、その地位を過去3年間維持するだけでも相当の人件費がかかることを示している。

*2：当年度は過去数年と比較、人件費率は上昇したが、それまで50％程度とコスト抑制がなされている。プレミアリーグの70％前後、チャンピオンシップ（2部）の100％前後に比較すると、慎重なクラブ運営をせざるを得ない状況を示している。

　AFC Wimbledon（イングランド4部）の売上高は6億円（2014）、Jリーグと比較するとJ1の平均33億円には遠く及ばないが、J2の平均12億円（いずれも2015年度）に近い。

　特に入場料収入ではJ2が1億8,000万円（2015年度）であり、AFC Wimbledonの入場料収入と同レベルである。したがってJ2の経営を考えるときに参考になるかもしれない（J2クラブの地域密着度が低いことを物語っている。）

　イングランド・プレミアリーグでは、入場料収入：スポンサー・広告宣伝：放映

権＝1：1：1である。欧州，特にイタリアでは圧倒的に放映権，スポンサー・広告宣伝収入の比重が高い。すなわち，プレミアリーグは，売上のバランスが取れているので，経済の変動に対し耐性が大きいと思われる。

【参考文献】
齋藤他（2012）「ファイナンス入門」放送大学教材　（財）放送大学教育振興会
金子他（2008）「法律学小辞典［第4版補訂版］」有斐閣　pp.176-177
西野他（2014）「プロスポーツ・ビジネス羅針盤」税務経理協会
武藤泰明（2014）「スポーツの資金と財務」大修館書店
Stewart, B. (2007) Sport funding and finance, Elsevier　pp.18-29
Deloitte Sports Business Group (2014) Annual Review of Football Finance, Deloitte
AFCW PLC Report and Financial Statements for the Year ended 30 June 2012
AFCW PLC Report and Financial Statements for the Year ended 30 June 2014
Hamil, S. & Chadwick, S. (2010) Managing Football-An International Perspective, Butterworth-Heinemann, pp.19-22
早稲田大学スポーツナレッジ研究会編（2016）「スポーツ・ファン・マネジメント」創文企画（第2章「英国サッカーリーグにおける中小クラブの方向性について―AFC Wimbledonを例にして―」pp.21-30）

第IX章　経営資源から分析したプロサッカー「モノ」

1　ヒルスバラの悲劇（Hillsborough stadium disaster）

　1989年4月15日，イングランドのシェフィールド市のヒルスバラ (Hillsborough) スタジアムでFAカップ準決勝リバプールとノッティンガム・フォレスト戦で発生した事故である。当時英国のスタジアムは暴力ファン（hooligan：フーリガン，サッカー場で暴動を起こす不良）がピッチに乱入しないように，ピッチと観客席を隔てる鉄製の高いフェンスが立てられていた。当日チケットを持たない観客がスタジアムの外にあふれ，危険な状態になったため，警察がリバプール・サポーター側のゲート（入口）を開けたところ，ファンが一気にスタジアムに駆け込んだため，フェンスに押し付けられたファンが圧死した事故である。死者96名，負傷者766名を数える英国でのスタジアムで発生した最大の事故である。試合は開始6分で中止となった。

　ヒルスバラ事故以前にも，1985年ヨーロピアン・カップ・ファイナルでのヘーゼルスタジアム事件（ベルギー・ブリッセルのスタジアムで発生した。リバプール・サポーターとの乱闘で39人のユベントスサポーターが死亡，600名が負傷）等が発生するなどサッカーは事故や暴力トラブル（hooliganism）が多発しているため，規制する法律が次々に施行されてきた歴史がある。

　ヒルスバラ事故を契機に，英国ではテーラー報告書が提出され，スタジアムの全席座席指定（all-seater：指定席の有無は問わず。当面1，2部のみ適用）が課された。これはまさに政府が乗り出して，ファンをいかに管理し，制限するかの観点で，法律・規制が導入されたのである。英国のサッカースタジアムの熱狂はゴール裏の立見席（terrace）での男性サポーターの声援によって生み出される。しかしそれを失っても，女性や子供が楽しめるスタジアムにするために立見席を廃止したのである。それまでは観客の快適さを無視しハーフタイムのトイレですら長蛇の列をなしていた悲惨な状況であった。

　他方，ビジネスとしてのプロスポーツが盛んな米国では，観客の最大満足を獲得するために，以前より最新鋭設備をもつスタジアムを続々建設していった。勿論資金面の問題はあったが，地方公共団体が都市間競争に勝利するために，スタジアム建設に多額の資金を供与したため，4大メジャースポーツではスタジアム建設競争が止まらない。57チームが1990年から2000年に建設された新しいスタジアムで試合を行っている（Hamil (2010) p.218）。英国ではヒルスバラ事故が全席座席

第Ⅸ章　経営資源から分析したプロサッカー「モノ」

指定の新スタジアム建設の契機となったが，最初はクラブ側の反発もあったものの，結果を見ると入場者数の増大につながったために，既存のスタジアムの改装や本拠地移転が続々実施された。プレミアリーグ創設とともに，プロサッカーが一大プロスポーツとして世界的なスポーツとなったことが大きい。

　サッカー業界は競争が激しく世界的な人気を博するが，各クラブは収益的には厳しい。そういう損益の変動が激しい投機的なビジネスであるサッカー業界で，長期固定投資であるスタジアム投資をなぜ積極化しているか。英国では，ほとんどのクラブが株式会社(注1)の形式であることから，自治体が公的スタジアムを貸与することができず(注2)，スタジアムは原則クラブの私有である。資金の固定化を避ける目的で，クラブがスタジアム投資を最劣後に置いたため，大惨事（ヒルスバラ事件）が起こった経緯がある。そこで政府が，スタジアムを「サッカーをプレーする場所」「観客は入場料を払うだけの存在」から，改装して「ファンが快適に過ごせる場所」にすることを義務づけたのである。さらにサッカーの上部団体であるFIFAやUEFAが全席座席指定でなければ，主な試合は開催させないとの決定を行ったことも影響を及ぼした。そこへ1990年ワールドカップでのイングランドの活躍，プレミアリーグの誕生，有料TVの発展が重なったので，爆発的な人気になったのである。まさにサッカーは「スポーツからビジネスへ脱皮」したのである。その流れを受けてプレミアリーグ誕生以来，スタジアムへの投資残高は5,500億円（FA92クラブで7,500億円）にのぼり，地方公共団体からの借り物のスタジアムを使用する欧州リーグに対して，差別的優位性を発揮している。短期的には，自前のスタジアムを持たないと財務の安定は得られるが，観客増員，グッズや広告料の収入も増加しない問題がある。また有料TVが全盛の今，スタジアムのすばらしさをアピールすることができなくなる。英国TV番組でのスヌーカー（snooker：ビリヤードの源の玉突き）人気もテーブルの色鮮やかさが大きな原因といわれている。TVは見映えが重要である。

　次にクラブの収入構造を分解してみると，総収入＝入場料＋TV放映権料＋グッズ売上・広告料となる。英国プレミアリーグは収入面で他のリーグを圧して断然トップ，さらに入場料，TV放映権料，スポンサー（グッズ他商業含む）とバランスが取れているのに対し，他国リーグでは安定的な入場料の相対的割合が小さく，景気に敏感な放映権料に大きく依存する。やはり自前のスタジアムを持ち，観客動員を増強させることが重要である。入場料収入拡大を図るためにはどうするか。入場料収入＝客数×客単価×入場頻度（概念式）となる。プレミアリーグでは設備稼働率（収容率）は93％，上位12チームでは96％に上る。したがって，客数増加のためにはスタジアム増設しかないのである。客単価についても，入場料がプレミア

81

第 1 部　基礎編

創設時と比較，5 倍以上にまで上がりこれ以上の値上げは難しい。そこでエリートの「プレミアリーグ」は，スタジアムに続くチャネル戦略として，有料ライブ TV へ放映権を売ることで売上アップを図っている。リーグが放映権を販売し，順位，放映に応じてクラブにその収入を配分する形式となっている。プレミアリーグのキックオフは，英国の土曜午後 3 時，それがアジアでは同日夜 10 時か 11 時とゴールデンタイムとなるので，この点でもプレミアリーグは他の欧州リーグに優位性がある。TV の映えも考慮すると，豪華なスタジアムは絶好の装置である。これがまた広告料・グッズの販売にも好影響を与える。スタジアムが中心となって動いているのである。

(注1)　厳密にいえば，英国のサッカークラブは歴史的に，任意組織からスタートして私的会社（Private Limited Company）に移って行った。それは規模が大きくなるにつれて組織化が必要となる一方，負債（liabilities）を制限するために私的会社となるのである。組織が大規模化して多額の資金調達が必要になれば，公的有限責任会社（Public Limited Company: 通称 plc）となり，1990 年代には英国プレミアリーグでは plc となって証券取引所へ上場，そしてファイナンスを行った例も出てきた。サッカーバブル崩壊，および外国人投資家のクラブ買収が発生し，クラブ上場廃止が続々と発生し，流動性がある英国サッカー株式は 2013 年にニューヨーク証券取引所に上場したマンチェスター・ユナイテッドが実質的には 1 クラブだけである。

(注2)　前述のとおり，任意組織から私的会社としてスタートした英国サッカークラブは，伝統的に地元自治体（Local Authority）に対して資金面で依存するわけでもなく，また地元自治体も私的有限責任会社を公的資金で支援する意向もなかったため，スタジアムは他国では普通である公共スタジアムの借り上げではなく，自社所有のスタジアムがほとんどである。例外としては，現在イングランド 3 部の Coventry City FC の Ricoh スタジアムが見られるが歴史的事情から極めて稀な事例である。（Supporters' Direct Kevin Rye）

Column　Hillsborough 事故（1989/4/15）の時の私

私は当時，日本の銀行のロンドン証券現地法人に勤務していた。まさにその時刻には，自分がサポーターをしているウインブルドン FC（Wimbledon FC, 1988 年 FA カップ優勝）のロンドンダービーの 1 部リーグ戦（対トテナムホットスパー）を観に，本拠地の Plough Lane の観客席にいた。試合開始してしばらくして，FA カップ準決勝で事故が発生し，何人か死亡したとのアナウンスが流れた。その時観客のどよめき・悲鳴が上がった。その後，ハーフタイムに惨状が明らかになり，選手・ファン一同黙禱したことを覚えている。当時，フーリガンが暴れる事件が頻発しており，さらにリバプールは熱狂的ファンが

多いことで有名だったので，フーリガンが酒を飲んで暴れた事件と最初思ってしまった。この事故は日本でも大きく報道されたので，私の勤務していた銀行の本部から，私が事故に巻き込まれなかったか心配のファックスが入ったほどである。

【参考文献】
Hamil, S. et al（2010）Managing Football an International Perspective, Elsevier
Palacios-Huerta, I.（2014）Beautiful Game Theory, How Soccer Can Help Economics, Princeton University Press
Malcolm, D.（2008）The Sage Dictionary of SPORTS STUDIES, Sage Publications, pp.103-105, pp.131-132, pp.133-134

2　サッカー賭博：資本主義スポーツであるサッカーへの国の介入

　田中（1991）によれば，ギャンブル（Gambling または Gaming）とは「賭博。合意のなされた時点では発生するか否か不確実なある出来事が生じた場合あるいはその時点では当事者にとって存否不明確であった事実の存在が判明した場合において，一方の当事者が他方の当事者に対して一定の金額を支払うという合意，Gaming ともいう。コモンロー（判例法，慣習法：筆者注）上は内容が public policy（公序良俗）に反しない限り wager（賭博）契約自体は有効とされていたが，制定法─イギリスでは Gaming Act 1845（賭博法）─によってこの種の契約は原則として無効とされるにいたった。しかし，法律が金銭を賭けた娯楽・遊戯を認めれば有効であり，近年このように例外的に有効とされる場合が増えている。賭博に関する規制の方法・態様は，法域によって異なる。例えばイギリスについては Gaming Act1968 が中心となる。」と説明されている。

　一方，賭博に似た概念に富くじ（Lottery）がある。同じく，田中（1991）によれば，「富くじ：宝くじ　法律上は，(1) 金銭または物が参加者から提供され(consideration（約因）の要件)，(2) 偶然の出来事により（chance の要件）(3) 当選者などに賞金（prize）が支払われるとき，賭博の一種として刑事責任を問われる。近年では，イギリスおよびアメリカのかなりの数の州で，公営の lottery が認められ（例えば，イギリスの premium bond），さらに一部では（条件を満たせば）私営のものも合法化したところがある」とする。

　(2) の偶然の出来事の chance の要件に，chance と skill（技能）が複合して機能することと捉える向きもある。

　Oxford（2009）によれば，宝くじ（イングランド法）とは，偶然性のゲームで，参加者は番号のついた切符を購入し，賞金はくじを引くことで配分される。1976

年宝くじ・娯楽法（the Lotteries and Amusement Act 1976）では宝くじは違法とされている。例外は以下のとおりである。(1) 登録されたチャリティやスポーツ，(2) 会員制クラブの会員に限定される場合，(3) 地方くじ：地方公共団体が承認した仕組みに従って販売促進され，賭博委員会（gaming board）に登録されているくじ，(4) バザーやダンスパーティーのような娯楽の一部として行われる小規模のくじ等である。

英国プロサッカーで発生したヒルスバラ事件を契機に英国プロサッカーのスタジアムが全面改装されたが，その資金の一部は公営ギャンブル（競馬，サッカー，ボクシング等），特にサッカー賭博（football pools）に課される税金の軽減によって支弁された（具体的には賭けを行う際にエージェントに払う手数料12.5％のうち2.5％をサッカー財団（Football Trust）経由，英国全土のサッカー活動に配分された。その有名な例がヒルスバラ事件を契機に出されたテイラー報告に従って実施されたサッカースタジアム改装である）。poolsはその週末にかけて行われる英国全土のトップレベルのプロサッカーの結果を予想するものである。一番有名な賭けがTreble Chance（3倍チャンス）であり，週末の試合のうち8試合を選び，勝ちと引き分けを当てるサッカー賭博である。

サッカーの母国英国でも，自己責任原則が徹底される中で，国の資金がサッカークラブのスタジアム新築・改築に使用されることは前代未聞であった。クラブの重要な利害関係者である顧客たるファンの安全確保を後回しにして，選手の補強に走っていたクラブの姿勢に批判が集まり，労働党政権（1994年～2010年）も動かざるを得なかったのである。その契機となったのは1970年代から頻発するようになったフーリガンによる騒動であり，2000年ごろまで，暴動と警備強化のいたちごっこであった。やや沈静化したものの現在でも，大きなクラブのホームゲームでは，ヘルメットを被った騎馬警官が試合前後のスタジアムを警備している。しかし，2010年5月に保守党・自由党の連合内閣が成立したため，今までのような公的支援が継続するのか不明である。

英国ではギャンブルがさほどに，毎日の生活に根づいているのである。統計によれば，平均的な英国人成人は年間60ポンド（約1万円@Y170）をギャンブルに消費する。ギャンブルはスポーツ関連消費者支出の最大の項目で，このセグメントで30％を占める。さらに近年ギャンブルは急速な伸びを示している。競馬への賭け金は1985年から1995年の10年間に22％増加，同時期にプロサッカーへの賭け金は13％増加している。イギリスはブックメーカー（政府公認の賭け屋）発祥の

地であり，英国人は大の賭け事好きで有名である。ブックメーカーには，1934年に創業した英国の老舗であり最大手のウィリアムヒルがある。このウィリアムヒルは，ロンドン証券取引所に上場もしている大手企業であり，世界中の利用者に「ブックメーカーといえばウィリアムヒル」と言われるほどのブランド力がある。ギャンブルのルールで最古のものは英国のクリケットで見られ，1727年であった。当時，ギャンブルは貴族階級のエリートとしてのアイデンティティとされたが，19世紀に入り中産階級が勃興するに従って，ギャンブルは忌諱されるようになった。中産階級は金銭的余裕がないこと，また清教徒としての宗教的背景がその原因といわれている。しかしギャンブルは引き続きスポーツにおける問題にもなっている。米国の野球，英国・イタリアサッカー，最近ではクリケットにおける八百長である。そしてインターネットによるギャンブルの成長もこの流れを加速する。その背景にはインターネットの発達によって，経済的に急成長するアジアの国々のTV視聴者がヨーロッパの試合の賭けに参加する時代になっていることが挙げられる。プレミアリーグへ流入するTV放映権料の上位にはアジア諸国が並んでいるのはその証である。そこでその巨額の資金を取り込もうとアジアの八百長仕掛け人（match fixer）が暗躍することにもなっている。八百長をめぐっては，前サッカー日本代表監督もスペインリーグ時代の八百長疑惑で辞任を余儀なくされたことも記憶に新しい。スポーツとエンターテインメント（娯楽・興行）の違いは，スポーツが結果を予測できないのに対して，エンターテインメントでは，最初から楽しめるように前もって計画され実行される点である。八百長は前もって結果を仕組む（match fixing）ことによって，相当の確率でギャンブルに勝てるようにすることである。

　ギャンブルの優位性は，スポーツが示す社会的重要性と，得られる経済的利益，リスクの重要性，そして勝負の結果の不確実性（競争均衡），そして興奮を追い求めることにある。簡潔にいえば，ギャンブルの報酬を管理したい人々は結局ギャンブラーと，もっと広く大衆に魅力を与えるスポーツの特徴を崩すものである。

【参考文献】

Malcolm, D. (2008) The SAGE Dictionary of SPORTS STUDIES, SAGE Publications pp.114-115

Penner, J. E., The Law Student's Dictionary, Oxford University Press, p.128

田中英夫（編集代表）(1991) 英米法辞典，東京大学出版会，pp.372, 533

Oxford Dictionary of Law (2009) Oxford University Press, pp.244, 335

第1部　基礎編

Column　パイゲート（Piegate）事件

　2017年2月，イングランド5部のサッカークラブであるサットン（Sutton United）がFAカップ予選でプレミアのアーセナル（Arsenal）と対戦した。試合は順当にアーセナルが勝利したものの，世界中を信じられないニュースが駆け巡った。サットンの45歳巨漢127キロの補欠ゴールキーパー（ウェイン・ショー：Wayne Shaw, 愛称「Roly Poly Goalie」：「でぶっちょのキーパーちゃん」）が試合中にベンチでミートパイ（a meat pie）をかぶりついたシーンがTVで世界中に報道されたのだ。実はこの試合1試合だけの用具スポンサーになった賭博業者SunBetが「試合中にショーがミートパイを食べる賭け（8-1：1の投資に対して勝てば元本含め9配当がある）」を提示していたのである。彼は賭けの存在を知っていたが，相手クラブのサポーターが彼に向けてchant（選手をからかう歌）で，「Who ate all the pie？：誰がパイを全部食べちゃつたの？」と歌いだしたため，それを黙らせようとパイを食べたと述懐した。しかしすぐに問題が発覚し，ショーは自発的に辞表を提出して辞めた。それに対して英国の賭博委員会（UK Gambling Commission）は収まらず「スポーツの高潔さ（integrity）は冗談（joke）ではない。調査する」と声明を出した。

　しかし，近時トランプ政権，Brexit等小難しい話題ばかりの中で一服の清涼剤となって，普段は英国の下部リーグのサッカーなど報道しない米国はいうに及ばずカナダ，オーストラリア，ニュージーランド等の有力紙でも大きく報道されることになった。典型的には「彼は大好きなパイを食べたかっただけだ。何が悪い」と賭博法違反よりもユーモアと捉える向きが多かった。例えば，英国のトップスポーツキャスターであるゲーリー・リネカー（元名古屋グランパスエイト）は「最近のサッカーは年々面白くなくなって来ている。その中で今回の事件は一種のユーモアである」と（彼自身，メインキャスターとして出演している有名なBBCのMatch of the Dayでレスターシティはプレミアでは絶対に優勝できない，優勝できたら自分はパンツ1枚で番組に登場すると公言，実際ズボンを脱ぐ羽目になった）発言している。

　先に引用した森嶋教授のコメントにあるように，英国の社会，さらにそこで育まれたスポーツは「ある意味，いい加減で緩い」のが伝統である。しかし最近はアメリカのスポーツのように厳密さを要求する機運が高まってきて，息が詰まる。そこへこのユーモラスなキャラクターが登場して，「しでかした」のである。

　この事件はすぐに1970年代前半アメリカでニクソン大統領辞任にまで及んだ盗聴事件ウォーターゲート事件（Watergate Scandal）を真似て「パイゲート事件（Piegate）」と呼ばれている。

http://www.bbc.co.uk/newsbeat/article/39049483/trump-brexit-its-piegate-making-headlines-around-the-world

3 スタジアムをめぐる英米における「スポーツと都市」の関係

　スタジアムをどうするかの決断は，ファン（サポーター）との関係，およびビジネスへの影響から大きな決断となる。多くのプロスポーツリーグにおいて，売上高が大きいクラブと小さいクラブの違いは，スタジアムにおける収益を生み出す仕掛けの有無と，その収益を関係者でどう配分するかの問題である。特に米国ではスタジアムは本拠地となる都市の経済再生に関する重要な問題となっている。
(1)　スタジアムの所有者が誰か
(2)　誰がスタジアムを運営・管理するか
(3)　スタジアムに他のテナント（スタジアムを利用するクラブ）がいるか
　この三点が複雑に絡み合うため，スタジアム運営の経営意思決定は難しい。
　次に収益を生み出すスタジアム自体の仕掛けに関する意思決定である。スタジアムの収容人数をどうするか，個人座席（PSL：個人が自分用の座席を指定し購入する），スタジアム命名権，VIP ルーム（Suite：食事しながら，試合を観戦できる），シーズンチケット等である。
　スタジアム建設に関する公的支援の問題が米国では大きい。米国ではスタジアムは本拠地の都市の経済再生に大きな影響力を与えるため，誘致競争が激しい。それに伴い，公的財政支援がスタジアム建設費の50～100％にまで及ぶといわれている。その財源は，自動車レンタル税，駐車場税，空港旅行税，アルコールとか煙草にかかわる税金，市・州等の販売税，その他一般借入である。プロスポーツクラブへの公的支援については，米国でも是非に論議がある。賛成の議論は，①対戦するチームのサポーターが消費するため売上が増加する。②建設関係，スタジアム運営で仕事が生まれる，③知名度が向上するにしたがって有名イベントをスタジアムに誘致できる，④観光収入，会議誘致等が増加して，市の格が上昇する，⑤プロチームの施設のコミュニティーへの開放等が挙げられる。
　一方，反対論としては，①プロスポーツクラブのオーナーはスタジアム新設によって巨額の利益をすでに得ている，②本拠地の得る経済的効果は過大評価されがちである。外部経済があれば，不経済も発生する。差引きで経済的利益が得られているか慎重な検証が必要である，③地域のコミュニティーにはプロスポーツの誘致より，優先度が高い政策目標があるはずである，等が挙げられる。これらの賛否両論を勘案しながらも，地方公共団体は，プロスポーツチームとビジネス交渉を行っているのである。親会社に経営意思決定の多くを依存する日本のプロスポーツ界，および公共性一本やりで経営意思決定とはほど遠い日本の地方公共団体では，このような交渉は望むべくはない。移民政策で人口が急増している，すなわち国内経済が拡大する米国と好対照に，日本は人口減少社会で地方公共団体が消滅していくこ

とが懸念されている。人口減少は，モノ・サービスを購入する消費者が減少するという側面が再認識される必要があろう。

　英国，米国におけるスタジアムマネジメントを解説したい。まず英国では，スポーツスタジアムは1950年代までほとんどが立見席で，観客は端から端まで自由に動くことが可能であった。その後，スタジアム内での移動の制限が課されたのは，警察とクラブが観客を管理するためであった。それが全席座席指定（all-seater）への移行である。それは座席の方が立見席より安全だという見せかけだけの議論から生まれたのである。英国ではこの全席座席指定はサッカーの危機に対する回答であった。すなわちブラッドフォード（Bradford）事件（スタジアム火災で56人死亡），そして群衆のコントロールができずゴール裏の「立見席（terrace）」に収容能力を上回る大勢のサポーターが押し寄せ死亡事故が発生したヒルスバラ（Hillsborough）事件がその背景にあった。また全席座席指定は1980年代に荒れ狂ったフーリガンに対する回答でもあった。近代的なスタジアムは建築における変化への対応（木製のスタジアムからガラスとコンクリートのスタジアムへの変化）であるだけでなく，園芸（芝の科学）と土地利用における進化を可視化したものである。歴史的にはスタジアムは，サッカーグラウンドとかクリケットグラウンドとかいわれるように，単一のスポーツのための場所であったが，工学や建築の進歩によって「グラウンド（ground）」を「スタジアム（stadium）」に変えた。今やスタジアムは多数のスポーツやイベントによって利用される多目的施設（multi-purpose facility）になっている。後述の米国同様，英国でも結婚式，パーティー，会議，宗教的集会，美術館等がスタジアム複合施設（stadium complex）の一部であり区画となっている。以前は「グラウンド」とか「公園（park）」といわれていた「スタジアム」は，ドームスタジアム（ウエールズのカーディフ・ミレニアムスタジアムが有名）や伸縮式屋根つきスタジアム，そして人工芝の開発によって，スタジアムはスポーツに最適の場所となった。

　英国ではスタジアムの移転（relocation）は地元のファンにとっては自分たちのホームチームがなくなると捉えられ反対が強い。しかし，英国での移転は大陸をまたぐ米国の本拠地（franchise）の移転に比べれば，一般的には大変近距離である。それでも英国のサポーターは地元に執着する。有名な事件は,1988年のFAカップ優勝チームでイングランド1部リーグにいたWimbledon FCの分裂である（1991年）。全席座席指定による観客動員数減少に対処するため，ロンドンの住宅地から90キロ北の新興住宅地ミルトン・キーンズへ移転を画策したが，サポーターから強硬な反対運動がおこり，2003年サポーターは残ってアマチュアチームを組成し，イングランド9部から再スタートした（2016/17シーズン3部）。一方

Wimbledon FC は 2004 年，Milton Keyes Dons としてプロリーグに残留した（同 3 部）。両クラブが対戦する時，遺恨試合として必ず注目を浴びる。

　欧州の中では，西ヨーロッパではスタジアムは都市部のレジャー地区にあるが，英国ではしばしば住宅地に所在していた。1980 年代から 1990 年代にかけて，スタジアムの所在地は大きな変化が起こった。英国ではクラブのスタジアム移転は都市間であることが多いが，それでもファンは移転に反対したが，最終的にはファンは現代的な全席座席指定のスタジアムを受け入れている。

　英国ではスタジアムを所有するクラブにとって，地方公共団体は重要な利害関係者（stakeholder）である。しかしそれはスタジアムが地域に存在することで交通渋滞，ゴミ，騒音，騒動等外部不経済が発生することへの対応が主体で，後述の米国のように都市が自らの生存と成長を賭けて，プロスポーツクラブのスタジアム（franchise）誘致合戦を繰り広げることはない。むしろ，観客動員数を増強するためにクラブが地方公共団体にスタジアム移転の打診・許可を求めるのが普通である。その際に，クラブは地元に対して，如何に経済的貢献ができるかを数字で示すことが要請される。そういう状況であるので地方公共団体がスタジアム建設資金を供与することは一般的ではない。更に地方公共団体が公共のスタジアムを例えばプロサッカークラブに貸与することは一部例外を除いてない。

　一方，米国では，スポーツ企業にとっては，試合やイベントが開催されるスタジアム施設（facility）が主たる収入源となっている。同時にスタジアムは地方公共団体にとって収入源となる。スポーツのフランチャイズ（franchise：プロスポーツクラブ・球団が，ある都市を本拠地として，そこで行われる試合に特別な興行権をもつこと）が金銭的に成功するためには高品質なスタジアムの重要性が大きいと関係者は皆理解している。新しいスタジアムや大規模改装されたスタジアムは本拠地球団のビジネスを変える瞬間である。したがって，米国でいえば，4 大メジャープロスポーツ（MLB，NBA，NHL，NFL）の約 80％が 1990 年以降スタジアムを新築・改築しているほどである。最近の流行は本拠地チームがスタジアム施設を色々なスポーツにも使用でき，商業施設，住居施設，娯楽施設の一体開発（そこにはプレーするグラウンド，小売り施設，ホテル，住居，レストラン，他の娯楽施設を含む）を進める大規模不動産開発の一部として進めようとしている。

　このように最新鋭スタジアム施設の集客力は大きいため，米国では地方公共団体がプロ球団の本拠地（franchise）を自分たちの町に誘致すべく，他の地方公共団体と競い合っている。歴史的には，米国の地方公共団体はスポーツ産業に常に補助金を供与していたわけではない。むしろ最初の時期にはプロ球団は自分で資金を準備してスタジアムを建設するのが普通であった。しかしながら，第二次世界大戦後，

米国内における大きな人口移動・変化が発生したので，地方公共団体がプロスポーツ球団に補助金を与えることになった。スポーツ施設に公的資金を使用する時代は1950年にミルウォーキー市（Milwaukee）がMLBを誘致するために公共のスタジアムを建設したことに始まった。この動きに対してボストン・ブレーブズ（Boston Braves）が1953年に本拠地を東部ボストンから中西部ミルウォーキーへ移転したのが，1903年に大リーグが始まって以来，初めての本拠地移転であった。その後も他のMLBチームが続いたが，最も有名な本拠地移転が，東部ニューヨークのブルックリンに本拠地をおいていたブルックリン・ドジャースが1958年に西部ロスアンジェルスへ移転した事件であった。他の移転したチームと大きく異なるのは，ドジャースはニューヨークで大きな観客動員数を誇っていて，熱狂的なファンもついていたのに移転を決意したことであった。これは球団オーナーの米国経済の中心が東部（ボストン）から西部（ロスアンジェルス）へ移っていくとの読みがあったためと思われる。そこへロスアンジェルスからスタジアム施設用に広大な不動産の提供があったため移転を決意したといわれている。

　MLB側からすれば，閉鎖型独占ビジネスモデルを背景に，プロ球団数を絞り，地方公共団体の球団誘致ニーズ（需要）が常にプロ球団数（供給）を上回る状況にすることで，1950年代までは地方公共団体がスタジアムのほぼ100％，資金を負担していた。その後，MLBに対抗するリーグが動き始めたときには，今度はMLBの球団数を16球団から24球団に増やして，地方公共団体の需要に応えて，ライバルリーグの進出を阻むことも行った。そのため，1960年代初期には，公的資金は建設費の60％にまで減少した。それが1970年代には70〜80％で推移したが，現代ではこれらの補助金はMLBだけではなく，NFL，NBA，NHLにも供与されている。ほとんどのクラブは地方公共団体に対して影響力を発揮している。

　第一に，地方公共団体は以前にも増してスポーツ施設に資金を支出している。2008年に開設されたインディアナポリスのスタジアム（アメリカンフットボールと大学バスケットボール）の建設資金は7億2000万ドル（720億円@100）にも達した。

　次に，近年では，スポーツチームが要求する新スタジアムの数は年々増加している。1999年以降に至っては40施設以上になっている。その増加の大多数はバスケットボールとアメリカンフットボールである。これらのスポーツは，以前はスタジアム施設を共用していたが，今や自分たちのスタジアムを要求するようになったのである。最後に，近年，チームはスタジアムをスポーツ以外の収入源に使用する権利を地方公共団体と交渉し始めたことが目立っている。今や納税者の資金で建設されたスタジアムが，大資産家であるスポーツチームのオーナーに補助金を与えている事態ともいえる。

第Ⅸ章　経営資源から分析したプロサッカー「モノ」

　以上のようにプロスポーツ側にとっては地方公共団体から補助金を獲得することが流行になっているが，オーナーはスタジアム関連収入で稼げることを知っている。それがスタジアム命名権であり，個人席ライセンス (personal seat licenses) の販売である。

　英国とは異なり，米国で地方公共団体がプロチームに補助金を供与する理由は，出さなければチームが他の都市に移動することを懸念しているからである。それほどに4大プロリーグのチームは圧倒的に優位な地位に留まれるのは，これらのリーグは，完全競争で資本主義的な欧州リーグスポーツ（勝利優先，効用優先）と異なり，独占で競争がなく社会主義的ともいえる米国スポーツ（ビジネス優先）であり，新規参入の動きがあっても，すでにファンの基盤，スーパースター選手の契約，テレビ放映権，それにスタジアムで，ライバルが追随不可能なリード（優位）を享受しているからにほかならない。

　スタジアムは今やスポーツをするだけの場所ではなく，多大な収入を生み出す複合的商業施設である。英国では，スタジアムはあくまでプロスポーツクラブの私有物であり，地方公共団体とクラブの関係は独立している。ヒルスバラ事件で多数の死者を出したサッカースタジアムの新築・大規模改装に対してサッカー賭博の資金が支出されたことだけが，例外的に行われた公的支援である。

　一方米国では，プロ・スポーツはあくまでビジネスであり，新規参入を防ぎながら，独占的利益を限られたリーグメンバーで享受する社会主義的なスポーツである。地方公共団体も米国内での都市間競争に勝ち抜くために，プロスポーツチームを自らの都市に誘致しようとし，誘致した後も他の都市に移転しないように多額の補助金を供与することを厭わない。いやそれどころか，地方公共団体は，スタジアム建設資金の調達のために免税債を発行している。免税債とは購入者がクーポンにかかる連邦税を免除されるために，低クーポンで発行可能な債券である。すなわち地方自治体発行の免税債に対して，連邦政府が補助金を出しているのと同じ効果を生む。MLBのみならず，米国のメジャースポーツは独占スポーツ (monopoly) である。したがって，新規参入を抑制する一方で，建設資金を地方公共団体のみならず連邦政府から補助を受ける。これに対して米国内でも批判がある。

　勝利優先のビジネスモデルの欧州プロスポーツに対して，あくまでビジネス優先で独占的競争を享受する米国プロスポーツの違いが際立つ。同様に地方公共団体も欧米では違いが顕著である。英国に限っていえば，地方公共団体はあくまで公共のためにあり，ビジネスとの接触は受け身的である，それに対して，米国では地方公共団体は民間企業同様にビジネス志向で，補助金を活用して，自らの生存と成長を賭けて，経営戦略を立案し，実行している。米国は移民もあって，人口が増加して

いる先進国では稀有の国である。その国にして，地方公共団体は戦略的に動いているのが印象的である。

【参考文献】

Rosner, S. et al (2011), The Business of Sports, Jones & Barlett Learning, pp.229, 238-240

Foster, F. et al (2006),The Business of Sports, Text&Case on Strategy & Management, Thomson South-Western, pp.409-438

Malcolm, D. (2008), The SAGE Dictionary of SPORTS STUDIES, SAGE Publications, pp.251-253

Zimbalist, A. (2003) May the Best Team Win -Baseball Economics and Public Policy-, pp.123-133

第X章　経営資源から分析したプロサッカー「ヒト」

1　ファンの経営参加―サポータートラスト―

　プロサッカーは1990年代以降，スポーツチャネルの発達によって，名実ともに世界的な人気スポーツに脱皮しクラブの収入は増加したが，その一方で選手の報酬・移籍金急騰で，クラブの財政は危機的状況に陥ってきた。現在までのところ，経営破綻する大手クラブは，外国人投資家（主に豊かな石油収入を背景とする中近東の投資家，経済発展著しいアジアの投資家，そしてスポーツビジネスの視点から投資する米国の投資家）がクラブ買収することで，存続してきた。しかし，問題は中小クラブである。地方に地盤を持つ中小クラブには，外国人投資家の食指が動かないため，生存が厳しい状況が継続している。英国でいえば，経営破綻は2～4部に集中している。それは，サッカーのビジネスモデルが，開放型で昇格・降格が自由であるため，競争が激しいという構造上の問題である。すなわち下部リーグから上部リーグに昇格すると，対戦クラブが大手クラブになり，観客動員数他収入が急増するが，逆もまた真なりである。下部リーグに降格すると，対戦クラブも人気のないクラブが相手となるため，クラブ収入が急減する。したがってクラブとしては翌シーズンでの昇格を目指すには積極的な選手補強が必要であるのにかかわらず，財政均衡を果たすために，有望な選手を他のクラブへ売却することにもなりかねない。短期的な収支均衡を果たすのか，それとも中長期的な均衡を目指して，選手を維持・増強するのか，経営の決断が必要とされる。問題は，翌シーズンまたは近い将来，上部リーグに昇格できる保証は何もないことである。

　外国人投資家からの資金流入も望めず，自力での再建が困難な中で登場したのが，ファンがクラブを支えるサポータートラストである。

(1) ガバナンスにおけるファンの経営参加の重要性と仕組みの諸形態

　サッカーではファンをサポーターというが，サポーターは普通の消費者と大きく異なる。サポーターは経済学的には「非合理的」で，入場料が高くてもスタジアムが貧弱でもチームのファンを辞めない。まさにクラブはファンを「何もサービスしなくても喜んで入場料を払う金づる」と長くみなしてきた。得べかりしメリットを享受せず，一方的に剥奪されるのがサポーターだった。そのクラブの怠慢がヒルスバラ（1989）等大事故につながり，政府（当時は労働党政権1997-2010）も後押ししたファンの経営参加が始まった。

　大多数のクラブにとっては，安定的資金調達の面からもファンの重要性は大きく

なっている。サポーターがスタジアムを埋めて入場料収入を上げる，さらにスタジアムでサポーターにグッズを販売することが収益の基本になる。入場者が多いとスポンサーにとっても広告宣伝効果が向上し，TVも視聴率が上がるので，TV局も多額の放映料を払うことにつながる。いまやクラブにとってはファンをいかに維持するかが経営の基本になったのである。

　まずはクラブそのものをファンが経営する，換言するとクラブをファンが直接所有する形態がある。相互会社組織（mutuals：顧客と社員が一致する形態の企業形態）といわれるものでスペインのFCバルセロナが有名である。次に間接的所有形態としてサポータートラスト（Supporters' Trust）がある。クラブは株式会社のままで，ファンが信託（トラスト：trust）という名称の相互会社の仕組みを使って，クラブの株式を共有して経営に参加する形態である。他に日本ではクラブ応援組織であるファンクラブ（英国ではISA：Independent Supporters' Association，つまりサポータークラブと呼ばれる），または資金援助団体である後援会（ファンクラブと同じ），そしてサポータートラストに形態が似ている持株会がある。

　90年代中盤以降プロサッカーが有料TVの人気コンテンツとなって以来，TV視聴者が急増し，サッカーの商業化が大きく進んだ。そのため入場料が急騰し，ファンがスタジアムから締め出される状況が発生している。特殊例であるバルセロナFCを別にすれば，買収金額が1000億円を超えるような大きなクラブを買収して相互会社化することは現実的とはいえない。

　そこで相互会社化を代替する形態としてサポータートラストが出てきた。その誕生の背景には，第9章で記述のとおり1989年のヒルスバラ事件が契機となって労働党内閣がサッカーを国技（People's Game）と公式に認めてファンの待遇改善，ファンのクラブへの経営参加を支援し始めたことがある。1992年，それまで小クラブであったノーザンプトン・タウンFC（Northampton Town FC）のクラブ倒産危機にサポーターが立ち上がり資金拠出した際に，信頼できない経営陣から拠出金を守るために信託機関を置いたことから，サポータートラストの仕組みが始まっていた。その経験と仕組みを研究し，汎用の仕組みを作って全国のクラブに指導・伝播させたのが，政府主導のサポーターディレクト（Supporters' Direct：後述）である。2000年に設立してから，全国に伝播され，今やトップリーグのプレミアリーグでも60％にサポータートラストがあり，プレミアリーグの25％のクラブは取締役を受け入れているなど，英国内での普及は目覚しい。

(2) サポータートラストの仕組み・意義

　サポーターがクラブを直接所有する代わりに，相互会社（IPS：Industrial and Provident Societies）を設立し，そのIPS経由で会員（サポータートラストに会費を払っ

第Ⅹ章　経営資源から分析したプロサッカー「ヒト」

図 10-1：サポータートラストの仕組み

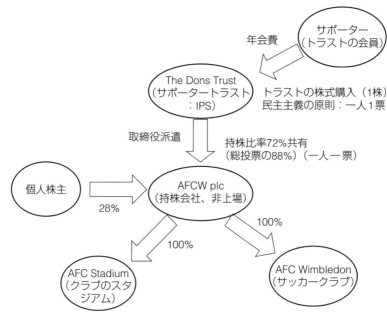

（AFC Wimbledon：クラブを所有している例）
出典：AFC Wimbledon HP より筆者一部改変して作成

たメンバー）は共同して（collectively）クラブの株式を購入する，さらに場合によっては株式購入によって取締役を派遣する仕組みである。サポータートラスト（ST）は IPS 法（Industrial and Provident Societies Act　1965 産業福利給付組合法：以下「相互会社法」と呼ぶ）という法律に規定され，法人格をもつ協同組合である点が特色である。金融サービスを行うので英国金融サービス機構（FSA：Financial Service Authority：金融サービス機関に対する自主規制機関 2001-2013。後任機関は PRA と FCA）に登録され，かつ監督下に置かれるので，サポータートラストが法律に抵触する行為を行った場合は，監督官庁である FSA が登録をキャンセルする等，厳しい運営がなされるなど法的担保（法律的な裏づけ）がなされている。

　サポータートラストでは，必ずしもクラブ株式を所有する必要はないが，所有しない限り，クラブ経営に参画しにくい。そこで，サポータートラスト経由，ファン（サポーター）はクラブ株式を共同購入し，議決権行使することによって，クラブの経営にガバナンスを働かせる。今やクラブ株式は，ベンチャー市場（AIM：ロンドン証券取引所のジュニア市場。メイン市場に比較して規制が緩やかであるので，中小企業が

95

上場する。投資家は機関投資家中心となる。経営再建中の名門サッカークラブのレンジャーズが上場）に一部が上場されている以外は，非上場がほとんどであるが，サポータートラスト経由クラブ経営者にコンタクトし，クラブ株式を購入できる。

図10-1は，サポータートラストが，単にクラブ株式を購入するだけではなく，プロサッカークラブを所有（過半数の株式を支配する）するに至っている AFC Wimbledon plc（クラブ）の The Dons Trust（DT）の例である。まずサポーターはサポータートラストの会員（a member）となる。その DT が，AFCW plc（非上場の持株会社）の株式の過半数を押さえることによって，子会社化して役員を派遣する。さらにこの AFCW plc がクラブ（AFC Wimbledon plc）とスタジアム（AFC Stadium）の株式を 100％所有する仕組みをとっている。この方法によって，サポーターは DT 経由（間接的に），サッカークラブ AFC Wimbledon plc を 100％所有する AFCW plc の株主となることによって，クラブの実質株主となり，クラブを所有していることになる。サポーターと相互会社 ST の関係は，相互会社法で，会員一人1票（one member one vote）で民主的に，かつ非営利（not for profit）で運営されることが保証されている。そこで ST の役員（a director）が数名選挙で選ばれ，さらに ST の役員数名がクラブの持株会社である AFCW plc へ役員（an executive director）として数名派遣され，クラブの経営を担当する。その際，プロサッカーの現場運営の専門家を，外部から役員（a non-executive director）として雇用することができる。なお，日本の株式会社も原則，株数に応じた議決権であるが，定款に定めることにより，株主一人につき1票にすることは可能である。

まとめると，本仕組みは，以下のとおりとなる。

① サポーター（会員）は，サポータートラストの役員に自ら立候補でき，また選挙で役員を選ぶことができるなど民主的仕組み（democratic）である。さらに会社法（Company Law）上の会社は営利団体（for profit）であるのに対して，サポータートラストは非営利団体である点で，長期的視点に立った経営が行いやすい利点がある。

② トラストの会員は年会費の中からトラストの株式1株を購入する（初年度のみ。1株1ポンド。DT の場合は，株券を発行する）。会員株主は役員の選挙他重要事項の投票では一人1票の投票権をもつ。DT がクラブの持株会社 AFCW plc の大株主として経営権を握るので，DT の会員は間接的にサッカークラブ AFC Wimbledon plc のオーナーとなる。

③ FSA に登録され，かつ管理されているので，トラストの定款（Constitution）から逸脱した規則の変更，運営は FSA から認められない等，法的担保がある。

④ クラブの持株会社が上場している場合は，会員がトラストに設ける口座から

第X章　経営資源から分析したプロサッカー「ヒト」

定期的に株式を購入し，共同で株式を所有する。少額の投資で，株主になれるメリットがある。ただし，保有株数の多寡に関わらず，ST での経営意思決定においては一人１票の原則が適用される。他方，ST の会員が共同保有している株式の権利行使については，クラブの定款によって異なる。ST からの派遣取締役を含めて一人１票の民主制ルールで議決する場合も，クラブにおける ST の持株に応じた議決権行使を行う場合もある。

　以上のように，サポータートラストは相互会社（IPS）の仕組みを活用することによって，ファン（会員）のクラブへの経営参加を可能にする。さらに相互会社は相互会社法によって，法人格（法律に基づいて団体に与えられる法律上の人格）を所有するので，(1) 自己の名義でクラブ株式を購入できる，(2) その他の取引の当事者となれる。それらの点で ISA（法人格のないファンクラブ）に比して大きなメリットがある。

　このようなメリットをもつ相互会社（IPS）として認められるためには，相互会社法で以下のいずれかの条件を満たす必要がある。一つはメンバー間の相互扶助を目的とする団体，もう一つが自分たち以外のコミュニティー（地域）への慈善事業を行う団体である。後者についてはサポータートラストが誕生した際にトラスト（信託）の名称がつけられたが，サポータートラストはチャリティ法（Charity Law）上のチャリティではない(注)。本来は相互会社が解散する際には，会員に財産を配分するが，定款でクラブの立地するコミュニティに資産を寄付すると規定されることが多い。いずれの条件からもサポータートラストは相互会社（IPS）として認められるのである（相互会社 mutual company：相互会社の構成員である社員のみを対象とする事業を行い，会社の取引の大きさに比例して社員に配当として利益を分配する会社（田中 1991））。

（注）　慈善団体（charity）に外見的に見え，行動も慈善団体に見えるが，慈善法（Charity law）の下での組織ではなく，FSA に管理される。英国ではこのような団体を halfway house（中間形態・融合形態）という。

　この IPS は，会社法（Company Law）上の会社（a company）とほぼ同じであるが（有限責任：limited），保有株数にかかわらず一人１票の原則で民主主義が貫かれている点，非営利（利益を挙げることを目的としない）である点で，会社と大きな違いがある。この点がクラブにおけるファンの経営参加を実現させる際に重要な点である。

　サポータートラストが，日本のＪリーグ６チームにおける持株会と異なる大きな点は，サポータートラストが法人格をもつこと，そして相互扶助の精神（co-operative)，コミュニティーへの貢献 (for the community) が貫かれている点である。クラブ経営に民主的な代表を送ること，株式購入を通じてクラブ，サポーター，地域コミュニティーの共通の目的をもつこと，そしてスポーツを通じて地域の核となることがトラストの定款に明記されている。この目的が書かれた定款を変更する場合，精神に合わない変更は FSA の規定で認められない。一部のファンがトラストを支配して，定款の規定から外れる行動がとれないよう管理されている。

　これらの他の形態として，ファンクラブがある（英国では Independent Supporters' Association）。この形態も持株会と同様に，民法上の組合で法人格をもたない。またクラブの株式を所有しないため，クラブの経営に参加することは実質的にはできない。あくまでファンの立場から，クラブを支援し，クラブの運営に希望を表明する。それに対して，クラブ側は最大限の配慮を払うと言明するだけで，ファンクラブは経営に対する強制力をもたない。英国ではクラブが買収され上場廃止される際，ファンがクラブ株式を所有して議決権行使をしたい場合でも，株式売渡請求制度に基づき，クラブはファン株主に対して所有株を売り渡すよう請求できる（日本でも会社法改正に伴い導入された）。例えばチェルシーFC (Chelsea FC) の事例では，ファンクラブしかなくサポータートラストは設立されていない。そのため巨大化したクラブとファンとの親密な関係が，崩れてきたといわれている。

　サポータートラストが持株会，ファンクラブ等に比較して優れている点は，法人格をもつことである。そもそも法人格を自らもたないと，クラブの運営に際し，実務的に取引の相手方になれないので，効率性にも欠ける，また仕組みの中での運営が不明確になりやすい欠点がある。

　このサポータートラストが英国で誕生し発展してきたのには，英国におけるサッカーの位置づけの問題に大いに関わると思われる。日本ではアマチュアリズムがいまだに強く，政府には，特にプロスポーツを振興するとの考えはない。したがって，政府は関与せず，スポーツ関係者も意識が進化していないといえる。

まとめ

　英国サッカーおよび世界のサッカービジネスは，1990年半ば以降急成長を遂げたが，2008年夏以降の世界不況でビジネスモデルの再構築が問われている。「組織は戦略に従う」（チャンドラー）。そして戦略は環境に従う。英国プロサッカークラブでガバナンスの充実に向けた取組みが始まっている。景気変動に左右されるスポンサー，TV 放映権に頼るのではなく，安定的支持基盤であるファンこそがクラブ経営の中心である。そのためにはファンのクラブへの経営参加を図るのが中小クラブにおけるガバナンスの方向性であろう。

第 X 章　経営資源から分析したプロサッカー「ヒト」

(3) サポーターズディレクト（Supporters Direct）

　1990 年代におけるイングランドにおけるサッカーの商業化に対抗するものとして誕生し，各クラブにサポーターの意向をクラブ運営に活かすことを要求するサポータートラスト（Supporters' Trust）を設立するために必要な法律上の，組織上のアドバイスを提供するほか，資金面での支援も行う機関である。2000 年にロンドン大学バークベックカレッジ（Birkbeck College, London）で設立され，イングランドにおけるサッカークラブの民主化を主目的とする。

　この動きの基盤になっているのが，インディペンデント・サポーターズ・アソシエーション（Independent Supporters' Associations：ISA　独立ファンクラブ協会）である。

　サッカーファンのフーリガン問題で英国のクラブがヨーロッパから締め出される状況に対応して，1985 年以降，英国のサッカーファンは組織化され，かつ政治活動化が進んでいる。ISA は地域の問題に焦点を当てて活動し，1990 年代を通じてヒルスバラ事件（前章参照）に象徴されるサポーター文化変革（スタジアム移転等），チケットの価格政策や試合の商業化に対する反対，人種差別への対抗，障がいをもつサポーターが試合を楽しめるようにすることなど，社会的活動に重点を移していった。その活動で顕著な例が，マンチェスター・ユナイテッドの ISA で，BSkyB（衛星放送）によるマンチェスター・ユナイテッド買収の企て（垂直統合：TV 局がクラブを所有することになれば放映権料を自社で差別的に決定できる）を阻止したことが成功として挙げられる一方，米国人投資家のグレイザーによるマンチェスター・ユナイテッド買収を阻止できなかった事件もあった。ISA の活動に対する批判として，中心メンバーが，「中産階級の男性」で占められ，毎回の集会ではメンバーの出席率が大変低いこと等必ずしもメンバーを代表する人たちではないサポーターがクラブを牛耳っていることが挙げられている。しかしながら英国の欧州化，グローバル化によって ISA の活動は英国から欧州にまで拡大している。

　サポーターズディレクトも ISA もプロサッカーの商業化に反対し，クラブをサポーターの手に戻そうとの動きを主導する組織であるのに対して，各クラブで設立されたサポータートラストは，逆に資本主義の論理に基づき，クラブの株式を購入することで議決権を行使し，クラブ経営に影響を与えることを目的とする点が大きく異なる。すなわちサッカークラブをサポーターの手に戻す目的は同じであるが，サポータートラストはビジネスの論理で，サポーターの権利行使を行うなど，方法論の違いがある。究極の目的は，株式所有を進め，クラブをサポーターが 100 ％所有する相互組織とすることである。現時点，下位リーグのクラブで見られるが，株式所有を通じてサポータートラストからクラブの役員を送り込む事例が発生して

第1部　基礎編

いる(注)。

(注) 前掲の図10-1は2010年時点のAFCW plcの持株比率，議決権割合を表示している。その後，AFCW plcは複数種類株式構造（第Ⅷ章参照）によって普通株式（Ordinary）をサポータートラスト（Dons Trust）に随時全額割当てすることによって，2016年5月現在ではサポータートラストの持株比率は約92％，議決権割合は約97％に達している。

　2016年5月時点，および前年の2015年5月時点のAFCW plcの会社情況報告書（Annual Return）における発行株式，持ち株の状況は以下のとおりである。
https://beta.companieshouse.gov.uk/company/04764827/filing-history

会社の情況報告書（Annual Return）

会社名	AFCW PLC
報告日付	2016/5/14

発行株式		議決権 （1株につき）	発行株式数	払込価格	所有者			議決権 ベース
普通株	(Ordinary)	3	2,000万株	1ペンス	Dons Trust	100％		96.90％
普通株A	(Ordinary A)	1	376.292万株	60ペンス	Dons Trust	178.635万株	47.47％	
					個人株主	197.657万株	52.53％	

2015/6　新株（普通株）発行　1,500万株　全額Dons Trust割当て
http://www.afcwimbledon.co.uk/documents/statutory-accounts-2015184-2819869.pdf

報告日付	2015/5/14

発行株式		議決権 （1株につき）	発行株式数	所有者			議決権 ベース
普通株	(Ordinary)	3	500万株	Dons Trust	100％		89.47％
普通株A	(Ordinary A)	1	376.272万株	Dons Trust	178.615万株	47.47％	
				個人株主	197.657万株	52.53％	

注：株数については株主名簿の数字を採用した

【参考文献】

西崎信男（2011）「プロチームスポーツとガバナンス～英国プロサッカーリーグを例に～」長崎大学大学院経済学研究科博士論文

Malcolm, D. (2008) The SAGE Dictionary of SPORTS STUDIES　pp.139-140, pp.256-257, SAGE Publications Ltd.

AFCW PLC Annual Return（2015），（2016）

2　法律的側面：選手は労働者か，事業主か
(1) 日米のプロ野球における「戦力の均衡」と「選手の地位向上」の調整
　リーグの共同生産に関係して，欧米を中心に議論されてきたのが，戦力の均衡と

第Ⅹ章　経営資源から分析したプロサッカー「ヒト」

選手の地位向上のバランスである。それらを独占禁止法（反トラスト法）と労働法の観点からポイントをまとめたい。プロ野球では，新規参入は難しくリーグは常に同じメンバーで構成され独占される競争を制限するクローズド・モデル（閉鎖型）を採用している。一方，プロサッカーは，世界的に昇格・降格制度を有し，選手の労働市場に規制を行わず自由競争を行うオープン・モデル（開放型）を採用している。このため野球は世界の限られた国々でプレーされ，収益的には安定したスポーツであるのに対して，プロサッカーは世界的なスポーツであるが，好況下の倒産が頻発する収益が不安定なスポーツである。換言すれば，野球は「ビジネス利益」が「勝利による効用」より優先するスポーツであるが，サッカーは「勝利による効用」が「ビジネス利益」より優先するスポーツなのである。

　MLBの競争均衡を図る手段である球団による選手の保留条項（Reserve Clause：大リーグの統一契約書でチームが支配下の選手の翌年の契約の選択権を所有すること。当該選手はチームの同意がないと他のチームでプレーできない）と，それに対して選手側が「不当な取引制限」であると訴えた独占禁止法に基づく訴訟でのせめぎ合いがある。選手寿命は短く，育成に要した資金を回収することが，保留条項存在の必要性であった。さらに保留条項がなくなると，球団間の選手の引き抜きが常套化するため，コストが上がることも理由（リーグの成功の条件である各チームの協力と戦力の均衡を維持するためには，市場統制が必要である）とされた。これに対して，選手側が「不当な取引制限」で独占禁止法に訴えたが，米国最高裁は，「大リーグ野球は，独占禁止法が適用となる州際取引に該当しない」と独占禁止法適用免除の特例を認めて，先例となった。ちなみに他の米国3大スポーツでは，「独占禁止法」適用となっている。そこで大リーグ野球選手側では，勝ち目のない独占禁止法の訴訟に訴える代わりに，労働法で地位改善を勝ち得ていく方法をとった。1966年大リーグでは米国で最も戦闘的といわれる大リーグ選手会という労働組合を組織し，それ以降労使の自治，すなわち労使交渉によって地位改善を勝ち得てきた歴史がある。その結果1976年のFA（フリーエージェント）獲得に至り，6年経過後に選手は自由に移籍することができるようになった。さらに選手会は，大リーグ一軍登録3年経過後の選手に対しても，第三者で構成される委員会で年俸調停を受けることができる権利を獲得した。このため，年俸に関しては3年経過後には選手に権利が与えられることになり，選手年俸が急騰した経緯がある。これに対抗するために，球団は球団経営を多角化し，売上高人件費率を下げ，経営を安定化する努力を行ってきている。売上高人件費率で測ると，55％前後がMLB実績であり，安定した経営が可能と判断される。その結果，第12章で述べるが，大リーグ球団の資産価値（フォーブズによる）は急拡大している。これは2011年に成立した，ヤンキースに次ぐ名門ド

ジャーズの買収金額が20億ドル（当時1,600億円@Y80）であったことからも実証されている。

このように欧米でのスポーツ法研究の中心課題は，「球団の戦力均衡」と「選手の自由の限界」を調整することである。日本のプロ野球はMLBを倣ってきた歴史がある。換言すると戦力の均衡のために課されるプロリーグ特有の取引慣行と選手の利益をいかにバランスさせるかが重要である。その意味で，日米の法律の違いは認めるとしても，大リーグの動向は日本のプロ野球の今後の方向性に示唆を与える。

欧州のサッカーでは，スポーツ特有の取引慣行が競争法，雇用法より優先する事例がある。その一方でプロサッカーでも存在していた保有条項（Retain-and-transfer system：契約期間中，登録選手は所属クラブの同意がない限り，他のクラブに移籍する権利は全くない）については，ローマ条約違反で無効とされ，それが欧州委員会決定を経て，最終的には上部団体のFIFAで世界ルールとなった。

(2) 労働組合結成による球団へのプレッシャー，それに対抗する球団側の多角化経営

大リーグ選手会では，日本のプロ野球選手会とは異なり，選手は「労働者」，選手会は「労働組合」，それも中央の労働組合と結びつき，米国で最も戦闘的な組合となっている。ストライキほかの手段もとっており，それが経営側に対するプレッシャーとなり，球団ビジネスの多角化に結びついていると思われる。大リーグ選手会は，労働組合として経営側と数年の労働協約を締結することによって，主要な労働条件を決定する。労働協約は選手会と球団オーナーの間で締結されると，一定年限当事者を拘束し，MLB規則と抵触する場合も，協約が優先することになっている。MLBでは，選手側によるストライキと経営側によるロックアウト（スタジアム等の閉鎖で選手に賃金を払わない）の手段をもって，選手個人の利益と，球団およびリーグの利益をいかに調整するかが中心テーマとなっている。

それに対して，日本のプロ野球選手および選手会はどう対応しているのであろうか？ 1978年公正取引委員会決定では「選手契約は雇用契約である」とされ，したがって独占禁止法の対象とはならないとした。この点では，同じく雇用契約を前提にしながらも，反トラスト法の適用を肯定してきた米国での判断と大きく異なる。プロ野球の場合は，基本的に球団が選手と毎年契約を結び，年俸などもその際に決定される。その限りにおいては，選手は球団との間に請負契約を締結する個人事業主(注)であり，労働者ではないとする意見もある。その一方で，選手は試合や練習等で，すべて所属球団の指揮命令下で就労しており，請負とは明らかに異質な支配従属関係が認められる。また，用具等を除けば，その他の練習費用や遠征費用などは球団負担となっているので，労働者性を完全に否定するのも難しいと思われ，実

際，「プロスポーツ選手には一定の労働者性がある」というのがほぼグローバル・スタンダードであると指摘される。選手契約を雇用契約とするのか，請負契約とするのか，または委任契約とするのかは法律上の論点である。仕事の完成を目的とする請負契約とするのは難点があるので，労務の供給を目的とする雇用規約，または委任契約と見るべきではないか。日本の労働法では，労働組合法のほうが労働基準法より「労働者」の範囲をゆるやかに規定しており，したがってプロ野球選手については（労働条件を詳細に規定することを要求する）労働基準法上の労働者にはあたらないが，労働組合法上の「労働者」には該当するという論理構成が一般的になっている。

東京地裁・東京高裁とも決定文の中で「選手会について労働組合法に基づく団体交渉権がある」としているので，「労働組合としての適格性」に問題はない。労働組合法は，労働者が使用者との交渉において対等の立場に立つこと，労働組合を組織し，団結することを擁護すること，団体交渉をすることおよびその手続を助成することを目的としている。したがってプロ野球選手は労働者であり，選手会は労働組合と考えてよさそうである。ちなみに日本プロ野球選手会のホームページでは，「1985年には東京都地方労働委員会に労働組合としての認定を受け，労働組合となりました」とある。

問題は，日本のプロ野球選手会は労働者である選手で構成される選手会であるのに対して，経営側は選手を独立事業者として労働者としては認めていないことである。そこで労働組合である選手会と経営側と労使交渉はなく「労働協約」は結ばれていない。代わりに2005年構造改革協議会が設けられたが，その後改革に関する事項の協議は進んでいない。またプロ野球選手会は労働組合の中央組織にも属しておらず，自らの地位向上のために組合活動を行っているとは言い難い。

日本のプロ野球を再興するためには，球団経営の重要な利害関係者であり，サービスの主要な担い手である選手の地位向上が必要と思われる。問題は選手会，およびそれを構成する選手に労働者意識が薄く，またプロ野球制度改革に積極的に取り組む姿勢がないことである。今後はMLB同様，労働者としての選手が組織する労働組合として選手会が，選手の利益を主張していくことで，球団はそれを上回る売上高拡大策を講じることによって，球団と選手のWIN-WINが達成され，プロ野球改革が進んでいくことと思われる。典型的な独占産業であるプロ野球界で本当に利益が出ておらず，世間でいわれている毎年20〜30億円の赤字がほとんどの球団で発生しているのが事実とすれば，経営者側（親会社）に利益を生み出す意欲がないと思われて不思議はない。少子高齢化による低経済成長社会である日本では，親会社の企業統治はますます厳しく運営される必要が出てくるであろう。その時に親

会社が球団を放棄しないように，今からでも選手側から労働組合として経営者側に主義主張をぶつけるべきであろう。米国の経験はそれを支持するものと思われる。最終的には，球団の独立採算性を担保する球団組織運営，また共同生産を行う球団をまとめるコミッショナーの権限についても改革することが必要であろう。

(注) 税務上はプロ野球選手は事業主とされており，したがって必要経費を計上できる。

【参考文献】
西崎信男（2013）「プロ野球のビジネスモデル—サービスの共同生産の観点から」『証券経済学会年報』第48号　2013年7月
Szymanski, S. et al（2005）National Pastime, The Brooklyn Institution
西崎信男（2011）「プロチームスポーツとガバナンス～英国プロサッカーリーグを例に～」長崎大学大学院経済学研究科博士論文

3　野茂英雄大リーグへ渡る：日米における労働に対する考え方の違い
(1) 野茂英雄事件

1994年近鉄バッファローズのエースであった野茂英雄が，「日米間選手契約に関する協定」（労働協約）に従い，「任意引退選手（国内でプレーする時には元の所属球団でしかプレーできない）」として，米国にわたりMLB，ロスアンジェルス・ドジャースへ入団した事件である。当時は日本のプロ野球は技術的にもMLBにはるかに及ばない，日米間の移籍とは，MLBの最盛期を過ぎた選手が日本のプロ野球へ移籍し，「助っ人」としてプレーするものと関係者も含め皆そう信じていた。それは，MLBから照会を受けた日本プロ野球機構コミッショナー事務局長も同じであった。そこで「任意引退選手は日本では他の球団ではプレーできないが，アメリカではプレーできる」と回答したのである。そこで野茂は代理人の団野村と組んで，任意引退選手を届出て，そして米国に渡ったのである。当時，日本の社会では，愛国心に満ち溢れた風潮があり，野茂の行為は協定の抜け穴を利用した汚い反逆行為とみなされたのである。この事件で，日米間では猛烈な争いが勃発し，本人の父親からも含めて，野茂に対して非難が集中，野茂はいわば「総スカン」の中で米国に発って成功したのである。

(2) 日米における労働に対する考え方の違い（会社は誰のものか）

野茂は高校時代から，恵まれた体躯を活かして，個性的な投法で球を投げていた。「トルネード投法（tornado 竜巻）」「コークスクリュー投法（corkscrew：らせん状の栓抜き）」といわれる個性的投法であった。高校時代から実業団野球を通じてこの投法を通して活躍した。プロ入りの際も，「投法をいじらない」条件で入団したほ

どであった。最初の3年間はそれで大成功したが，鷹揚な監督から，「草魂」といわれた古色蒼然たる日本的考え方の監督に変わったために，投法に手を付けられ，また十分な休養をとれないで無理やり練習や試合に投球させられたことが，日本のプロ野球を離れる決意をした大きな理由であった。野茂にとっては，自分は個人事業主（プロフェッショナル）であり，自分の体と投法は自分のもの，球団組織の上部から言われても変えるわけにはいかない。さらに契約に従って，行動する。したがって，契約に縛られていない部分には，一切従うつもりはないということである。これは日本のプロ野球界のみならず，日本の組織で勤める人間からすれば，なかなか受け入れられない論理である。また野茂は複数年契約と代理人制度を主張したのに対して，球団は年俸吊り上げの口実と反発し，他方，野茂は「プロとして当然の権利」と主張した。

　日米における「労働」について，図10-2を使って説明してみたい。会社は誰のもので独自の考え方を展開する岩井克人氏の論理から展開してみる。

　まず会社は誰のものかという際には，会社法上は間違いなく「株主」のものと日米でも規定されている。それを徹底的に追及しているのが，英米の考え方で米国型企業はそれを倣っている。それに対して，日本の考え方は，会社資産を管理するのは経営者を筆頭に従業員である。二つの考え方が対立しているように見えるが，岩井氏の論理によれば，会社は二階建てと考えるべきである。会社を所有しているのは株主（これが二階部分），会社を管理・運営しているのが経営者・従業員（これが一階部分）である。すなわち会社というのは，「二階建て」と考えるのである。

　野茂の事件を経営学的に分析してみると，野茂の所属球団近鉄は日本企業であり，球団を経営者と従業員で管理運営していることになる。すなわち「会社（球団）が命」という考え方になる。したがって，球団管理者は従業員である野茂に対して，球団のルール，文化に従うのが当然と考えたのであろう。それに対して，野茂は早くからMLBを信奉しており，自分は自分の腕一本で勝負するプロフェッショナルとの考え方であったと思われる。彼にとっては，契約に反しない限り，球団より，自分を優先するのが当然と考えたのである。

　米国人の労働に対する考え方は，会社は株主のものであるので，従業員である自分はいつ会社の持ち主（大株主）が変わるかわからない。変わると今までの仕事がすべて変わる可能性が常にある。そこで彼らの考え方は，「ホールドアップ（参ったと手を挙げる）にならない」ように，常に自分の能力・スキルを蓄積し，それがより活かせ評価される職場へ移っていくのが当然との考え方である。それ故に彼らが重視するのが，どこでも使える「汎用的スキル」の蓄積である。それに対して，日本人の労働に対する考え方は，会社（ある意味では家）と自分を同一化して，会社

第1部　基礎編

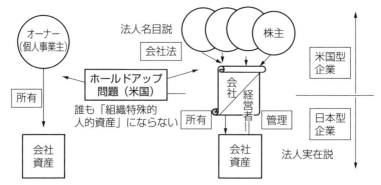

図10-2：日本と米国における会社の捉え方の違いとそれぞれの労働観

個人企業は平屋建て　　法人企業は二階建て

出典：岩井克人（2005）「会社はだれのものか」平凡社　pp.7-35を参考に作図

のために働くのが当然，したがって会社の命令には常に従うというものである。それ故に彼らが重視するのが，自分が働く会社で使える（そこでしか使えない）「組織特殊的能力・スキル」の蓄積である。

　野茂事件からはや20年余，野茂が開拓した茨の道を日本人選手が続々と歩んでいる。経済の成熟化，少子高齢化で日本企業の特色であった終身雇用，年功序列，企業内労働組合の三種の神器（アベグレン（1958））も色あせてきている。そこで日本人の労働に対する考え方も大きく変わったが，その先陣を切った野茂のガッツには驚嘆させられる。

　野茂は最終的に，新人王を獲得，MLB通算123勝，数度の手術を経て，数球団を渡り歩き，最終的に2008年にカンサスシティ・ロイヤルズで解雇（マイナー契約[注]がないため）を通告されたが，日本ハムで監督（2003-2007）であったヒルマン監督がその役割を担当した。通告した際の野茂の様子について，ヒルマン監督は「落ち着いていた。（今後の去就については）尋ねなかった。」と語った。米国人監督もそうであるが，野茂も最後の最後までプロフェッショナルで，自己責任原則を貫いたようである。

（注）　MLBでは，ベンチ入りできる選手の枠を「ロースター（roster）」という。それをメジャー契約という。それに対して，マイナー契約ではメジャーのロースター枠に空き（解雇するか移籍させるか）が出ない限り，マイナーからメジャーに昇格できない。したがって，選手にとって当初の契約がメジャーリーグ契約かどうかは大きな問題である。

【参考文献】

岩井克人（2005）「会社はだれのものか」平凡社

岩井克人（2009）「会社はこれからどうなるのか」平凡社

Whiting R.（2005），The Samurai Way of Baseball, Grand Central Publishing

ロバート・ホワイティング（2011）「野茂英雄―日米の野球をどう変えたか」PHP 新書，PHP 研究所

洞口治夫他（2012）「入門経営学―はじめて学ぶ人のために―［第 2 版］」同友館

田中英夫（1991）「英米法辞典」東京大学出版会，p.572

http://www.47news.jp/smp/blog/OUT/200804/OUT_KEY/%E9%87%8E%E8%8C%82%E8%8B%B1%E9%9B%84%E6%8A%95%E6%89%8B.html

第XI章 プロサッカーにおける国際的なガバナンス

1 世界プロサッカー界のガバナンス構造

　ガバナンスシステムとは，各国のサッカー協会，リーグ，クラブのルール・規則，および試合レベルでの権利と義務を指す。

　どのスポーツにおいても試合の規則を支え，スポーツの試合を組織しスケジュール化する効率的なガバナンスシステムが必要である。その中心になるのが，それぞれのスポーツを統治する団体である。それらの団体は，スポーツのルールの改訂や施行，論争を解決すること，個々の催し，選手権，リーグ戦を調整，組織すること，その他そのスポーツの発展を促進すること等幅広い責任を果たしている。

　本章では，ヨーロッパのプロサッカーを例に，世界のサッカー界の統治のヒエラルキー（階層組織）のトップであるFIFA，そしてFIFAの下部組織であるが，有力な国々・クラブを抱えて，商業的にはFIFAと競合しているUEFA，そしてその下部組織として各国のサッカー協会があるが，サッカーの母国として一目置かれるイングランドからFA（イングランドサッカー協会）を例に各組織におけるガバナンスシステム（統治制度）を述べる。さらにイングランドでは，FAとその下部組織のFootball League（FL），そこから分離独立したプレミアリーグ（EPL）の関係についても歴史的，制度的な視点から紹介する。英国もEU（欧州連合）の一員である[注]。各国がプロサッカーの商業的な魅力を獲得しようと，例えば選手の引き抜き競争を行うなど，国をまたいで行われる移籍をめぐる問題も発生してきている。その場合は，自国内の法令，協会ルールのほか，欧州としての司法解決の問題が発生し，どれが優先されるのかの問題も出てきている。国際的な活動のガバナンスの難しさとともに，経営，法律等の側面からも興味ある研究テーマが発生してきている。

（注） 2017年3月29日，EUに対して英国はEU離脱を正式に通知し，2年以内に離脱することになった。

　欧州におけるサッカーは純粋アマチュアスポーツとして始まり，各国のリーグ（league）で発展してきている（一方，米国ではビジネスとしてメジャーリーグサッカー（MLS）が発展した）。したがって，欧州のリーグでは各国の協会がサッカーを統括しているため，例えばイングランドのサッカーのガバナンスはフランスとは全く異なる。なぜなら法律的，制度的違いが規制の仕方に影響するからである。特に政府

の介入度合いを比べれば，イングランドでは政府の介入はほとんどないのに対して，フランスではプロサッカーのクラブライセンスは政府が握るなど中央集権的システムをとっている。そのためフランスのサッカークラブは財政的に健全性が保たれている。ほとんどの欧州諸国においては，規制は各国リーグの財政面での安定性確保を主眼としている。なぜなら，限られた優秀選手をめぐって，獲得競争が激化して年俸が高騰しているため，財政上のトラブルが多発するからである。しかし，世界的人気を博するサッカーでは，幸いなことに現在まで，あるクラブが倒産しても必ずと言っていいほど，そのクラブを買収する資本家が出てきて救済されてきたのが通常である。それらの資本家は当初はアラブの資金が中心であったが，その後アジアの新興国や，サッカービジネスに興味をもつ米国の投資家たちである。それに対して，ファンも皮肉にも，規制でがんじがらめになったリーグよりも，破たんするクラブがあっても優秀な選手を獲得し，面白いゲームを観たいとのニーズが強いのも事実である。経営の健全性より，勝利が優先するサッカー業界の特殊性がある。しかし，今後サッカーがさらに発展するために，欧州各国をまたがるガバナンスを標準化し共通基準を採用する動きが必要とされてきている。

まず世界のガバナンスシステムのトップのFIFAを見てみよう。

FIFA(Federation Internationale de Football Association：国際サッカー連盟)

各国サッカー協会の集合体でありサッカー界のガバナンスシステムのトップである。世界で最も歴史があり，最大の非政府系組織（NGO）の一つである。200以上の加盟国を抱えている。各国協会はFIFA議会で1票を持つ。FIFAの約款（statutes）第6条で試合の規則を決定する組織体としてIFAB（国際サッカー協会協議会：the International Football Association Board）を認定し，その協議会メンバーをFIFAが指名する4か国（票）と英国の4地方（票）（イングランド，スコットランド，ウエールズ，北アイルランド）で構成する。これによって，英国は試合のルールの変更に対する拒否権を持つ。FIFAの約款の変更はFIFAの加盟国の75％超の賛成が必要なので，今後ともIFAB規定が変更される可能性は小さい。

(歴史)

1904年欧州7か国の協会によって創設された（フランス，ベルギー，デンマーク，オランダ，スペイン，スウェーデン，スイス）組織である。世界サッカーの統治機構（ガバナンスシステム）のトップである。当初より，イングランド（英国の中のイングランド地方を指す）をサッカーの母国として，リーダーとしての招聘を試みたが，FA（English Football Associationイングランドサッカー協会）は自分たちが存在している限り，別の組織を作る意味はないと加盟を拒絶した経緯がある。最終的にはFAは

1905年にFIFAに加盟しリーダーシップを発揮した。しかし第一次世界大戦が勃発した際に，FAはドイツ等敵国を除名するように動いたが，否決されたために脱退した。大戦終了後，FAは説得されて1924年再加盟したが，「アマチュア主義（amateurism）」をめぐってFIFAとの関係は良好とはいえなかった。そこへオリンピックでのサッカーの試合参加者に休業補償（broken-time payment）をFIFAが認めたことで，FAは1928年に再度FIFAを脱退した。結局次にFAがFIFAに再度加盟したのは第二次大戦後の1946年であった。

20世紀に入ってからのFIFAの拡大はフランス人会長のユール・リメ（Jules Rimet）の功績である。最大の功績はFIFA加盟国の増加で，FIFAの加盟国数は1921年の20か国から1954年の85か国まで急拡大した。この急拡大を受けてFIFAは分権化を進めることにして，世界を6大陸に分けて，それぞれの地域におけるサッカーの統治（ガバナンス）を各大陸の組織に委ねた。事業部制の導入である。第二の功績はワールドカップの創設である。第1回は1930年にウルグアイで開催され，今や32チームが参加し巨万の富を生む一大ショーにまで成長している。ワールドカップをここまで成長させた人物がブラジル人会長アベランジュ（Havelange）である。1974年に会長に当選，初めての非欧州人会長であった。その背景には，1950年代，1960年代には発展途上国加盟が急激にその数を増やしたが，FIFAが欧州偏重の運営であることに不満がたまっていた。そこへアベランジェが立候補して当選したのである。当選後すぐに彼は約束していたアディダスとコカコーラからのスポンサー契約を確保し，サッカー界での第三世界（発展途上国）からの要求されていた衡平を満たすことに成功した。

ところが，1990年中盤までに欧州サッカー連盟（UEFA：Union of European Football Association）はアベランジェの方向性およびやり方に不満が充満し，FIFA会長選で激しい戦いを演じた。アベランジュはその結果，会長選には出なかったのであるが，選挙直前にアベランジュの支持を受けた事務総長ブラッター（Blatter）が立候補して当選した。その直後にブラッターがアフリカ諸国から投票をカネで買ったとの追及もあり，ブラッターの第1期は多難な船出であった。その後ブラッターはサッカー後進国における草の根サッカー（grassroot football）を拡大した他，コーチングやプレー水準の向上に尽力するなど，目覚ましい活躍をした。その結果，今やFIFAは国連加盟国の数を上回る数字となり，FIFAの年間売上高は巨大多国籍企業に比肩するものとなっている。

現在，世界サッカーのヒエラルキーはFIFAを頂点に，UEFAはその下部組織となっているが，強豪ヨーロッパ諸国のクラブの試合をめぐっては，後述するがFIFAとUEFAは競合関係にある。

図11-1：FIFAとUEFAの階層構造と競争

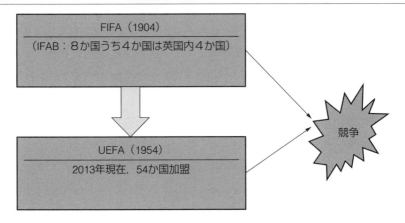

　世界サッカーの歴史を見ると，サッカー生みの親のイングランドの傲慢さ，強豪欧州諸国の圧力，そしてサッカーのグローバル化で数を増やした発展途上国がその不満から非欧州人を担ぎ，FIFAの権力を握る。まさにスポーツの世界も国連の舞台さながらに権力闘争が繰り広げられている。

UEFA (Union of European Football Association：欧州サッカー連盟)

　1954年創立。理念は，「欧州サッカー連盟（UEFA）はスポーツ，特にサッカーが欧州市民にとって非常に重要な事象であり，その欧州全体を内包する構造の故に，欧州という社会全体に大きな利益をもたらすことを認識し，EUと共に，そしてEUの支援を欧州統合に貢献する活動を展開する」ことである（井上（2014））。壮大な理念の下で，UEFAは欧州各国サッカー協会で構成される組織で，規制と試合の主催機能を果たしている。主な活動は，毎年行われる欧州をまたぐトーナメントの開催である。まず欧州選手権（European Championship）である。4年ごとに開催されるナショナルチーム（国の代表チーム）によって競われるサッカーの大陸選手権大会である。EURO（ユーロ）とも呼称される。4年に1度，FIFAワールドカップの中間年（夏季五輪の開催年）に開催される。優勝国にはFIFAコンフェデレーションズカップへの出場権が与えられる。

　UEFAはまたクラブレベルのトーナメントも開催している。第一にUEFAチャンピオンズリーグ（Champions League）で，各国のリーグ覇者が資格を与えられる（いくつかの国では準優勝のクラブも資格あり）。このトーナメントは，欧州のトップクラブによって争われ，欧州クラブサッカー最高峰とみなされている。第二に，

UEFA欧州リーグ（Europa League 2008/2009シーズンまではUEFAカップとして運営されていた）がある。こちらは前年の各国リーグ成績2～5位のチームと前年の各国のカップ戦優勝チームによって競われる。勝者は翌年のチャンピオンズリーグ出場権を得るというインセンティブがある。

　2013年現在54か国が加盟している。UEFAの目的は，欧州における試合が繁栄し，発展するように，適当な状況を創造すること，そのための方法として
・欧州におけるすべてのレベルでのサッカー大会（competitions）を増進すること
・各国サッカー協会との密接な連携を持つこと
・TV収入を最適化すること
・内部ガバナンスを改善すること
となっている。

　原則的には，UEFAはFIFAに劣後する機関である。しかし，資金を生み出す重要な欧州の協会からのサポートを求めてFIFAと競合している。

FA（Football Association：イングランドサッカー協会）

　世界で最初の国のサッカー協会（national association）としてイングランドで1863年創立された。イングランドはサッカーの母国とされ，association footballの略語が「サッカー（soccer）」となった歴史がある。最初の国際試合が1872年イングランドとスコットランドの試合であった。その歴史的経緯から，英国は4か国（実際には，イングランド，ウエールズ，スコットランド及び北アイルランドの英国を構成する4地域）のサッカー協会をもつことが認められている[注]。FAは1872年にFAカップを創設した。いくつかのサッカークラブは法律的にはFAの傘下に属するが，独立して運営が行われるフットボールリーグ（Football League：以下FL）を1888年に創設した。FLは1888年の12クラブから，1923年には4部88クラブにまで拡大した。過去100年間にわたり，FAとFLはプロサッカーのガバナンスをめぐってバトルを繰り広げてきたが，1991年FAはトップリーグを分裂させるプレミアリーグ（EPL）を創設した。その結果，FLはプレミアリーグの下部リーグとして存続したものの，引き続きFLとプレミアリーグは英国プロサッカーの支配をめぐって主導権争いをしている。

　プレミアリーグは組織的には，FAに加盟する独立事業体で，会社として運営されている。株主は20人で，それらは当該シーズンにプレミアリーグに参加しているクラブである。プレミアリーグはFLと昇格・降格でつながっているので，プレミアリーグからFLに降格になったクラブは会員資格と投票権を昇格するクラブに譲渡する。会員は投票権1票を保有し，プレミアリーグの会長等を選出し，プレ

第XI章　プロサッカーにおける国際的なガバナンス

ミアリーグに日々の運営を監督させている。FAはプレミアリーグの日々の運営には全く関与しないが，プレミアリーグ会長の選出，および昇格・降格制度の維持に関しては，「拒否権」を有する。一般的にいうと，FAはイングランドにおけるサッカーの試合の統括団体で，プレミアリーグを含むすべての試合の枠組みを決める。ただし，FAの会長はイングランドのサッカーのガバナンスストラクチャーの中では，各クラブに命令できる権限はない。

　FAの組織構造は，発行済株式2000株の有限会社（limited company）である。1株は1クラブまたは1会員協会に保有される。FAの運営の難しさは，会員がプロのみならずアマチュアも含むために利害の調整が困難なことである。英国政府はFAのガバナンスに関して，直接的には何も発言しないが，過去10年を振り返ると，FAの改革に対して相当の圧力をかけている。

　FAの役割と責任は以下のとおりである。
1. イングランドにおけるすべてのレベルのサッカーの推進
2. イングランド代表チーム，FAカップ，その他の試合の運営
3. サッカーにおける国際関係の維持
4. 試合の規則および会員組織が遵守しなければならない規則を作成すること
5. コンプライアンス（法令遵守）を整備すること
6. 会員クラブが試合の規則を順守することを確保するために懲罰手段を実施すること

　これに対して英国政府は，以下のとおりいくつかの方法でFAに対して影響力を発揮している。
1. 文化・メディア・スポーツ省経由，政府はスポーツに関する目的（ワールドカップ招致，サッカーにおける暴動に対する対処等）に資する政策を策定し実施することを求める
2. FAは英国法のみならず，EUの加盟国としてEU法を遵守しなければならない。これにより，選手の移籍規則は，1995年欧州裁判所（European Court of Justice）でのボスマン判決によって著しく変更を加えられた。この例でも明らかなように，どこの組織（団体）が管理・決定権があるのか論議を呼ぶことが発生しうる。

　例えば，高給選手がイングランドのクラブに移籍する場合，移籍についてはFAとプレミアリーグ規則（rule）が適用される。さらにヒエラルキー（階層）の上部団体であるFIFAとUEFAの法令（statute）を遵守しなければならない。同時に移民（労働者として入国）については英国法が適用され，労働力のEU内の移動についてはローマ条約によって保証される労働の自由に従わなければならない。

113

その一方，英国は外国人によるクラブの所有に関して自由であるので，問題が起こる可能性がある。一例が2007年にタイ国から追放された元首相タクシンが，マンチェスター・シティを買収した件である。この買収も，2004年にFA，プレミアリーグ，League (FL) によって導入された「fit and proper person（クラブを所有するのに適した人物）」テストに合格したとのことでFAが認めた経緯がある。

欧州の主要なリーグであるフランス，ドイツ，イタリア，スペインについては，西崎（2011）博士論文第2章第3節を参照されたい。

(注) 1922年アイルランド共和国が成立したため，サッカーでは北アイルランド（英国）とアイルランド共和国に別れた（二か国扱い）。それに対して，ラグビーでは統一チームとしてアイルランドとして組織されている。

【参考文献】

The SAGE Dictionary of SPORT STUDIES pp.96-97
Hamil, S. et al (2010) Managing Football an International Pesrspective Elsvier pp.185-188
Andreff, W. et al (2006) Handbook on the Economics of Sport Edgar Elgar pp.233-235
井上典之（2014）「スポーツ法とEU法：第12回EUの価値観の実現に向けて」書斎の窓 No.637 2015年1月号，pp26-30　有斐閣
西崎信男（2011）「プロチームスポーツとガバナンス～英国プロサッカーリーグを例に～」長崎大学博士論文
http://naosite.lb.nagasaki-u.ac.jp/dspace/bitstream/10069/24781/1/eco_09_nishizaki.pdf

2　フィナンシャル・フェア・プレー規制：Financial Fair Play Regulation (FFP)

FFPとは，2013/14 seasonからUEFAのクラブに適用されているサッカークラブの財務上のガバナンス強化を進める規制である。目的は，欧州のクラブが支出と収入のより持続可能なバランス（収支均衡）を達成することを助けることである。

その背景は，欧州プロサッカーリーグが1990年代以降スポーツチャンネルの隆盛とともに，有力なコンテンツに生まれ変わり，さらにイングランドプレミアリーグ誕生によって，一気に世界的人気が開花した。このため限られた有力選手を欧州各クラブで奪い合った結果，選手の給与・移籍金が急騰し，各クラブの売上高人件費率は一時70％を超えるなど財務上の危険ラインに達し，特に英国ではプレミア

リーグをはじめ 4 部まで英国 GDP を上回る売上高成長率を記録する一方，破たんしたクラブは 2 部，3 部を中心に多数を数えた。2010 年には当時プレミアリーグクラブであった Portsmouth が破たんした（2016/17 シーズンは 4 部リーグ所属）。欧州のプロスポーツ，特にサッカーは「勝利優先（効用優先）」で，資本主義のルールが徹底される弱肉強食の世界であり，ある意味クローズド（閉鎖的）で競争が制限された社会主義的運営であり，「ビジネス優先」の米国プロスポーツとは好対照をなしている。資本主義であるからには弱者は市場から退出を余儀なくされるが，そのレセフェール（laissez-faire：自由放任主義）一本やりでは今後リーグおよびクラブの健全な発展が望めない状況に陥っている。そこで自由放任主義に一定の歯止めをかけようとしたのが，FFP であった。13 章で議論されているが，米国のプロスポーツは，「ビジネスありき」でスタートしているので，例えば 4 大スポーツ（野球 MLB，アメリカンフットボール NFL，バスケットボール NBA，アイスホッケー NHL）でも各々のリーグ組織運営に，選手の給料を抑制できるような仕組みを内蔵している。さらに同じサッカーであってもメジャーリーグサッカー（MLS）は他の米国メジャースポーツ同様の組織運営構造をとっており，欧州のサッカーリーグとは軌を一にしていない。

現行の FFP 規制が適用されているリーグやトーナメントは以下のとおり。
1. UEFA チャンピオンズリーグおよびヨーロッパリーグ
2. プレミアリーグ（2013/14 シーズンから適用）
3. チャンピオンシップ（実質イングランド 2 部，ペナルティーは 2013/14 シーズンから適用）
4. イングランド 1 部リーグ（実質 3 部）および 2 部リーグ（実質 4 部）

FFP とはクラブを収支均衡させる UEFA の必要条項だとほとんどに人に思われているが，そうではない。実際には収支均衡以上の部分も含まれている。FFP は UEFA のチャンピオンズリーグとヨーロッパリーグに参加するクラブに対してだけ適用されるのである。参加したいクラブは UEFA に参加希望を提出し，FFP を遵守していれば，参加するライセンスの交付を受けることができる。そうはいいながらもプレミアリーグのクラブは一部例外を除き，出願できるように FFP を遵守している。

2013/14 season の FFP は，2012 年度および 2013 年度の各クラブの財務成績を基に計算される。それ以降は，直近 3 期の財務成績の合計となる。
もしクラブが合計で余剰を達成するか，許容される偏差以内の赤字であれば，

収支均衡制限条項（requirement）は達成されたとする。当初は，許容される偏差は500万ユーロ，または500万ユーロを超える金額（赤字）がオーナーまたは関係者から無条件の補てんによってカバーされる場合は，4,500万ユーロまで認められる。この上限は2015/16seasonからは3,000万ユーロに減額され，2018/19seasonからはさらに減額される予定となっている。

ちなみに，2009/11のUEFA（で試合をする）クラブの収支均衡状況は以下のとおり。

【収支均衡条項施行前】
90クラブ：適用免除（41％）（所得と経費の規模が小さいクラブ）
68クラブ（31％）：余剰

16クラブ（7％）::収支均衡または赤字が許容範囲（500万ユーロ）

32クラブ（15％）：赤字が500万ユーロから4,500万ユーロただしオーナー・関係者からの補てんが必要
14クラブ：（6％）：赤字が4,500万ユーロ以上（許容範囲を超える）

　　　　　　　　　　　（小計）46クラブ（21％）　　クラブ所在国　22か国
内16クラブが4,500万ユーロの赤字の範囲内（オーナーから既に補てんを受けた）残り30クラブがもし制限条項が適用されたら，条項違反となる。
制限条項の範囲内に収めなければいけないクラブは全体からすれば非常に少ない。

　UEFAはこの初めての条項施行について強い要求をクラブに行っている。クラブの財務成績，調整，そして収支結果は2013年7月までにUEFAのIT（Webページ）経由，開示されなければならない。その時にUEFAのクラブ財務監督部署（the Club Financial Control Body）がクラブを監督し，違反しているクラブに対して適切な対応をとる。

　しかし他のスポーツやその他もっと広い社会における監督システム同様，監督部署は違反するクラブやアドバイザーに対して取り締まることを完全に自由にできるわけではない。FFPの目的が達成されるためには，効果的な監督が必要であるし，サッカー界全体で財務上のごまかしを許さない強いスタンスをもって協働する必要がある。

　費用の抑制（コスト・コントロール）は欧州のクラブにおいて大きな挑戦の一

つと長く認識されてきた。収支均衡制限条項はこの挑戦に対する回答であり，同時にいくつかの国のリーグが新しい財務ガバナンスの手段を開発し採用することを強く推進してきた。コスト抑制を適用しようとする，時としてむなしい展開であっても，クラブが財務成績を改善しオーナーがその資金提供をもっと施設やサッカーのより長期的な利益を求める活動に振り向けることを奨励する。時間が経過すれば結果はおのずと明らかになる。

以上，Annual Review of Football Finance 2013 p.71 を要約

　UEFA の FFPR（欧州へ参加しようとするクラブに対する財務制限条項）とともに英国のプレミアリーグ（1 部）とチャンピオンシップ（2 部）に対する新しい財務制限の導入は，オーナーに対して負債よりも株式による資金調達を推進するように仕向けている。2012/13season 中，約 5 億ポンドの株式資金調達がなされた。形式は株式への投資または負債の株式への転換である。さらに 2 億 5000 万ポンドの株式資本増強が 2013 年夏以降実施されている。

　2013 年における純債務レベルの上昇にもかかわらず，新しい財務制限が英国内，そして欧州レベルにおいて，プレミアリーグのクラブに対する収入に比較しての純債務の減少を生むであろう。ただしこれはチャンピオンシップ（2 部リーグ）で競争するクラブには当てはまらないのは当然である。

　これらの財務制限のさらなるメリットはクラブに長期的な利益を与える施設や活動に対する投資を奨励することである。これは 2012/13 年に導入されたプレミアリーグ・エリートプレイヤー・パフォーマンス計画（the Premier League's Elite Player Performance Plan (EPPP)）と相まって，クラブが新しくアカデミーを創設したり改善したりすることに投資することを奨励する。これからの数年にわたり，トレーニングやアカデミー施設への投資がクラブによる主な資本支出策になると予想している。まさに，Newcastle United, QPR Charlton Athletic は皆新しいトレーニング施設を開発する意向を表明している。

　アカデミー施設への投資に加えて，既存のスタジアムを増強する動きも見込まれている。なぜならクラブはこれにより，試合における観客のスタジアム経験を盛り上げることで，スタジアム増強によって生み出される収入増加からメリットを受けるからである。

　新しいスタジアムの可能性チェック，計画そして建設にかかわる時間を考えると熱も冷めるが，スタジアム計画に対する十分で返済可能な資金調達を生み

> 出す挑戦が依然として最大の障害として残っている。しかしながら，スタジアムプロジェクトを追求するクラブの数は減らない。QPR は 4 万人収容の真新しいスタジアム建設を発表したし，Everton も新しいスタジアム建設を最優先課題においている。

Annual Review of Football Finance 2014 p.51 を要約

　Szymanski (2015) は，フィナンシャル・フェア・プレーに対して疑問を呈している。すなわち，「フェア（公正であること）fair」という言葉は誤解を生む。この規制が誕生した背景には，大金持ち (sugar daddies) が多額の資金を使って選手の獲得競争をあおることで（フェアな競争にならない），クラブの財政状態が悪くなるので，それを防止しようとする狙いがあったのは確かである。しかし，それは「フェア（公正である）fair」の問題ではなく，本規制の目的は「効率性 efficiency」に焦点を当てることである。大金持ちが多額の資金を投入するように各クラブが努力することは，むしろ効率性を向上する「誘因 motivation」となると論じている。

【参考文献】
Deloitte (2013,2014), Annual Review of Football Finance p.71,2013 及び p.51,2014
http://www.financialfairplay.co.uk/financial-fair-play-explained.php
Szymanski, S. (2015) Money and Football, A Soccernomics Guide, Nation Books, New York, pp.245-253

第XII章 プロスポーツをめぐる汚職摘発と法的問題

1 FIFA幹部の摘発

　前章で巨大ビジネス化するプロサッカーをめぐり，スポーツの世界も国連の舞台さながらに権力闘争が繰り広げられてきたことを述べた。その背景の下で，FIFA（国際サッカー連盟）をめぐる汚職については長年噂されていた。それはサッカーワールドカップがオリンピックと並びTV放送の最高のコンテンツと評価され，放映権料が高騰している状況が存在するからである。そのため大会誘致を目的として候補国が便宜を期待して資金が動いたのである。スポーツのプロ化（professionalization）と国際化（globalization）により，スポーツは巨大なスポーツビジネスへと拡大し，それにともなって汚職（corruption）も絶えない。

　そんな中で，2015年5月，スイス・チューリッヒでFIFA幹部7人が逮捕され，同時に米国司法省が関係者を起訴した。捜査と起訴を担当したのは，ニューヨーク東部地区連邦地方検事局であった。何十億ドルもの違法な（illicit）資金の受け渡しがニューヨークにある金融機関を経由していたため，この地検が担当となったのである(注1)。

(注1) 米検察当局の訴状（indictment）によれば，汚職が海外で行われた場合でも，米国内で仕組まれたものであり汚職資金が米国の銀行を利用して送金されているかどうかがポイントであった。[1]

　報道によれば，FBI（連邦捜査局）とIRS（内国歳入庁）の協力によるFIFA汚職の捜査は，長期にわたり継続していた。この事案で突破口になったのが，FIFA執行委員会の米国人メンバーのチャールズ・ブレイザーをFIFA内部提供者（a cooperator）としたことである。ブレイザーは2005年から2010年まで北中米・カリブ連盟の事務局長をしていた当時，脱税をしており，それを米国当局に把握されていた。2011年，ブレイザーは司法取引（plea bargaining）として，FIFAの内部情報の提供に合意しており，減刑の見返りに囮捜査（entrapment）に協力していたのである（WSJ 2015/5/28）。

2 汚職をめぐるマネーの流れおよび法律的側面

　事件をめぐる新聞報道（Wall Street Journal, The New York Times, 等）から違法取引（illicit transaction）の内容，米国司法当局の介入について把握して，以下の点

第1部　基礎編

について整理，金融取引及び法律側面から分析を行う。
(1) 伝統的に外国からの介入を極端に嫌うスイスがなぜ米国の介入を許したのか
(2) 汚職のマネーフローの仕組みと米国介入の論理及び法律的側面（司法取引，囮捜査）
(3) なぜ犯罪捜査で中心となる FBI よりも IRS が前面に出るのか

(1) スイスがなぜ外国当局（米国）の介入を許したのか―捜査での IRS の参加の背景―

　2001年9月11日の同時多発テロ事件以来，国際的なテロ事件が多発しており，そのテロ資金がマネーロンダリングも含めて，大きな問題になっている。したがってスイス銀行が顧客の秘密保護の伝統を守れなくなった（2009年スイスの UBS 銀行による米国人の脱税ほう助事件[注2]が契機となった）。FBI がテロ捜査に人員を割かざるを得ない状況で，それをカバーするために IRS が捜査の前面に出てきてきた（The New York Times 2015/5/30）。

(注2)　スイスの大手銀行である UBS は推計1万9,000人の米国人顧客をスイスの秘密口座で預かっており，2009年に米国人の脱税（米国連邦所得税）幇助を行った罪で，総額7億8,000万ドル（858億円@Y110）の罰金を米国政府に支払うと同時に，口座を持っている米国人の氏名を米国当局に提供することに合意した事件である。7億8,000万ドルの内訳は，UBS の2001年から2008年までの国際ビジネス（cross border business）の利益が3億8,000万ドル，残る4億ドルは秘密口座を持つ米国人の預金から源泉徴収されるべき利息分である。UBS は徹底して顧客情報を守るスイス銀行秘密保持法を，米国顧客に対する売込みの材料に使って脱税幇助を行ったと訴状に記載されている。この事件を契機にスイスの銀行秘密保持法は米国当局からの開示要請にこたえざるを得なくなった [2]。

(2) 今回の汚職にかかる資金取引の仕組みと法律的側面の概略・分析

　現実の取引では，金融機関の間に別の金融機関が介在して取引の複雑化，不透明化が図られていると思われるが，単純化のために下図とした。
ポイント1：外国の金融機関に対して米国人が保有する口座の情報を米国政府に提供するように求める。具体的には以下の事項を要請している。
　① IRS との契約および登録
　② 米国人が保有する口座を確認し，その情報[注3]を IRS へ報告
　③ 口座確認に非協力的な顧客口座の米国源泉所得[注4]への源泉徴収
　④ 口座確認に非協力的な顧客口座の最終的な閉鎖
ポイント2：IRS と契約しない外国の金融機関に対して，IRS はその米国源泉所得

第XII章　プロスポーツをめぐる汚職摘発と法的問題

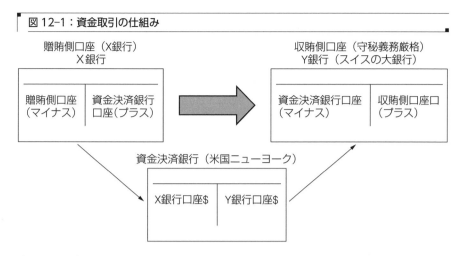

図12-1：資金取引の仕組み

（法律的側面）
　米国の取引とみなすことで，米国FBI（連邦捜査局）とIRS（内国歳入庁）が介入する。関係法律としては，以下の法律が適用される。今回のFIFA汚職で直接関係する法律はFATCAである。

　FCPA（海外腐敗行為防止法）：外国公務員に賄賂を渡すことを禁じた米国法である（エージェント含）。適用対象は，米国上場企業，米国企業および米国人，外国企業および外国人（米国内で贈賄行為の一部が行われる場合に限る）と規定され，対象地域は米国内外に及ぶ[3]。
　FATCA（外国口座税務コンプライアンス法：Foreign Account Tax Compliance Act）：米国人による海外口座を使った租税回避を防止するために，2010年3月に成立した米国法（2013年1月施行）である。外国銀行にも顧客口座の報告義務を課すことによって，米国人による外国金融機関を利用した租税回避行為の防止を目的とする。

に源泉徴収を課す。
（注3）　氏名，住所，米国納税者番号，口座番号，口座残高等
（注4）　米国源泉所得：米国債（株式）から得られる利子（配当）収入，売却収入等
（出典）　租税研究 2015・6　日本租税研究協会

3　米国法に基づく司法取引および囮（おとり）捜査
(1) 司法取引
　英米法上の「答弁取引」（plea bargaining）の制度，すなわち刑事事件において被告人側と検察官側とが交渉し，事件処理について合意する制度。軽い罪を認め，減刑を図る。その見返りに囮捜査に合意する。
　渡邊（2015）によれば，司法取引は米国刑事手続におけるきわめて特徴的な制度である。司法取引とは，被告人（または被疑者）と検察官との刑事公判前の取引を

いう。被告人は起訴事実について公判廷において有罪であることを認めて有罪答弁し（Guilty Plea），かつ共犯者の行為等について，検察側に有利な証言をする等，検察側の捜査および公判活動に協力することを合意する。その見返りとして，検察官は被告人に対し，有罪を認めた事実以外の事実については起訴せず，または起訴の取り下げを行い，かつ起訴事実については，判決において量刑上有利な取扱いが得られるよう，裁判所を説得することを合意するものである。

日本においては従来認められていなかったが，2016年に改正刑事訴訟法が公布され，日本版「司法取引」の規定が新設された。

一定の薬物銃器犯罪，経済犯罪を対象として弁護人の同意を条件に検察官が被疑者・被告人と取引をすることが可能となる。被疑者・被告人が他人の犯罪事実を明らかにするために供述や証言等をする代わりに，検察官が不起訴や求刑の軽減等を行う合意を行う。裁判所で自己に不利益な証言をする代わりに裁判所の決定で免責することも可能となる

わが国の司法取引制度は，米国や英国で見られる司法取引，即ち被疑者等が，「自らの犯罪」を認める代わりに不起訴や減刑といった利益を得るというタイプのもの（いわゆる自己負罪型）が除かれ，「他人の犯罪」について捜査機関に協力することによって見返りが得られるタイプのもの（いわゆる捜査・訴追協力型）のみが認められた点に特徴がある［4］。

(2) 囮（おとり）捜査

捜査機関やその依頼を受けた捜査協力者が，その身分や意図を相手方に隠して犯罪を実行するよう働きかけ，相手方がこれに応じて犯罪の実行に出たところで検挙する捜査方法である。任意捜査であるが，公正さを欠く方法として問題とされてきた。米国においては，「わな（entrapment）」の理論が構成され，単に犯罪の機会を提供したにすぎないものと異なり，積極的に犯意を誘発したものについては当該犯罪に訴追に対する抗弁事由（原告の申し立てまたは主張を排斥するために，別個の事項を主張すること。ただし被告は証明責任を負う）とされる。

4 その後の展開

FIFA は22カ月に及ぶFIFA幹部の汚職および犯罪行為（criminal misconduct）について内部調査を行った結果を2017年3月に終了し，その調査結果をスイス検察当局に提供した。同時に米国当局にもその調査結果は提供されることになっている。スイスではすでに元の会長のブラッターと事務局長のヴァルクに対して刑事手続き（criminal proceedings）が開始されている。刑事手続きが開始されたので，

FIFAは詳しい調査内容の言明を避けた［5］。米国では裁判（trial）は2017年9月か10月にも開始されることになろうとの見通しである［6］。

5 結論

プロサッカーに限らず，プロスポーツは近年巨大ビジネスに成長して来ている。当然そこには巨額の資金が動き，それを不正な手段で獲得できるよう仲介する汚職の問題が発生する。その意味でスポーツビジネスも一般企業と同様のビジネスである。

そこには脱税のみならずテロ資金の動きが絡むため，米国の違法取引規制の法律が国境を越えて拡大されている。それに軌を一にして，また脱税についても各国間で租税条約等に基づく情報交換協定が締結されてきている。

【参考文献】

[1] BBC News（2015）：http://www.bbc.com/news/world-europe-32897066 21/12/2015
[2] Forbes（2009）https://www.forbes.com/2009/02/18/ubs-fraud-offshore-personal-finance_ubs.html
[3] 情報センサー, vol.63 Aug-Sept 2011 p.35 https://www.shinnihon.or.jp/shinnihon-library/publications/issue/info-sensor/pdf/info-sensor-2011-08-11.pdf
[4] http://judiciary.asahi.com/outlook/2017032800001.html
[5] TimesLIVE: The Time & The Sunday Times
　http://www.reuters.com/article/us-soccer-fifa-idUSKBN1721BD
[6] TimesLIVE
　http://www.reuters.com/article/us-soccer-fifa-idUSKCN10E1X8

西崎信男（2015）「スポーツマネジメント入門～プロ野球とプロサッカーの経営学～」税務経理協会，pp.104-110
西崎信男（2016）「FIFA汚職摘発にみるマネーフローと法律的側面について」日本スポーツ産業学会第25回大会号予稿集　pp.32-33
渡邊　肇（2015）「米国反トラスト法執行の実務と対策［第2版］―司法取引からクラスアクション，代表訴訟まで」　商事法務　p.47
金子他編（2008）「法律学小辞典第4版補訂版」有斐閣 p.68
法令用語研究会編（2012）「法律用語辞典　第4版」有斐閣　p.370
田中編（1991）英米法辞典　東京大学出版会　p.296, p.1284

第 1 部　基礎編

Column　アメリカ映画「ウォールストリート　Wall Street（1987）」にみる司法取引と囮（おとり）捜査

　1980年代のアメリカ映画では司法取引・おとり捜査がテーマとしていくつも描かれているのは興味深い。最も有名なのは，世界の資本主義の中心，ニューヨークの金融街ウォールストリート（Wall Street）を舞台にインサイダー取引（insider trading）によって巨額の財を成した企業乗っ取り屋（corporate raider）ゲッコー（Gekko）と，ビッグになることを夢見た若手証券マンのバッド（Budd）の野望と末路を描いた「Wall Street（1987年）」であろう。

　1987年のまさに「ブラックマンデー（暗黒の月曜日）Black Monday」（10月19日ニューヨーク証券取引所のダウ平均が一日で22.6％と史上最大の下落幅を記録し，世界的な株価大暴落を起こした）直後に映画公開となったのである。当時は株価バブルの最中であり，とにかく貪欲に儲けることが良いこと（Greed is good）の時代であった。そこで不確実な株式で儲けるためには，内部情報を獲得することである。株式を上場することによって返済不要な資金を発行者が調達できるメリットの見返りに，発行者は重要情報を一般公開することを要求される。そこで先に重要情報を不正に獲得することが乗っ取り屋の手口である。

　この映画では，バッドはゲッコーに指図されながら数々のインサイダー情報を収集しゲッコーに巨額の利益をもたらしたが，最後にゲッコーを裏切った。それを知ったゲッコーはバッドを公園の真ん中で一方的に殴るシーンが登場する。実はバッドは当局のおとり捜査に協力していて，胸にマイクを仕込んでいたのである。ゲッコーが殴りながら，今までウォール街で金儲けするためにバッドを使って行った数々のインサイダー取引が録音されていた。

　翌日，ゲッコーはバッドとともにインサイダー情報で証券取引を行った罪で逮捕されたとニュースが流れるところで物語が終わる。バッドは当然司法取引に合意して囮捜査に極力して減刑を約束されていたのである。「You did the right thing, Buddy（バッドよ。君は正しいことをしたんだよ）」とSEC（アメリカ合衆国証券取引委員会 U.S. Securities and Exchange Commission）の係官は言った。

原作映画化：Kenneth Lipper（1988）Wall Street, Berkley Books, pp.232-237

　この映画と同年に封切りされたアメリカのコメディー映画 The Secret of My Success（1987）（日本語題名：摩天楼はバラ色に，マイケル.J.フォックス主演）も同じテーマを扱っている。

第XIII章 プロ野球に見るスポーツマネジメント―日本のプロ野球（NPB）と大リーグ野球（MLB）―

先に第6章でサッカーと野球のビジネスモデル（リーグ運営）の違いについて論じたが，本章では日本のプロ野球（NPB）と大リーグ野球（MLB）における球団経営，リーグ運営について論じてみたい。

1 リーグか球団か

MLBのモデルでは，球団の競争均衡を生み出すための仕組みが，ドラフト制度でありぜいたく税等であるが，利害の対立する球団間のバランスを取る仲介役が必要である。それがMLBでは「コミッショナー」にあたる。一方，NPBでは，プロ野球のコミッショナーの役割，権限は不明確である。その誕生の経緯，その後の政府の対応から，プロ野球球団を親会社の副業，または広告宣伝塔とするモデルの問題点があるため，コミッショナーがリーグの共同生産を踏まえた運営ができるかどうか。NPBとMLBにおけるリーグの考え方には大きな違いがある。それは大リーグが「スポーツビジネス」として如何に利益を生み出していくか，その際に

図13-1：リーグの考え方：日本のプロ野球と大リーグ野球

（NPBとMLBの共通点）
・いつも同じリーグの球団と試合
・実力が離れると試合が面白くない
・最下位になっても降格しない

日本のプロ野球

米国の大リーグ野球
MLB American League

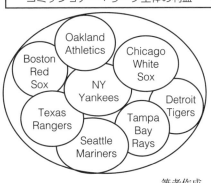

筆者作成

リーグの運営が如何にリーグ全体の利益を拡大させ，それが結果的に各球団の利益を拡大させるかのシステムを考えていることである．それに対して，NPBでは戦後の苦しい中で企業が支援してプロ野球が成長した歴史があるため，企業スポーツの延長で捉えられ運営されてきた．そのためリーグにおける共同生産，すなわちリーグでよい商品サービスを提供して，リーグの価値を高めることで各球団の利益に結びつける発想は，なかなかできなかった．いわば日本の商店街と同じで，総論賛成であるが，各論では反対し，結局は各球団がばらばらにそれぞれの利益を追求してきた経緯がある．どの業界もグローバル化の中で，差別的優位性を発揮して競争に向かわなければ生存は難しい．

【参考文献】

西崎信男（2012）「プロ野球のビジネスモデル～サービスの共同生産の観点から～」証券経済学会年報，第48号，証券経済学会，pp.230-235

2　リーグの共同生産を実行するMLB，それをまとめるコミッショナー

　NPBがリーグの共同生産を踏まえて動きにくいのも，親会社にとっては，子会社の球団は経営上，誤差の範囲の規模であり，球団社長は親会社派遣の中堅管理職的扱いとなり，独立経営ができない仕組みになっていることが原因である．また，リーグとして各球団の利害衝突をまとめるコミッショナーには権限がない．実質的にはオーナー同士の話し合いがあるものの，全員一致が慣行としてあるため，利害の対立する案件は棚上げとなることが多い．

　他方，MLBでは，球団が本業ビジネスで，オーナー経営者はビジネスで利益を生み出すために経営している．そこでフィールドでの一切の権限をGMに与えるなど，専門化を進め，自らは予算執行を管理することで，全体の組織を動かしている．またオーナー社長自らがオーナー会議で発言するが，コミッショナーが仲介して，議論がまとまるように運営される．しかし，オーナー会議が規則上，コミッショナーの人事権を握っているのは，日本のプロ野球と同じである．オーナー経営者が，ビジネスジャッジができるかどうか，これが日米の差異と思われる．

　米国では，オーナーが自分たちの球団の売上高を増加させ，資産価値を拡大するためには，「リーグとしての価値を上げること」が不可欠と考えているので，その点に向かって方向性がまとまる．それをまとめ上げるのがコミッショナーである．

　結果として，図13-2のとおり，過去10年余の統計を見る限り，大都市球団（例えばNYヤンキース），中都市球団（セントルイス・カージナルス），小都市球団（オークランド・アスレチックス）とも，売上高も資産価値も軌を一にして拡大基調をたどっ

第XIII章　プロ野球に見るスポーツマネジメント―日本のプロ野球（NPB）と大リーグ野球（MLB）―

ている。この点は重要である，人気大都市球団だけがメリットを受けるリーグ運営だと，各チームの意見はまとまらず，リーグの共同生産は羊頭狗肉になろう。米国では球団経営は「ビジネス」（付加価値をもつ）であるので，球団といえども売買の対象になるため，資産価値の拡大は重要である。現にロスアンジェルス・ドジャースが2012年に売却されたときの価格が，20億ドルであった。ドジャースはヤンキースに次ぐ人気球団であるので，今回（2014年度）の資産価値計算ではヤンキースの価値が25億ドルと計算されていることについても現実的な価値と思われる。

　その資産価値の裏づけとなる売上高についても，フランチャイズの都市規模に関わらず，増加している（図13-3参照）。この点からもMLBのビジネスモデルは成功といえる。その間，リーマンブラザーズ倒産（2008年）による世界的な金融恐慌という外部環境の急激な悪化もあったが，MLBについてみるとその影響は見て取れない。その結果として，MLBの選手の平均年俸もうなぎ上りである。2013年度MLB平均年俸$3,320,089ドル（約3億1,000万円@Y100）（メジャーリーグ機構発表），最低保証年俸（2015年度）507,500ドル（約5,075万円　@Y100）。2011年度MLB平均年俸：$3,095,183（約3億円@Y100），最低保証年俸：$480,000（約4,800万円@Y100）からさらに増加している。これらの数字の情報開示は，各種公聴会，球団による公募債資金調達時に財務数字が公表される。他に雑誌Forbesの推計数字が公表されている。

　それに対して，NPBの数字は，2011年度平均年俸：3,816万円，最低保証年俸（一軍登録選手）：1,500万円である。情報開示については，選手会による年俸開示以外に，各球団の財務数字は非公表である。例外は上場会社TBSを親会社に持つ横浜ベイスターズのみであった。直近の2014年度の数字については，平均年俸が前年比▼1.5％の3,678万円と調査を始めた1980年以降，初めて3年連続で前年を下回るなど，球団経営の不振を物語る数字となりMLBとは好対照の業況であった。平均年俸で比較すると，MLBの年俸はNPBの7倍超に達しており，優秀な選手の流出は止まらず，年俸の価格裁定が働くはずであるが，そうならないのは，MLBで通用する日本の選手が少ない証拠とも見える。ビジネスの価値に対して必死のMLBと，企業スポーツの延長線と捉えられなくもないNPBでは比較するのが難しい。そもそも利益が出ているかどうかも財務数字が公表されていないようでは，資産価値の計算は不可能である。

　これらのリーグスポーツの経営に関する先行研究として，その端緒となったロッテンバーグの1956年の研究がある。リーグの競争均衡を保つために導入された保留条項（reserve clause）の有無は，競争均衡とは関係ない。保留条項が存在しても，球団としての判断で相手球団と交渉して，選手の移籍を行うことができるからであ

第1部　基礎編

図 13-2：大リーグ球団の資産価値

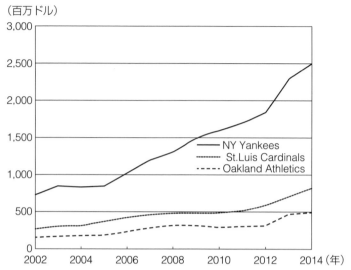

出典：Forbes Valuations for the 30 Clubs in MLB 2002-2014を基に筆者作成
（注）資産価値の計算要素：地元ケーブルTVとの契約、スタジアム増設（入場料），TV rating他

図 13-3：大リーグ球団の売上高

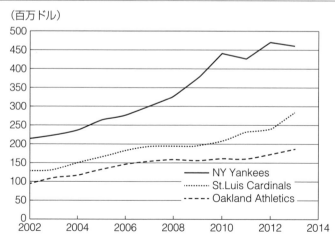

出典：Forbes Valuations for the 30 Clubs in MLB 2003-2013を基に筆者作成

る。それで競争均衡は保てると実証した。問題はその果実がオーナーのものか選手のものになるかである。

【参考文献】

朝日新聞 Digital 2014年4月28日「プロ野球平均年俸，巨人が3年連続首位，厳冬の中日急落」

日本経済新聞2014年4月29日付「プロ野球平均年俸，初の3年連続減」

http://www.tsp21.com/sports/mlb/feature/salary.html　2014/12/23 アクセス

http://jpbpa.net/news/?id=1398668941-847877　日本プロ野球選手会公式ホームページ 2014/12/23 アクセス

http://www.statista.com/statistics/256187/minimum-salary-of-players-in-major-league-baseball/　Minimum player salary in Major League Baseball from 2003 to 2014 (in 1,000 U.S. dollars)　2014/12/09 アクセス

3　大リーグ野球の将来性

先に述べたように，大リーグは資産価値においても売上高においても順調に数字を伸ばしており，問題がないように見える。しかし，プロスポーツの中で競合を見ると，必ずしも楽観は許されない。高級紙ワシントンポストの専門記者によれば，スポーツチャネルのESPNの数字を見れば，MLBのTV視聴者の平均年齢（メディアン/中央値）は53歳，ライバルのNFL（アメリカンフットボール）の47歳，NBA（バスケットボール）にいたっては37歳と極端に若い。野球は若い世代との接触がうまくできておらず，新しい世代を呼び込むことに成功していない。その理由は，野球がほかのライバルスポーツに比べて動きが少なく，「現代社会に合っていない。特に子供は長い間スタンドに立って観ていても何も起こらないスポーツだと見ている」からと説明している。子供に人気がなく高齢者のスポーツと見られてしまえば，大リーグの将来も危ういとの危機感が生まれている。さて日本のプロ野球はどう将来性を描いているのであろうか？

【参考文献】

http://www.cnbc.com/2015/07/12/baseballs-advertising-worries-linger.html　2017/05/21

第XIV章 大リーグ野球（MLB）から生まれた大リーグサッカー（MLS）

1 利益を求めて挑戦する米国プロスポーツのビジネスモデル：MLSの挑戦

　前章までに論述しているが，米国スポーツビジネスモデルは，プロサッカーに象徴される欧州スポーツビジネスモデルとは異なる。簡潔にいえば，米国モデルではプロスポーツは「ビジネス」であり，「利益」を獲得することが目的であるのに対して，欧州モデルでは「競技」であり，「勝利」を目的としている（アマチュアリズム）。図14-1で明らかなとおり，リーグとして活況を呈している英国プロサッカーリーグでは，選手の年俸急騰により売上高人件費率が70％を超えてクラブ経営は一部トップクラブを除けば苦しい。英国プロサッカーにUEFAのフィナンシャル・フェア・プレーが導入されたとはいえ，リーグが伝統的には自己責任で規制がほとんどなく運営されてきた経緯があるからである。そうなれば何が起こるか。一部トップクラブは巨額の放映権料，スポンサー料で潤う一方，大多数のクラブは勝利と選手の給料のいたちごっこが起こって，財政的に厳しい状況になる。昇格・降格がある

図14-1：1992年から2014年5月までに倒産手続に入った英国フットボールリーグとプレミアリーグのクラブの件数

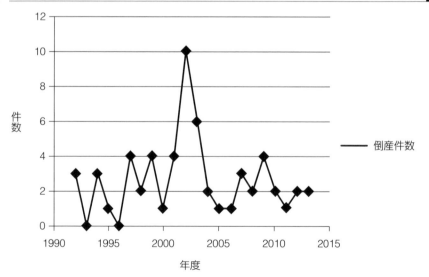

Deloitte（2014）Databook p.13をもとに作図

第XIV章　大リーグ野球（MLB）と大リーグサッカー（MLS）

ビジネスモデルが如何に厳しいか如実に表れている。

それに対して，プロサッカー米国モデルでは，昇格・降格制度がないために，同じリーグスポーツ（複数のチームがリーグを形成し，一定期間同リーグ内の対戦により，その勝敗数や勝率を競い合うリーグ制を採用）においては，各チームは競争関係にある一方，各チームの存在なくしてはリーグそのものが成立しない関係にあり，リーグ存続のためにも競争制限が不可欠な業界と捉える。すなわち，「協調と競争」が米国プロリーグスポーツのビジネスモデルである。しかし，選手の給料に限度額を設ける等の制限を設けると，独占禁止法違反のおそれが出てくる。米国メジャースポーツでは，如何にして法律問題を回避して，自由競争を制限して利益を上げるかがテーマとなる。その意味では，法律問題が大きなテーマである。

このため，米国4大スポーツの球団関係者は，多かれ少なかれ選手等から独占禁止法違反訴訟の危険にさらされてきた。これは4大スポーツがリーグ戦形式を採用し，複数のチームの共存・協力していかなければリーグそのものが成り立たないことから生じる当然の結果である。これに対して，公式には1995年に設立された大リーグサッカー（MLS：Major League Soccer）は独占禁止法の適用を回避しうる仕組みを作り上げた。

神谷（2005）によれば，MLSの特徴は以下のとおりである。

(1) MLSは単一の有限会社により経営されている（単一事業体所有構造：Single-Entity Ownership/Single-Entity Structure）。
(2) 当該有限会社はすべてのチームを所有・支配している
(3) 出資者はリーグを監督・運営する取締役を選任する
(4) MLSは，同リーグでプレーする選手だけでなく，コーチ，ゼネラルマネージャー，その他のスタッフと契約を締結し，これらの人員を各チームに割り当てる[注1]
(5) MLSは各チーム間の力関係を均衡化させるために有力選手の各チームへの分配を決定する
(6) MLSは，入場料やテレビ局が支払う放映料を決定し，これらを一括して回収する
(7) これらの収益は各チームが負担する経費（選手の年俸，その他の人件費，施設使用料）の支払に充てられる
(8) 最終的に残った利益をMLSは各出資者に分配する
(9) 各チームが支払える経費および個人に対する年俸には限度額が定められている
(10) チームの運営権付の特殊の出資持ち分も存在する。運営権とは出資者が希

望したチームの総合的な管理（有力選手以外の選手の選択，監督・コーチの編成等）を意味するが，その分スタジアムの賃料，広告費等について一定の負担を求められる

　このように MLS は独占禁止法（シャーマン法1条）の適用を回避するために，各チームを単一事業者の傘下においたが，選手等から訴訟を受けている。4大スポーツに所属する各球団はそれぞれ異なるオーナーが，経済的にも，法人格的にも，他の球団とは独立しているため，全球団を総括して単一事業であると認定することは難しく，スポーツリーグを単一事業であると正面から認定した判例はない。

(注1) Foster（2006）では，オペレーター（チームの運営者）に，監督，フロント，コーチを雇い，選手のスカウト，ドラフト，移籍を行う権限があるとしている。P.51。

【参考文献】
神谷宗之介（2005）「スポーツ法」三省堂

2　リーグの共同生産（収益性）を守るための「単一事業体所有構造（Single-Entity Ownership）」と「クラブ所有権と収益の分配を別にするモデル（Distributed Club Ownership）」

　米国のチームスポーツは MLB のナショナルリーグから生まれた共通の遺産・構造を共有している。そして，個々のスポーツでは必要な部分については独自の規則を適用しているが，お互いにシステムを研究することで，他の地域では見られない米国的システムを作り上げている。

　大リーグサッカー（MLS）は1996年に最初のシーズンをスタートした。1994年ワールドカップ米国大会開催の条件として，1993年にワールドカップ米国大会の会長兼 CEO のローセンバーグが MLS の創設の発表を行い，スポンサー集め，選手集め，チーム募集，球団への投資家募集が始まった。

　MLS 開設の100年以上前に米国で最初のプロサッカーリーグが誕生した。それが American League of Professional Football であった。1894年1シーズンだけで終了してしまったが，その開設を行ったのが大リーグ野球ナショナルリーグのオーナーであった。その目的は，春季から秋季のシーズンである大リーグ野球のスタジアムを冬季の間有効活用することであった。まさにアメリカのスポーツは常にビジネスで考えられてきた証である。

　MLS のマイナーリーグとして，USISL（United Systems of Independent Soccer Leagues）と提携関係を締結した。1996年4月6日，サンホセのスタジアムでサンホセクラッシュがワシントン DC ユナイテッドを下した試合が MLS 最初の試合

第XIV章 大リーグ野球（MLB）と大リーグサッカー（MLS）

であった。10チームが東部地区と西部地区に分かれてスタートした。その後，リーグが拡大し，2017年5月現在アメリカ19チーム，カナダ3チームが，東部地区リーグ11チーム，西部地区リーグ11チームに別れて構成されている。過去の経験をもとに，MLSは常にリーグの生存と繁栄を念頭に組織的な決断を行ってきた。例えば，(1) スペイン系コミュニティを念頭にメキシコとの関係が強いシバス（2014年廃止。代わりにLAFC加入。2017年予定）(2) 若年層の人口増が急速なソルトレークシティ（3) 多文化で発展するトロント（カナダ）をリーグ拡大の中で参入させた。特徴的なことは，他国のサッカーリーグと異なり，MLSは他の米国・カナダのメジャーリーグスポーツ同様，昇格・降格制度を持たないことである。

　MLS誕生前にもいくつかのプロサッカーリーグが失敗をしたのに，MLSが成功した理由は，単一事業体所有構造（Single-Entity Ownership/Single-Entity Structure）を採用したことである。単一事業体所有構造とは，単一のグループ（または個人），機関投資家等がリーグとリーグに所属するチームを所有するビジネスモデルである。すなわちリーグの中央集権的構造（組織）が所属のすべてのチームと選手の契約を保持することである。これは選手の給与を抑制することで発生する独占禁止法違反（antitrust）や不当な取引制限を，単一事業体としてリーグを組織することによって回避しようとしたものである。この方式は訴訟になったが，リーグの主張が通ったのである（Fraser v. Major League Soccer[注2]）。本拠地（フランチャイズ）の所有者としてではなく，MLSの投資家として（オペレーター兼投資家），チームを運営し，マーケティングするのである。MLSがこの戦略を採用したのは，MLSの創設者がそうすることによって大都市と小都市のチーム間の格差をなくし，選手のサラリーを抑制し，商業上のパートナーに統合的なスポンサー契約とライセンスに関する契約を提供することができると考えたからである。MLSの採用したこの単一法人の考え方は，米国のプロスポーツにおける所有構造を急速に変えることとなった。そのエッセンスはNFL（アメリカンフットボール）によって開発された収入を各チームでシェアする考え方（収益シェアリング：第6章参照）をさらに一歩進めるものであった[注3]。すなわちMLSは他のスポーツであれば，本拠地球団が本来的には行う責任業務をリーグで取り込んでいる。例えば，リーグは選手を勧誘し，契約し，そして給与を支払う。そうすることで，チーム間の競争均衡が可能となった。最初のシーズンでは，20人のロースター（公式戦に出場できる資格を持つ選手枠）に113万ドルのサラリーキャップ（給与総額上限）を設定し，トップ選手を同等に各チームに配分した。MLSは選手の旅費も工面した。例えば1994年ワールドカップ米国代表選手を各チームに最低1名配分した。MLSは積極的にマーケティングを行い，AT&T，ケロッグ，ナイキ等大手企業から全国契約を獲得した。

これらの契約はスポンサーに対して各チームとそのスタジアムへの出入りを認めるものであった。この枠組みでは，個々のチームというよりリーグが選手と直接的に契約関係を締結することによって，支出や人件費を抑制し，収入をシェアし，チーム間の均衡を促進し，選手の露出を最大化することができる。この中央集権システムこそがリーグを生存させ発展させる現実的な規則を設定している。

例えば，現在各チームに割り当てられるフルロースターは18選手に，予備登録の選手は最大10選手である。そのうち最大4名のシニア代表選手選手（25歳を超える年齢）と3名のユースの代表（25歳以下）が認められている。このシステムによって，元イングランド代表デビッド・ベッカムのような国際的に有名なスター選手を獲得できる一方，欧州からの選手の隠居リーグにならないように設計されている。さらにMLSから何名かの米国人選手が有名な欧州リーグのチームと契約するなど，米国人若手プレイヤーにとって，飛躍の場所とみなされてきている。

このように，単一事業体所有構造は，個々のチームには限定されたインセンティブしか与えない構造である。あくまでリーグの生存と発展に重点がある。これは中央集権的組織では不可避な点である。したがって，圧倒的なリーグ成績を残す強いチームや独自のマーケティングを駆使して売上を伸ばしたいチームには不満が残る弱点がある。Zimbalist（2006）によれば，このモデルの問題点は，第一に世界的な選手で，MLSでプレーしたい選手はめったに現われないこと，第二に米国のメジャーリーグスポーツでは，熱狂的なファンに支えられていることが多く，リーグ戦やメジャートーナメントが終了した直後から，ドラフト，監督人事，移籍等の話題でストーブリーグが開始する。これらが単一事業体構造では，盛り上がらないという基本的な問題があるとしている[注4]。

米国のプロサッカーは世界の主要なプロリーグのステータスには達していないが，MLSの組織構造は今後長くMLSの生存と発展の確固とした基礎となるであろう。勿論，米国・カナダの中で他メジャーリーグスポーツに伍すまでに発展し，人々から尊敬を集めることは難しいと思われるが，MLSのビジネスモデルは，ビジネス的見地から運営されていないサッカークラブが多い中で，プロサッカークラブやリーグの運営に大きな参考となると思われる。

3　MLSの新たな展開と課題

MLSは設立以来試行錯誤を行っているが，最近で最も目立つ変化は，2006年11月の指定選手規則（the Designated Player Rule）の導入である。この規則によって，MLSは各チームの給与総額を超える給与を選手に払うことができるようになった。指定を受けない選手とは異なり，40万ドル（33万5,000ドル（2010年現在））

を超える指定選手の費用はリーグではなく各チーム（リーグのオペレーター兼投資家）の財務上の責任となる。この規則の導入によって，2007年1月に元イングランド代表デビッド・ベッカムがリーグと契約した。ベッカムの給与は5年総額2億5,000万ドル（250億円@Y100）であり（給与，収入シェアリング，エンドースメント，ライセンス含む），ロスアンジェルス・ギャラクシーでプレーすることになった。この規則の導入は，MLSへ有名選手を呼び込む良い策であるが，一方では独占禁止法への対応を難しくするものである。独占禁止法に基づく訴訟リスクは設立以来12年間（2006年現在）一度も利益を計上していないリーグにとっては重荷になる。この指定選手規則に表されているように，MLSは単一事業体所有構造（Single-Entity ownership）というより，ジョイントベンチャーといえる構造である。今後とも独占禁止法の関係で訴訟が提起される可能性が十分ある。米国内でサッカーブームを牽引し，確固たるファンの基盤を確立したMLSが今後どうリーグの舵を切っていくのか，その動向次第では他のメジャースポーツへの影響も懸念される。要注目である。

注2：Fraser v. Major League Soccer（スポーツ事業における単一事業者の抗弁（MLSの挑戦））MLSの規則には，選手は各球団と雇用契約を締結するのではなく，一括してリーグが選手を採用し，かつ，選手の年俸にも限度額が設定されていた。そこでフレイザー（Fraser）選手らが独占禁止法関連法規違反を主張した。これに対して，MLSは，同リーグが単一の組織によって運営されている以上，複数の事業者の存在を当然の前提とする「共謀（2人以上の者による，不法な行為を行う，または適法な行為を不法な方法で行う合意）」は存在しえず，独占禁止法違反は成立しえないと反論した。マサチューセッツ地区連邦地方裁判所は，MLSのオーナーらは単一の事業主であって，独占禁止法が予定する「共謀」は二つ以上の事業主であって，二つ以上の事業主が関与していない以上，同違反は成立しえないと訴えを却下した。

注3：（クラブ所有権と収益の分配を別にするモデル：Distributed Club Ownership）：北米プロスポーツで採用されているリーグ組織構造である。単一事業体所有構造と並み，リーグの所有構造モデルで，米国の4大スポーツ（MLB野球,NBAバスケットボール，NFLアメリカンフットボール，NHLアイスホッケー）で採用されている所有構造である。このモデルでは，個々のクラブが自クラブ自体の所有者を持つが，リーグとしては閉鎖（closed）システムを採用し，新規参入チームやオーナー変更の場合には，既存の会員クラブの承認を要する等，クラブの集まりである評議会で決定されている。このモデルでは，リーグの収入は個別クラブに属する収入と，リーグの収入に分別される。その上で，リーグの収入は各クラブに均等に配分（distribute）されることになっている。各クラブは自クラブの所有構造を変えることができるし，現に変えている。しかし2012年MLBのロスアンジェルス・ドジャースが大リーグ史上最高の20億ドル（2000億円@100）で投

資家グループに売却されたことは記憶に新しい。

　この中でNFLは他の大リーグスポーツ同様，独立した法人であるが，加盟クラブに代わり，種々のビジネスから収入を集金し，それを各クラブに経費控除後の金額を配分する方式をとっている。参考文献 Foster（2006）p.27．

注4：Zimbalist, A.（2006）pp.445-446

【参考文献】

Rosner, S. R., et al, (2011) The Business of Sports Second edition, Jones&Bartlett Learning

Foster, G., et al (2006) The Business of Sports, Text&Cases on Strategy&Management,Thomson South-Western pp.26-28, pp.48-57

Hamil, S. et al (2010) Managing Football an International Perspective, Elsvier pp.359-362

http://www.mlssoccer.com/standings　2014/11/29

http://www.forbes.com/sites/kurtbadenhausen/2012/11/30/david-beckham-departs-mls-after-earning-255-million/#33afce404da5　2017/08/16

Deloitte (2014) Annual Review of Football Finance, Sports Business Group June 2014,Databook p.13

田中英夫編（1991）「英米法辞典」東京大学出版会

MLS Press Box　http：//pressbox.mlssoccer.com/content/about-major-league-soccer 2015/02/04

原田宗彦他（2008）「スポーツマネジメント」大修館書店，pp.149-150

Zimbalist, A. (2006) Organisational models of professional sports leagues,in Handbook on the Economics of Sport, edited by Andreff, W. et al (2006), pp.445-446

第XV章　サッカーに遅れること100年，プロラグビーの経営学

1　巨大ビジネスと化した世界のプロスポーツの競争
　　―最後にバスに乗ったラグビー―

　19世紀半ばまで，ラグビーはサッカーと並び「フットボール」として，イングランドで愛されてきた。プレー規則をめぐり二つのスポーツは袂を別った。ともにエリートのスポーツとして始まったが，サッカーは労働者階級のスポーツへ，それを嫌った上中流階級はラグビーに移っていった。その結果，ラグビーは，アマチュアリズムに頑なに執着したことがプロ化へ遅れをとった原因であった。サッカーのプロ化に遅れること100年，ラグビー（ユニオン）がスポーツのプロ化，グローバル化の波から人気面で取り残される中で，ようやくプロ化したのは1995年であった。

　2015年のラグビーワールドカップ・イングランド大会での日本代表の活躍は記憶に新しい。2019年日本大会に向けて，人々のラグビーに対する興味が増大してきている。しかし，日本のみならず欧米でもラグビーの書籍はプレーやコーチング，個別クラブ，プレイヤーに関するものがほとんどで，ラグビーの歴史・制度を経営学的に分析した文献はほとんどないのが実情である。そこでラグビーの歴史的展開と，グローバル化，プロ化の中でのプロラグビーを経営学的視点で考えてみたい。

　なお，本章でいうラグビーとはワールドカップでもプレーされている15人制のラグビー（ラグビー・ユニオン。以降「ユニオン」と呼ぶ）を指す。

2　ラグビーの歴史：フットボールから分かれたラグビーとサッカー

　ラグビー伝説では，1823年英国パブリックスクールのラグビー校（Rugby School）でエリス少年（William Webb Ellis）がサッカールールを無視してボールを手で持ち走ったことがラグビーの始まりとされている（[1]p.11，さらに2015年ラグビーワールドカップの開会式のスタジアムでの映像でもそのように紹介されていた）。

　サッカー同様ラグビーも産業革命以前の英国で庶民が楽しんでいたフットボール（folklore football）のバリエーションの中から生まれた（現代サッカーやラグビーと似たゲームは2000年以上前から存在した。規則はほとんど存在せず，プレイヤーの人数も決まっていなかった。[2]p.12）。エリスの伝説の真偽は不明であるが，エリート校であるラグビー校で規則が作成され（1845年），そしてラグビー校出身者が進学したオックスフォード大学，ケンブリッジ大学，そして彼らが就いた高度専門職層や世

第1部　基礎編

界に広がっていった。その過程でクリケットとラグビーは大英帝国の植民地へと輸出されていったのである（[1]1. pp.11-13）。

その中でラグビー校規則を受け入れなかった地域では、オーストラリアで「オーストラリアン・フットボール」（18人制、クリケット場でプレーする。）、米国では「アメリカン・フットボール」がラグビー（ユニオン）から枝分かれして（[3]p.52）別のスポーツとして成長していった。

1850年代後半から1860年代にイングランドには多くのフットボールクラブが設立されたが、標準的な規則の統合に苦心していた。クラブの代表者は1863年に集中的な議論を行った。その結果、1863年12月に現在のイングランドサッカーの母体となるFA（Football Association：サッカー協会）が創設された。それに対してリッチモンド等のクラブが、ボールを持って走ることやボールを奪うことを禁止したFA規則に反発し、1871年1月にRugby Football Union（RFU）を創設した。ここにフットボールがサッカーとラグビーに分かれたのである（[2]pp.12-14）。

エリートのスポーツとして生まれたラグビーも、やがてイングランド北部の労働者中心に拡大していった。しかし、アマチュアスポーツとしてプレーしていたエリートに対して、労働者はプレーするためには仕事を休む必要も出てきた。そこで休業補償をRFUに求めたが、プロ化に反対するユニオンに認められなかったために、1895年北部ユニオン（後年のラグビーフットボールリーグ）がユニオンから分かれ誕

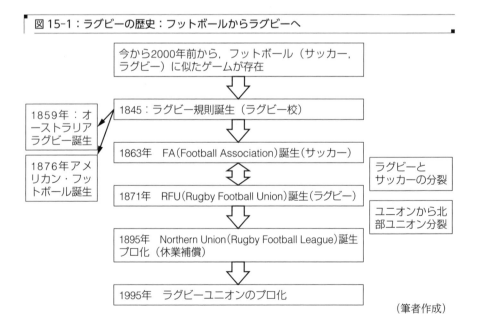

図15-1：ラグビーの歴史：フットボールからラグビーへ

（筆者作成）

第XV章　サッカーに遅れること100年，プロラグビーの経営学

生した。ここに，アマチュアのラグビー・ユニオンとプロのラグビー・リーグが分かれたのである。

3　ラグビーの組織（[4]pp.105-111，150-151）

　ラグビーはクリケットと同様，「エリートのスポーツ」として始まった経緯があるので，諸取決めが創設8か国（Foundation Union：イングランド，スコットランド，アイルランド，ウエールズ，豪，NZ，南アフリカ，フランス）の特権に配慮したものになっているのは先に述べたとおりである（今回のイングランド大会でも，有力国に有利な試合日程に設定されていると言われている（井上俊也　[5]pp.83-103））。

　1990年代以降，メジャースポーツがTVを意識して世界的な普及（globalization）を目指す中で，ラグビーはクリケットよりは普及に熱心であったもののグローバル化，プロ化では同根のサッカーに100年遅れた。長年アマチュアでやってきたスポーツであったので，国際統合団体であるIRB（International Rugby Board。2014年「World Rugby ワールドラグビー」に改称）は，当初運営能力もアマチュアの域をでなかった。その結果，初めてのワールドカップは1987年にニュージーランドで開催されたが[注1]，スポーツの祭典として，またメディアへの露出の点では成功であったものの，財政的には失敗であった。

（注1）　サッカーの第1回ワールドカップが開催されたのは，1930年ウルグアイ大会であった。

　またライバルのラグビー・リーグの第1回ワールドカップが開催されたのは，1954年フランス大会であった[13]。そこでIRBはワールドカップの成功をめざし，組織変革を行った。一つはワールドカップの広報を担当するRugby World Cup Ltd（RWC）をタックスヘイブン（35%所得税免除）のマン島に設立し，商業面を担当するRugby World Cup BVをオランダに設立した。その結果，1991年のワールドカップはスポーツ面・財政面の両面で成功をおさめ，世界的なスポーツイベントの地位に確立した（[6]p.576）。その後も成長は著しく，2015年イングランド大会では観客動員数は222万人（推計）に達し，世界メジャースポーツの単独イベントでは史上5位（1～4位はサッカーFIFAワールドカップ大会）となる（[5]p.7）と同時に，図15-2の通り，資金余剰1億5,000万ポンド（210億円＠140円）に達した。

　ワールドラグビーの最高意思決定機関は評議会（Council）であり，その下で執行機関として執行委員会（Executive Committee）が会社（IRFB Services（Ireland）Limited）経由，組織運営を実施している。評議会の委員の構成は，創設国8か国

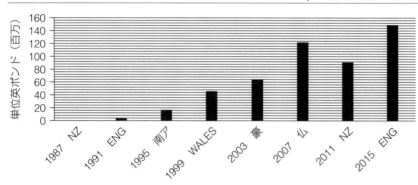

図 15-2：ラグビーワールドカップ大会における資金余剰（[8] p.96）

各2名，アルゼンチン，カナダ，イタリア，日本各1名，6地域連盟（アジア，アフリカ，ヨーロッパ，太平洋，南アメリカ，北米・カリブ）各1名となっている。各委員に1票ずつの議決権が与えられるので，26票中，16票が創設国に付与されている（[9]，p27，p.43）。創設国優遇と言われる所以である。

ワールドラグビーは現在，102か国のユニオンが加盟し（準加盟が18か国），参加プレイヤーの数は2007年の260万人から2014年には723万人と急拡大している（[5]p.57）。ユニオンは，1部（tier1）は10か国で構成される。うち6か国は北半球で，イングランド，ウエールズ，スコットランド，アイルランド：英国の北アイルランドとアイルランド共和国の連合，フランス，イタリア）南半球4か国（NZ，オーストラリア，南アフリカ，アルゼンチン）。日本はアメリカ等と並び2部（tier2）に属している。

国際試合（Internationals）としてはワールドカップが最大イベントであるが，北半球は6か国対抗（6 Nations）を開催，南半球は Rugby Championship を開催（NZ/オーストラリア/南アフリカ/アルゼンチン）している。さらに NZ/オーストラリア/南アフリカで組織された会社 SANZAR が「スーパーラグビー（NZ/オーストラリア/南アフリカ/アルゼンチン/日本）」をリーグ運営する。日本がスーパーラグビーに参加を決めた重要な要素は，2019年ラグビーワールドカップ日本大会開催を見据えて，日本代表の強化のために強力なプロクラブと常時対戦する必要があったからである。その際に，北半球の日本国内のトップリーグと日本のサンウルブズ（南半球のスーパーラグビー参加）のシーズンの日程が重ならないことがスーパーラグビー参加の決め手であった。

ワールドラグビー（ユニオン）は今後の発展のためには，ラグビーの世界的な普及が必須と考えてワールドカップ開催や7人制ラグビー（Sevens）を開催している（7人制は1883年から存在。スコットランドが発祥の地）。ワールドカップ開催が遅れたのは，ラグビー創設国が新興国に負けることを懸念したことで，むしろ折り合いがつく7人制を普及させることに重点を置いたからである。その意味で7人制ラグビーがオリンピックに採用されたのは大成功であった（2016年リオ・オリンピック）。2012年現在でもIRBの売り上げの18％が7人制であるなどと重要性が増している。そもそも15人制のユニオンでは体力消耗が激しく，短期間に実施されるオリンピック種目には不適である。その点7人制はプレー時間が前半7分，後半7分の14分（ユニオンは前後半合計80分）であり，一日で何回もプレーできる（決勝戦だけ前後半各10分の20分）。オリンピック種目に採用になると各国政府の巨額の資金がオリンピック組織委員会経由で競技に投入されるし，オリンピックというブランドが付加されるので，従来ラグビーが普及していなかった米国，ロシア，中国等でも人気が出てきた。アメリカでは，現在5チームによるリーグ戦があるが，正式には2018年に9チームで「メジャーリーグラグビー」の商標でスタートすると報道されている（Americas Rugby News 2/13/2017）。オリンピック採用の条件として，女子種目も必要とされたために1991年に第1回女子ラグビーワールドカップを開催した。メジャー競技へと着々と歩みを進めていたのである。ただ現状は，例えばオーストラリアではユニオンはプロスポーツの中でオーストラリアン・フットボール（18人制），ラグビーリーグ（13人制）につぐ3位のスポーツで決して目立った存在ではない。スポーツ間での競合は激しい。

4．組織運営

(1) ファンの興味を増大させるために，どのスポーツでも「競争力均衡（Competitive balance）」が重要である

　国の代表試合（ワールドカップ，6か国対抗，ラグビーチャンピオンシップ）では競争力均衡（クラブ間の競争力のバランスをとること）を求めることは難しい。ワールドラグビー第8条[9]の現行規則で選手は自国か両親の国，又は祖父母の国の選択権がある，又は3年以上継続的にその国に居住している場合にその国を代表することができるが，1か国を選択した場合，他の国の代表を後で選ぶことはできない。しかし二重国籍を持つ選手が稀ではなく，また代表とみなされる第二チームに選ばれた場合には代表する国がその時点で決定するが，その定義がはっきりしないなどの問題がある。その中で，下位リーグの国に有利なように，上位リーグの国の代表が下位リーグ国の代表になれれば，僅差でもっと興奮を呼ぶ試合となるとの議論はあ

る。

　代表試合とは異なり，国内プロリーグでは，種々の競争力均衡メカニズムが活用されている。ニュージーランドの州代表のリーグでは，クラブ間の選手移籍の規則，収益シェアリング[注2]，及び昇格・降格制度が用いられている。

　イングランドのクラブリーグ（プレミア）では，サラリーキャップ[注3]，テレビ収入シェアリング，昇格・降格制度が活用されている。昇格・降格制度採用に際しては，イングランドのプレミアクラブがカルテル[注4]を組織して，昇格・降格制度が実施されないように談合したと公正取引委員会が調査に入った経緯がある。プロサッカーリーグの経験によれば，昇格・降格制度の存在が，リーグの魅力を盛り上げる一方，クラブ経営の不安定さを生み出す原因ともなっている。クラブ側が昇格・降格制度に反対するのは当然である。現状は，北半球のリーグ，特にフランスとイングランドのリーグは報酬が高いので，これらのリーグへ頻繁に選手が移動する。プロサッカーと同じ状況が存在している。ここでもリーグは活況を呈するが，個々のクラブは経営が難しい。すでにイングランドのプレミア（1部）では，倒産（administration）したクラブも出てきている。

　競争力均衡はスポーツリーグを組織する場合に議論が集中する。しかし競争力均衡は観客の興味を刺激する唯一の方法ではない。あえてハンデをつけて不公平な競争状態を作り，観客の興味を呼ぶ方法もある。

(注2)　収益シェアリング：米国メジャースポーツ，ニュージーランド，オーストラリアで採用されている。リーグでの収益をプールしてそれを再分配する形式が多い。下位クラブのモラルハザード（努力しないで補助金を当てにする）を惹起する可能性はあるが，弱小クラブの財政危機を回避し，リーグの存続を維持できる（[10]p.67）。

(注3)　サラリーキャップ：チームの支払給与総額に設ける制限金額のことである。典型的には，選手のために準備する金額の総額は，リーグの収益の固定割合に抑えられ，各チームは最低給与と最高給与の範囲内で支払う（[11]p.53-54）

(注4)　カルテル（競争者の間で協定を結び，競争行動を回避する等で価格の維持，引上げ等を行うこと）：米国のメジャーリーグスポーツに端を発する。リーグの各チームは主たる目的は競争によって勝利することであるが，チーム間の格差をなくすことでリーグが長期的な安定をもたらし，各チームの利益にもなると理解する（[10]p.57）。

(2) ハンデをつけた不公平な競争をあえて創造する

　競馬におけるハンデのように不公平な競争を作ることで観客の興奮を呼ぶことができる。南半球のスーパーラグビーのようにボーナスポイント制を採用することで，「攻撃を奨励するラグビー」を目指している。具体的には，勝利：4ポイント，引

き分け：2 ポイント，敗北：0 ポイント，ボーナスポイント：4 トライ以上に 1 ポイント，敗者であっても勝者との得点差が 7 点以下であれば 1 ポイントを付与する。この結果，低スコアの試合では，勝者に 4 ポイント，敗者には零ポイントが発生するが，高得点の試合では，勝者には最大 5 ポイント，敗者には 2 ポイントが与えられる可能性がある（Super Rugby Rules）[注5]。ワールドカップも同様のボーナスポイント制を採用している。

(注5) 例として，
 ① 勝者：25 点（5 トライ）敗者 20 点（4 トライ）の試合：
  勝者：4（勝利ポイント）+1（4 トライ以上）=5 ポイント，敗者：1 ポイント（4 トライ以上）+1 ポイント（得点差 7 点以下）=2 ポイント
 ② 勝者：10 点（2 トライ），敗者 0 点（ノートライ）の試合：
  勝者：4 ポイント（勝利ポイントのみ），敗者：0 ポイント（ボーナスポイントなし）＊計算の単純化のためにトライだけで計算。ゴール（7 点：トライ＋ゴール），ペナルティゴール（3 点）は考慮に入れていない。

伝統の 6 カ国対抗（6 Nations）では，勝利チームには勝点 2 が与えられ，引き分けで勝点 1，負けは勝点 0 だった。しかし 2017 年からは，勝利すれば勝点 4，引き分けは勝点 2 となり，勝ち負けにかかわらず，1 試合で 4 トライ以上すればボーナスポイント 1 点，7 点差以内の敗戦でもボーナスポイント 1 点が与えられる。すなわち，南半球のスーパーラグビーと同じシステムを採用することを決めている[12]。さらに，ボーナスポイントをフルに獲得した 1 敗チームが全勝チームの総勝点を上回ることも考えられるため，グランドスラム（5 戦全勝）を達成したチームにはさらに追加で勝点 3 が与えられることになった。6 カ国対抗は北半球の伝統強豪国（イングランド，スコットランド，ウエールズ，フランス，イタリア）で争われる国別対抗である。毎年行われるプロスポーツトーナメントの中で，平均観客動員数は最大（2012 年では 68,995 人）を誇っている[13]が，それでもスポーツ間の競争を勝ち抜くために，ルールを改正して攻撃ラグビーを志向しているのである。

(3) 強力なリーダーシップをとる人材をビジネス界から招聘する

エリート主義，アマチュア主義に固執してきたユニオンも，スポーツ間の競争に勝たなければ，放映権を始めとするビジネス面で劣後し，それがユニオンの発展を阻害しかねないと，組織のリーダーに経営のプロフェッショナルを招聘している。ワールドラグビーのトップである CEO（Brett Gosper）は広告宣伝のプロフェッショナルであり，イングランドのラグビー協会 RFU（Rugby Football Union）の

トップの CEO (Ian Ritchie) に至っては，スポーツビジネスのプロとしての定評があり，2011 年に RFU に移籍する前は，ウインブルドン全英テニス (The All England Lawn & Croquet Club) の CEO で辣腕を振るっていた。そのスポーツの名選手や経験者が経営のトップになっていることが多い日本の状況とは大きく異なる。2015 Rugby World Cup England で開催国のイングランドは予選リーグで敗退したが，前述の通り，イングランド大会は商業的には史上最高の成績を達成した。そのために Ritchie は解雇されるどころか，10 万ポンド昇給して年俸は 70 万ポンド（約 1 億円@140 円）になった。ワールドカップの後，彼は商業面のみならず，競技面でも指導力を発揮してイングランドの強化を推進し，敢えてオーストラリア人であるエディー・ジョーンズ（ワールドカップイングランド大会日本代表監督）をリクルートした。その効果もあってか，イングランドは破竹の勢いで 6 カ国対抗グランドスラムを達成した，2003 年以来の快挙であった。Ritchie はイングランドに欠けているのはコーチの国際経験であると外国人を監督に登用した理由を挙げている [14]。ラグビーの母国にして強豪国であるイングランドがそこまで思い切った動きをしたことは驚きをもって迎えられた。ここでも組織のトップが経営戦略の考え方でドメインを策定し，自らの経営資源の弱みをコーチの国際経験と判断し，それを補充する戦略（それによって新たな強みとすること）をとったことが効を奏したのである。トップの戦略，そしてそれに基づいた補強がないかぎり，激化する一方の競争に勝つことは難しい。勝たなくてもいいとの議論もあろうが，勝たなければそのスポーツが衰退することになる懸念があろう。

【参考文献】

[1] Harris (2010) Rugby Union and Globalization, Palgrave MacMillan
[2] Donald Sommerville (1997), The Encyclopedia of Rugby Union, Aurum Press
[3] 種子田穣（2002）「史上最も成功したスポーツビジネス」毎日新聞社
[4] Byers, T et al (2016) "Contemporary Issues in Sport Management-Critical Introduction" SAGE
[5] 早稲田大学スポーツナレッジ研究会（編）（2016）「スポーツ・ファン・マネジメント」創文企画
[6] Andreff, W. et al (2006) Handbook on the Economics of Sport, Edward Elgar
[7] Ernst & Young LLP [2015] The economic impact of Rugby World Cup 2015
[8] World Rugby (2015) Year in Review
[9] World Rugby Handbook, pp.156–173 updated 3 Jan. 2017
[10] Stewart, B. (2007) Sport funding and finance, Butterworth-Heinemann, pp.56–

68
[11] 西崎信男（2015）「スポーツマネジメント入門～プロ野球とプロサッカーの経営学～」税務経理協会
[12] RBS Six Nations HP：http://www.rbs6nations.com/en/home.php#ihqUBUBoXrk1KFmi.97
[13] Steen, R (2015) Floodlights and Touchlines-A History of Spectator Sport, Bloomsbury Sport, p.279
[14] Daily Telegraph 2016/10/15　http://www.telegraph.co.uk/rugby-union/2016/10/15/rfu-chief-executive-ian-ritchie-received-100k-bonus-in-year-of-e/

　本章は日本経営診断学会第49回全国大会予稿集，西崎信男（2016）「プロフェッショナル・ラグビーの経営学，その成長への組織と戦略」pp.171-174に加除修正を加えたものである。

第XVI章 まとめ：スポーツマネジメントにおける課題と将来展望

1 まとめ

　第1部第1章ではスポーツマネジメントとは何かを論じた。そこでは，日本のプロスポーツが企業スポーツを中心として発展してきた歴史をたどった。その中で企業がスポンサーとなるプロ野球が戦後の荒廃期の人々の心を明るくしたのは確かである。それが故に本格的なプロスポーツへの脱皮することなく，いまだに企業スポーツ的な扱いの枠にとどまっているのも事実である。しかし，少子高齢化，グローバル化，経済成熟化，情報化の進展等のスポーツを取り巻く外部環境が大きく変化しつつある。

　プラスの面（機会）として，経済成長だけを追ってきた日本（日本人）も，これからは生活の質を求め，人生を楽しむ志向が生まれてきており，それが健康志向，余暇志向につながっている。その消費者ニーズに適合するのが，まさにスポーツである。それが故に，日本全国でスポーツに対するニーズが高まり，スポーツに関係する学部学科が設立されてきている。しかし国も地方公共団体も資金的な問題を抱えている。そこでアマチュアも含めてスポーツを支えることを期待されるのがプロスポーツである。そのためには，プロスポーツが社会的に存在理由をもつ，すなわち利益を生むことが必要である。企業経営ができていなければならないのである。

　マイナスの面（脅威）としては，ライバルとの競争（競合）がある。日本国内でも同じスポーツ内での競争だけでなく，他のスポーツとの競争が生まれてきている。例えば，日本ではプロ野球が競技人口も含めて日本で一番人気のあるスポーツであったが，1990年代に入りJリーグの誕生とともに，サッカーとの競合が生まれ，試合入場者数から判断すると人気がサッカーに流れているのが見える。またグローバル化，情報化の進展により，世界的に人気の高いMLBや英国プレミアリーグサッカーが同時中継で見られる時代に突入した。少子高齢化は別の観点からすれば顧客の減少である。少なくなる顧客をめぐって，世界中の同じスポーツの中だけでなく，他のスポーツとの競合，いやそれどころかドメイン（生存領域）を「スポーツ」ではなく「エンターテインメント」で捉えれば，ディズニーランドをはじめとするテーマパークとも競合することになる。そうなるとスポーツをスポーツとしてだけで考えるのではなく，エンターテインメントとして企業経営の観点から，経営学的な分析が必要になってくるのである。

　スポーツを経営学的に捉える場合に，まず考えなければいけないのが，「サービ

第XII章 まとめ：スポーツマネジメントにおける課題と将来展望

ス」という観点である。どこの分野でも供給過剰で，モノ（サービス）が売れない時代に我々は生きていることを認識しなければならない。モノに比べて目に見えないサービスを消費者に選んでもらうためには，消費者の最大満足をいかに獲得するかがポイントとなる。それを可能にするのがまさに売り手の従業員と顧客との双方向マーケティング（コミュニケーション）である。ここで従業員が良いサービスをするには，今度は従業員自身が満足していることが前提条件となる。従業員の満足なくしては顧客の満足が得られないのである。そこで，企業の課題は従業員の満足を得るために，教育研修，福利厚生等の従業員対策（内部マーケティング）を充実させることである。

サービスを理解した後で，スポーツ組織（球団・クラブ）をいかに運営していくのか，経営学的な分析ツールを学ぶ必要がある。まず本書では経営学の流れの概略を解説している。経営学と経済学との相違点，経営学発展の歴史，そして経営学の中心部分である経営組織論と経営戦略論のポイントを説明している。経済学でミクロ経済学とマクロ経済学が融合してきているのと同じように，経営学の世界でも組織論と戦略論は相互に影響し合って発展しているのである。

その大きな流れを踏まえた上で，スポーツを経営学的に理解するための分析ツールを紹介している。まずは有名なSWOT分析の方法・流れ，その分析を行う際にまず外部環境の業界分析を行うツールとしてポジショニング・マップを学ぶ。ポジショニング・マップは今や汎用ツール化して新聞・雑誌でもマップを活用した記事を見かける。本書ではポジショニング・マップの書き方にまで及んでいる。そして企業の方向性を策定するためのアンゾフの成長ベクトルの使い方，作成方法について説明している。現代は組織の時代といわれているとおり，消費者ニーズの複雑化・多様化，グローバル化の中で企業が生存していくためには，事業（製品・サービス）の多角化は不可避である。多角化する際に検討しなければならないのは，第8章のおカネで取り扱ったように，キャッシュフロー（現金の動き）である。希少な現金をいかに有効活用して多角化を行うのか，それを分析するツールがPPMである。こちらも作成方法にまで説明が及んでいる。いずれも極力，スポーツビジネスの例を使用して，理論と実践の融合をめざし，初心者にもわかりやすい工夫を試みている。

その後の章からは企業の活用できる内部経営資源（ヒト，モノ，カネ）の切り口で，スポーツビジネスを解説している。最初に扱ったのは「カネ（財務面）」の分析である。企業が保有する経営資源はどれも経営にとって重要なものばかりである。その中で「おカネ」だけはほかの経営資源とは大きな違いがあることを認識することがスタートとなる。お金がなくなれば，如何に優秀な企業でも倒産するのである。ス

第1部　基礎編

ポーツに関わる人々のみならず，金融にいる人間ですら，おカネの動きを理解することは難しい。逆に言えば，財務がわかれば，強みとなるのである。ここでは，資金調達の基本知識を学んだあと，スポーツビジネス，特にプロサッカーの実務でのお金の動きを解説している。スポーツビジネスはそのイメージ（①国際性：情報化の進展によって地域的な商品から国際的な商品となったこと，②強さ：勝負を賭けて心身ともに鍛えること，③規則遵守：ルールを遵守してプレーする等）が評価されて，スポンサー，放映権，広告と人気コンテンツとなり巨額の資金が動くビジネスとなっている。日本のスポーツビジネスよりはるかに高額の資金が動く，米国4大スポーツ，欧州サッカーでは，選手の契約交渉の問題を助けるために代理人ビジネスも大きくなっている。契約交渉のプロである球団・クラブと交渉するのは契約交渉に疎い選手である。そこで，選手の交渉をアシストする代理人ビジネスが大きくなってきた。法律問題が絡むために，代理人ビジネスへも弁護士が参入するなど，どのビジネスも競争（競合）がキーワードとなっている。

　お金をめぐる問題で最大の問題は「倒産」の問題である。倒産の可能性（確率）を調べるのが財務分野の安全性の手法である。世界的な人気スポーツを挙げるとまずサッカーが来る，野球はメジャーとはいえないのは事実である。しかし世界的な人気を博し入場者数，テレビ視聴者数も圧倒的に多いサッカーは，実は経営的にはリスクが高く難しいビジネスである。それに対して，野球は独占のビジネスで収益的にも安定しているビジネスである。その理由は，ビジネスモデルの違いから発生するものである。すなわちサッカーは昇格・降格がシステム化されているオープンスポーツ（自由競争）であるのに対して，野球は昇格・降格が存在しないクローズド・スポーツ（独占のスポーツで，競争がない）である違いがある。どの業界でも競争が激しければ利益を上げることどころか，生存すら危ぶまれるケースもある。まさにサッカーと野球の状況がそれに当てはまる。サッカーでは昇格・降格によって売上高変動が激しい。したがって昇格を狙う，又は降格を避けるために各クラブは積極的に高給プレイヤー獲得に資金を投入する。その結果，高い売上高人件費率に見られるように，経営の脆弱性につながっている。プロ野球にはその心配はないはずである。しかし，日本のプロ野球は利益を上げている球団は多くはないといわれている。独占の業界で利益が上がらない，そうであればプロ野球がまさにビジネスとして運営されていない証左であろう。これからは，サッカーに限らず，野球もグローバル化，情報化の中で，世界的な競争の渦に巻き込まれる。好むと好まざるにかかわらず，消費者ニーズに適合してリーグやクラブ・球団を運営するスポーツマネジメントの重要性がますます高まると思われる。

　次に経営資源の中のモノを扱っている。スポーツの世界でモノというと最初に挙

第XI章　まとめ：スポーツマネジメントにおける課題と将来展望

げられるのがスタジアムである。スタジアムは「ショー（試合）」の舞台である。サービス業たるスポーツでは，サービス（プレー）を可視化するスタジアムの重要性は最大のものである。米国のメジャースポーツでは，大リーグ野球が独占禁止法の適用除外で恩恵を受ける最たるスポーツであるが，他からの新規参入を防ぐシステムを活用して，常に自ら提供するスポーツを「希少財」とする戦略を採用している。米国では，生き残りのために地方公共団体も競争が激しい。自らの地域を活性化するためのツールとしてメジャースポーツのフランチャイズ（本拠地：地域独占）の誘致合戦を行う。したがって，経済学的に見ると，商品（球団）の供給（数）よりも，需要（誘致する地方自治体の数）が多い状況を業界（リーグ）として作り出しているのである。したがって，何百億円も建設費がかかるスタジアムを誘致する地方自治体に負担させる交渉を行い，成功してきている。日本では高額な使用料を支払って，スタジアムを借りて本拠地としている球団があるが，経営的に自立することは最初から無理であるのは当然である。米国と日本では，プロ野球のビジネスモデル，特に「リーグ」として業界をどうまとめてリードしていくのかで考え方に大きなギャップがある。

　プロ野球からプロサッカーに目を転じると，サッカーでもスタジアムの重要性は大きい。きっかけとなったのが1989年に発生したヒルスバラ事件であり，スタジアムの不備からサポーターが96人死亡した事件がスタジアムに対する考えを根本的に変えることになった。それまで，サッカークラブの経営は，勝利第一が経営目標であったため，資金がかかるスタジアム整備は後回しになっており，英国のスタジアム設備のひどさは目に余るものであった。すなわちクラブは，サポーターをただの「カネづる」としてみており，安全対策すら考えられていなかったのである。そこで民事不介入の英国政府もスタジアム改装に資金的な支援を行う（サッカー賭博活用）などしたため，クラブは続々とスタジアムを一新したのである。これがスポーツチャネルの拡大，イングランドのワールドカップでの活躍，プレミアリーグ創設もあって，プロサッカーは英国で一躍巨大プロスポーツビジネスになった。このように英国でもサッカーがサービス業として認知されてきたのは，1990年代以降である。

　マンチェスター・ユナイテッド等プレミアリーグクラブに見られる巨大スポーツビジネスとなったプロサッカーであるが，イングランド（ウエールズ含む）のFA所属92クラブの大多数は地方の中小クラブである。それらのスポーツクラブも，規模は小さいが，その地域にあっては大変な人気を博しており，地域の宝（treasure）となっている。しかし，その経営を支えることは難しい。そこでサポーターがクラブを支える組織（「トラスト」という名称の相互会社）を創設し，その組織を活用して

第1部 基礎編

クラブを支えるサポータートラストという動きが全英のみならずヨーロッパにも拡大してきている。またスポーツもサッカーだけではなくラグビーにも幅を広げてきている。株式会社組織であれば，株主の利益と，消費者の利益，また労働者の利益は相反する。例えば，株主の利益を求めれば，労働者の給与にマイナスの影響があり，また製品価格を通して消費者の利益にもマイナスの影響がある。これら会社の利害関係者の利害をバランスさせることが企業統治である。相互会社組織では，「会社は誰のものか」という議論によれば，「株主であって，同時に労働者である」，すなわち自分たちのものと考えるのである。それが故に，クラブの存立が危ぶまれる地方クラブで，サポータートラストが続々と設立され，クラブを支えている。設立に際しては，当然組織を創るので，法律面等専門的な支援が必要である。それを支える組織（サポーターディレクト）が存在していることもこの動きを可能にしているのである。

この議論に続いて，日本のプロ野球選手の労働の問題を扱っている。大リーグ野球を含む米国のメジャースポーツでは，選手は労働者であり労働組合を組織して，経営者側と鋭く対立している。労働者側は「ストライキ（組織的な労働拒否を行うことで，経営者側に対して譲歩や撤回等の要求をのませる手段）」で，経営者側は「ロックアウト（設備や施設，敷地の立ち入りを制限し，労働者側に対して譲歩なり撤回等の要求を飲ませる交渉手段）」で対抗している。この結果，ストライキやロックアウトによって，シーズンへの影響が発生し，人気に陰りがさした時期もあった（ロックアウトはホッケーリーグNHLで2004/05シーズンで発生した）。しかし，お互いの主張をぶつけあうことで，それぞれが対応策を考えて将来に向かって進化しているのも確かである。その結果，経営者側（球団）も労働者側（選手）も利益を得ている。日本のプロ野球では経営者側が優位であり，そのような動きはない。プロ野球の将来を考える時，もっとお互いに議論することが必要ではないだろうか。最後に日本人選手で大リーグに渡り大成功した野茂選手を取り上げた。そこでは日本と米国における会社に対する考え方の違いがあり，それが労働観の違いにつながることを見た。これらを経営資源の「ヒト」の部分で分析，説明している。

次に，スポーツにおけるガバナンス（企業統治）の問題を，サッカー組織を中心に説明している。オープンシステムを採用する経営が厳しいプロスポーツであるサッカーは，倒産が頻発するビジネスでもある。しかし，プロスポーツ，特にサッカーは欧州ではEU（欧州連合）の統合のシンボルとして重要な役割を担っている。それに続きFIFA-UEFA-FAというサッカーのガバナンス機構の役割について論じている。世界のトップのFIFAとその下部機構であるUEFA，両者が分野によっては競合している点が興味深い。ここでも競合がある。

そんな中で、2015年5月、スイス・チューリッヒでFIFA幹部7人が逮捕された。その際に米国の司法当局および税務当局が介入したのである。逮捕場所が、顧客の秘密保持を最優先するなど頑なに外国からの介入を拒否してきたスイスであったことから、驚きをもって見られた。背景には2001年ニューヨーク同時多発テロを契機として、テロリストへの資金供給を断つことから始まった世界的な違法な資金の受け渡し摘発の動きがある。米国当局が関係しているため、本件でも「司法取引」および「囮（おとり）捜査」という米国の刑事手続・捜査方法が採られた。プロスポーツにも法的問題、金融問題が関係していることを再認識させられた事件である。

　最終章に向けて、まず日本のプロ野球と大リーグ野球におけるリーグ運営、球団における意思決定の問題を扱うことにより、野球のビジネスモデルを再度分析し、日本のプロ野球の今後の方向性を探った。売上高も資産価値も右肩上がりの大リーグ野球ですら、ファンの高齢化、他のメジャースポーツとの競合を意識して将来への方向性を検討している。
　そして、世界で一番の人気スポーツであるが経営が難しいサッカーのビジネスモデルを、米国式のビジネスモデルで再構築し誕生したMLS（メジャーリーグサッカー）について解説した。サッカーの昇格降格をなくし経営の安定化を図る術を生み出したのである。
　最後に、頑なにアマチュアリズムにこだわってきたエリートスポーツのラグビー（ユニオン）も1995年に他のメジャースポーツとの較差を拡大させないためにプロ化に踏み切った。サッカーに遅れること100年にも及んだが、遅れを取り戻すために組織のトップにほかのビジネスで実績のある人材を登用し、組織体制も税金面の配慮もして組みなおすなど、思い切った経営戦略をとった。それが奏功し、ラグビーワールドカップが世界でトップクラスのスポーツイベントになるなど、目覚しい躍進を続けている。2019年ラグビーワールドカップを開催する日本が学ぶ点があると思われる。

2　スポーツマネジメントにおける課題と将来展望

　第2章でも述べているが、スポーツを取り巻く外部環境の変化はめまぐるしい。グローバル化、消費者ニーズの多様化・複雑化、そして情報化の進展が、スポーツの進展に大きな影響を与えている。それぞれの地域で行われていたスポーツが、世界的な基準で行われ、そしてファンが地域性から離れて視聴できるスポーツのグローバル化、スポーツビジネスの巨大化が進んでいるのである。それに伴い、スポーツビジネスに関わる業務も増えてきている。

第1部　基礎編

　スポーツビジネスは不思議なビジネスである。一般的なビジネスであれば，例えばトヨタと日産であれば，利益をできる限り獲得するために車を売りまくる。ライバルとの競争に勝つしかないのである。もし競争を止めて協調（談合）すれば，法律違反（反トラスト法：独占禁止法）になってしまう。

　それに対して，スポーツビジネスは，ライバルとは競争しながらも，そのスポーツビジネスで収益が生まれるように協力しなければならない。各チームはサービスの共同生産を理解して，観客動員数ができる限り大きくなるように協力するが，それでも最終的には試合には絶対に勝ちに行くのである。この「競争・協調のビジネスモデル」は，米国のプロスポーツビジネスで標準となっている。それに対して，日本ではプロ野球で特にそうであるが，日本的な事情から誕生，発展して現在の状況になってきたことは理解できるが，グローバル化が進展する下で，各球団が自らの利害で動くだけでは，もはや世界的な競争には勝てないのは明白である。特に米国のメジャースポーツに対抗する方向では，生き残りは困難であろう。

　そこで日本のプロスポーツ経営を考える際も活用できる外部環境の機会（ビジネスチャンス）はアジア諸国の経済発展である。第5章でサッカーでアルビレックス新潟シンガポールの例を紹介しているが，日本での認識は薄いがすでにアジア諸国でのサッカー人気は日本を上回る勢いがある。プレミアリーグのクラブ，特にマンチェスター・ユナイテッドはアジア，特に中国で人気ナンバー1であることから，米国の自動車メーカーGMが若者向けの車種であるシボレーを，ユナイテッドの胸スポンサーとして巨額の契約をしたのである。車のコンセプトは「かっこいい，楽しい，自由な気持ちになる」，今風のアメリカン・ブランドコンセプトがユナイテッドのイメージとピッタリであったから起用したといわれている。「米国の広告主」が「英国の広告媒体」を使って，「中国」でマーケティングする。まさに国際的なマーケティングの面目躍如である。サッカーでは世界各国で代表よりは個別クラブの人気が高い。アジアでは自国の個別クラブは発展途上であり人気はいま一歩であるので，それらの国ではプレミアリーグの試合に熱狂している。Jリーグも人気があり大きなチャンスがある。プレミアリーグのマンチェスター・シティの元のオーナーはタイの元首相で物議を呼んだことも記憶に新しい。更に2015/16シーズンに奇跡のプレミアリーグ優勝を勝ち取ったレスター・シティのオーナーもタイの免税店・観光グループのオーナーである。またクイーンズパーク・レンジャーズ（2016/17シーズン2部）の共同オーナーはマレーシアのエア・アジア会長である。方向性はアジアの国々，特に支払放映権料で換算するとサッカー人気が高いタイ，シンガポール，香港，マレーシア等の諸国でのマーケティングである（表16-1参照）。すでに行われているが，それらの諸国のスター選手を入団させて試合に出すこと，

第XI章　まとめ：スポーツマネジメントにおける課題と将来展望

表16-1：英プレミアリーグの海外とのTV放映権料（2010-2013）

	英ポンド（100万）	円貨価額（億円）@Y170	伸び率%（2013/2010）
アジア	940.8	1,599	77.2 %
英国以外の欧州	607.2	1,032	38.6 %
サハラ以南アフリカ	205	348	20.6 %
中近東・北アフリカ	204.8	348	▼9 %
北米・カリブ諸国	179.2	304	198.7 %
南米	96	163	668 %
合計	2,233	3,794	55.4 %

出典：sporting intelligence 一部改変

　それらの国へJリーグクラブを遠征させること，テレビ放映を行うこと等が考えられる。経営学的分析ですでに学んだが，多角化する際には，市場浸透戦略に続くのは市場拡大戦略がコストもかからず優先度合いが高い。特に日本は地理的，人種的にアジアに属しており，欧米諸国に比較して，差別的優位性がある。

　プロ野球はサッカーほどの国際性はないが，台湾，韓国，中国等北アジアでの市場拡大戦略を継続することが方向性であろう。プロ野球の問題点は商店街の問題点と同じである。総論賛成，各論反対である。商店街は個店の集まりになっている。個店は店主がトップである。土地も店舗も自分が所有し，償却も済んでいる。したがって，売上が上がらなくても，自分の世代が生きていくためには十分である。子供は商店を継ぐ意思がない場合が多く，無理に事業承継する必要はない。外部環境は大規模商業施設やコンビニの隆盛により，競争には品揃え，価格，営業時間とも勝ち目はない。プロ野球も親会社の持ち物であり，各球団はばらばらで共同歩調がとりにくい。コミッショナーもリーダーシップを発揮できない。外部環境は日本ではサッカーとの競合，日本国外では世界的なメジャースポーツとの競合があり，リーグとしての対応が期待されているが，その歩みは遅々として進んでいない。

　もう一つの特色は，アマチュアを活用するビジネスである。典型例は，オリンピックであるし，米国であればNCAA（National Collegiate Athletic Association：全国大学スポーツ協会）の試合である（表16-2参照）。スポーツのビジネス化は，1984年ロスアンゼルスオリンピックに始まったといわれている。それまでの大会と異なり，オリンピック自体で利益を計上して終了した初めての大会であった。それ以降，オリンピックでは競技によって異なるがオープン化が進みプロも参加して

表16-2：NCAA2009年8月31日財務年度改正予算額

営業収入	2008-09予算 (米ドル)	円貨価額（億円） @Y110	内訳
NCAA総営業収入	661,000,000	727億円	100％
TV放映権および マーケティング料	(590,730,000)	(649億円)	(89.37％)

出典：Rosner et al (2011) p.504　改変

きている。今や「アマチュアスポーツの祭典」から「世界最高の競技スポーツの祭典」に変質している。しかし，基本的には選手はアマチュアであり，報酬を払う必要がない。利益を挙げるには最高のビジネスである。日本では高校野球や全国高校サッカー，ラグビー，バレーボール，大学駅伝等人気アマチュアスポーツも多い。アマチュアリズムの問題（倫理的な問題）が当然あるが，それぞれのスポーツの今後の発展のためにも，資金を生み出す仕組みを考える時代に入ってきている。今後研究する余地があると思われる。

　スポーツビジネスでも法律に基づいた規則やルールが存在する。これらの仕組みによって，今や選手は，ラジオ，テレビ，製品宣伝，ライセンス，スポンサー等で利用されており，スポーツ産業の一部となっている。弁護士や代理人もこれらの取引をまとめるために産業に参入してきている。このようにスポーツビジネスは，ファンが払う入場料をはるかに超えるビジネスとなっている。日本では，プロ野球で議論になっているが，代理人は手数料を上げるため球団に無理難題を吹っかけて，球団経営に悪影響を及ぼすとみられているのか，代理人は基本的には弁護士に限定されている。しかし代理人を雇う，雇わないにかかわらず，金銭面で交渉することが，選手としての当然の権利であることを周知徹底される必要があろう。米国のように戦闘的組合になることが選手会の理想モデルとはいえないが，法律的にも認められている労働組合として，球団側と待遇の問題も含めて交渉していくことが方向性ではないか。すでに述べたようにスポーツはサービスである。サービスを消費者に購入してもらうためには，サービス提供者である選手が満足していなければ，消費者に満足してもらうサービス提供（プレー）できない。球団は選手が満足するように，選手の代表である選手会を労働組合と正式に認め，あるべき姿に向かって進むことが必要である。選手会も堂々と選手側の主張を戦わせるべきと思われる。

　先述のとおり，スポーツビジネスは明らかに「エンターテインメント」となってきている。ショーである試合を顧客に見せるためのスタジアムがスポーツビジネス

の重要部分を構成する。選手自身もスポーツがゲーム以上のものであることを理解している。米国では、他の産業と同じように、リーグスポーツの選手たちは労働組合を組成している。皮肉なことに、労働組合結成のおかげで、北米メジャースポーツは世界で一番高給取りの組合になったといわれている。一般の産業であれば、雇用者は通常労働者の組合結成を妨げがちであるが、プロスポーツリーグ（雇用者側）も労働者の組合結成から多大なる金銭的・法律的なメリットを受けている。すなわち雇用者側は労働者側に対抗して、ビジネスの金銭的な成功を確固とするために反競争的手段を講じている。例えばサラリーキャップ、ドラフト制度を彼らの労働協約（collective bargaining agreement：CBA）で活用することでメリットを追求している。経営者側（球団）と選手側（労働者）がお互いの利益を追い求めることで、市場拡大につながり、両方の主張が均衡点に達する。資本主義の原点に戻ってお互いの主張をぶつけ合うことで、今後の方向性が生まれてくるのではないか。

　最後にスポーツのグローバル化は企業規模の巨大化を生む。同じスポーツであっても、方向性は企業規模によって当然異なる。一般企業と同じである。スポーツのもつイメージ（国際性、強さ、規則遵守等）は、今後大きなビジネス機会を生むが、必要とされる経営資源も拡大の一途をたどる。まさに現代は組織の時代である。しかし、グローバル化の時代であっても地域の活性化は重要な政策課題である。英国のプロサッカーの例にあるように、国際的に資金調達・運用を行い、企業活動を行う一部ビッグクラブと、大多数の中小クラブでは経営戦略は異なる。これからは、グローバル化と地域密着の併存する世の中になっていくべきであり、経営者はそこを理解して経営していく必要があろう。中小クラブにあっては、サポータートラストに見られる「ファンが株主」になることで、クラブと一体化が図られ、その結果クラブの運営が再建される事例もある。今後の参考になるのではないか。

【参考文献】

Sporting Intelligence http://urx.nu/e0zr　2015/1/11

Rosner, S. R. et al (2011) The Business of Sports Second Edition, Jones & Bartlett Learning, LLC

Andreff, W., et al (2006) Handbook on the Economics of Sport, EdwardElgar

スポーツマネジメント基礎例題

(1) 今なぜスポーツマネジメントが重要になってきているのか。過去20年間の世の中の流れを踏まえて，その理由を論述しなさい（120字以内）。

(2) スポーツマネジメントについて，（1）（2）を埋めなさい。

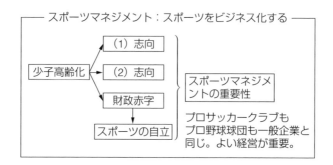

(3) サービスの特徴を商品との比較で，四つ挙げなさい。

(4) サービス業が顧客満足度を高めるために，一番重要と認識していることは何か？　下の図を活用して100字以内で説明しなさい。その際「インターナルマーケティング（internal marketing）」の用語を必ず使用すること。

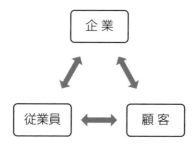

(5) 法律的（会社法）には，「会社は誰のものか」？

(6) 球団（クラブ）を取り巻く利害関係者を6者書きなさい。

(7) 日本のプロ野球球団経営を米国大リーグ野球経営と比較して，何が一番の問題点かスポーツマネジメントの見地から，自分の考えを述べなさい（200字）。

(8) 日本のプロ野球を以下の観点を含めて評価しなさい（800字以内）。
 （ア）終戦直後の日本
 （イ）球団親会社
 （ウ）サッカーとのビジネスモデルの違い
 （エ）大リーグ（MLB）とのビジネスモデルの違い
 （オ）日本のプロ野球の方向性についてのあなたの意見

(9) プロサッカーリーグのクラブ経営で売上高人件費率は重要な経営指標である。なぜこの指標が重要なのか説明しなさい（100字以内）。

$$売上高人件費率＝人件費/売上高$$

(10) プロスポーツをめぐる汚職が大きな問題となっている。その背景を説明しなさい（200字以内）。

(11) アマチュアリズムに固執してきたラグビー（ユニオン）がプロ化に踏み切り成功している。その経営戦略について論述しなさい（200字以内）。

第2部
応用編

1 プロチームスポーツとガバナンス―英国プロサッカーリーグを例に―

長崎大学大学院経済学研究科博士論文（一部加筆修正）　　西崎信男（2011）

序章　プロチームスポーツとガバナンス：はじめに

第1節　問題意識

　ペティ＝クラークの法則によれば，経済発展に伴い，経済構造は雇用・所得の面で第一次産業から，第二次，そして第三次産業に比重が変化していく。先進国では第三次産業は実質GDPで60％超を占めている。わが国でも2002年実質GDPで70.5％，就業者数で66.4％となっている。特に小売・卸売を除いたサービス業に比重が高まっている（サービス経済化）[1]。そのような流れの下で，先進国では少子高齢化，健康志向が高まり，スポーツの重要性が増している。しかし，各国とも財政難で，アマチュアスポーツを支えてきた公的支援が難しくなってきている。そこでプロスポーツのアマチュアスポーツを支える役割が期待されている。

　本研究では，スポーツの代表として英国プロサッカーのプレミアリーグを取り上げる。世界的なサッカーブームの中で，英国プロサッカーリーグは，リーグ全体売上高が史上最高を記録する一方で，個別サッカークラブの倒産が急増している。世界で最も注目を集める英国プロサッカーリーグでなぜ倒産が発生しているのか。また倒産にいたる過程でのクラブ経営において，ガバナンスがなぜ機能しなかったのか。それらが本研究の取組みに至った問題意識である。

第2節　本研究の目的および研究の方法

　本研究の目的は，英国プロサッカーリーグのケーススタディを基に，地域のソーシャルキャピタル（社会関係資本）として重要な役割を果たしているプロチームスポーツが，ゴーイング・コンサーン（存続企業体）として将来に渡って存続するために必要なガバナンスのあり方，特にファイナンスとファンの経営参加の視点から，ガバナンスのあり方を明らかにすることである。

　論点は次のとおりである。プロチームスポーツクラブも会社，特に株式会社形態をとるので，企業経営の上では一般企業と共通部分が多い。しかし，プロチームスポーツはチームスポーツ独自の要素がある。

　まず，一般企業と比較して，プロチームスポーツクラブにおけるガバナンスの特徴は，

---

[1] 西崎（2009）145頁

1 プロチームスポーツとガバナンス～英国プロサッカーリーグを例に～

①クラブの経営意思決定のプロセスにおいて，私企業として利益を目的とするものの，スポーツ目的（勝利を目的とする）が重視されている点である。②ステークホルダー（利害関係者）の多様性と複雑さがあること。特にファン（消費者でもある）の経営参加形態であるサポータートラストの存在と活動に特色がある。③債務優先弁済におけるサッカー関係者債務の地位等，法律・リーグ規則において，プロサッカークラブに対して例外的扱いがあること等が指摘できる。

またプロチームスポーツを取り巻く経営・ビジネス環境の特徴として，①スポーツリーグ競争原理が働くことがある。すなわち，同じリーグ内で各クラブは競争しながらも，リーグとしての共同生産[2] を行うことである。②売上高人件費率に見られる下方硬直的経費構造があること。③したがって，倒産リスクが高くなること。④それに対して，高い収益性が期待できないビジネスにも関わらず，外国人投資家が参入し，企業買収が頻発していること等が挙げられる。

以上のプロチームスポーツのガバナンスに関わる特殊性と業界を取り巻く外部環境を踏まえて，本研究では，収益が期待できない，すなわち株式上場の意味が薄いプロサッカークラブのガバナンスにおいて，新たなガバナンスの方法を分析することを目的とする。ガバナンスとは，後章で詳しく述べるが，標準的な枠組みであるエージェンシー理論を前提に，株式会社への出資者としてプリンシパルである株主の利益を実現するように，経営を委託するエージェントたる経営者を規律づけることとされてきた。すなわち株主対経営者の問題であった。しかし，近年，ガバナンスは様々な利害関係者の利害を経営に反映させる仕組みとされ，統治する側のプリンシパルとして，株主，債権者，取引相手，従業員，地域社会等，会社の様々な利害関係者とすることが経営学でのガバナンスの定義とされることが多くなった。そこで本研究では，①ガバナンスの主流である株主の所有する株式（エクイティ）ではなく，債権者が所有する債券（デット），その中で特に公募債の発行によるガバナンスの方法が有効ではないか，②地域社会，特に地域クラブのファンの経営参加の形態であるサポータートラストによる方法が有効ではないかとの仮説をたてて検証することとしたい。

英国プロサッカーを始めとする欧州のチームスポーツリーグの特色は，クローズドモデル[3] の米国と比較すると，昇格・降格制度がありオープンモデルであること，また経営意思決定においても，ビジネス目的（収益最大化）より，スポーツ目的（効用最大化）

---

[2] サービスの共同生産：大リーグ野球では競争相手のチームが生き残らないと，どのチームも成功しない。したがってチーム間のプレーの質に大きな差がないという前提が必要である（Rottenberg (1956) p.254）。他方，サービスの共同生産はマーケティングの視点では，選手と観客が試合（サービス商品）を作る意味で使用する。

[3] クローズドモデル：昇格・降格がなく，同リーグの中で同じチームが試合を行うプロチームスポーツを指す。大リーグ野球を含む米国プロスポーツのビジネスモデルである。

が優先されることが特徴である[4]。

本研究の目的を明らかにするための研究の方法として，

1) スポーツ産業，とりわけプロスポーツ，特に英国サッカークラブの経営問題に着目し，先行研究を踏まえて，諸統計資料のほか現地実踏調査により収集したデータに基づく定性分析も併せて，法制面を含めた制度的分析をベースにして，プロサッカークラブに関する経営学的分析を行う。特に倒産に焦点を当てて，リーグおよびクラブ運営に関しての EU 法と英国法の優先の問題，英国国内法における優先債務問題，リーグ運営等の分析を行う。英国のクラブの特徴を明らかにするため，欧州主要国との比較制度分析も行う。

2) ガバナンス研究について，サッカークラブないしリーグの経営や運営に大きく影響を及ぼしている財務状況，とりわけファイナンス方法との関連に焦点を当てて，金融革新技術（金融イノベーション）の視点からの考察も踏まえて，ガバナンスの問題点と展望を示す。まずセール・アンド・リースバック取引における倒産とガバナンスの問題についても事例研究を行う。さらに事業の証券化による大規模資金調達の事例については証券取引所での開示資料，社債主幹事による投資家説明会資料等で，ファイナンス取引の仕組みを明らかにし，ガバナンス効果を検証する。

3) ファンの経営参加の仕組みであるサポータートラスに関して，ガバナンスとファイナンス（レバレッジを含む）の両面からクラブ経営における財務的安定性に対する有効なメカニズムを考察する。

4) クラブの規模の違いによるガバナンス方法の可否についても考察する。

英国サッカークラブの経営問題を制度面，法制面から論じた研究は少ない。それらには Hamilet al（2010），Beech et al（2008）Trenberth et al（2003）等があるだけで，その他は新聞，雑誌記事が多い。また日本ではプロ野球も含めプロスポーツクラブ（またはその持株会社）は上場しておらず，親会社（上場企業）が丸抱えする企業スポーツの色彩が強かったが，昨今，プロ野球やプロサッカーで経営不振，倒産騒ぎが起こり，ガバナンスを問われる事例が出てきている。本研究から，日本のプロチームスポーツの経営への示唆を得たい。

第3節　論文の構成

序章に続き，第1章では，サッカークラブ経営に関して，サービス産業の視点から，プロサッカーの経営を簡潔に現状分析し取りまとめる。まずサッカーがサービス産業と

---

[4] オープンモデルとは，他のリーグとの間でリーグのチームの昇格・降格が行われるプロチームスポーツを指す。降格があれば，人気の劣る下位リーグで翌シーズンをプレーすることになり，売上高に悪影響を及ぼす可能性が高い。したがって，効用（勝利）目的に集中することになる。

してのサービスに該当すること，したがってサービス提供システムが顧客満足を提供する上で重要であること，さらにプロサッカー産業の競合分析を，ポジショニング・マップを活用して他スポーツ産業との比較を行う。

そのような競合関係を踏まえた上で，英国プロサッカークラブ倒産の背景を分析する。英国法と欧州法との関係，英国国内法改正による債務優先順位変更，加えて一般債務の中でのサッカー関係者債務の優先債務化等が及ぼすクラブガバナンスへの影響を分析することにより，サッカークラブ経営上の特質を明らかにする。

第2章では，プロサッカークラブの所有形態とガバナンス問題を英国サッカークラブについて取り上げ，所有形態の変遷，そして上場（株主），外国人投資家，サポータートラスト（地域住民）等ガバナンスの主体とそれによる経営への役割と影響度を見る。その後，ガバナンスの仕組みとしての合同規準（Combined Code），OECDガバナンス原則（OECD Principle of Corporate Governance）について調査分析する。英国リーグの特色を明らかにするため，ヨーロッパリーグのクラブ所有形態とガバナンスを総括した後，英国サッカークラブにおけるガバナンスの事例研究を行っている。

第3章では，プロサッカークラブの金融イノベーションとガバナンスの問題をLeeds UnitedとBradford City FCの事例研究を通じて明らかにする。金融のプロダクト・イノベーションは「リスク」と「規制」によって生み出される。1999－2002年のサッカーバブル期には，選手の移籍金が高騰する「リスク」が増大する一方，銀行への「貸出規制」が強化されたため，セール・アンド・リースバック取引という新種商品が生み出された。これらの取引は，相対取引であり，複雑・高度な金融手法を活用しているため，取引当事者でしか取引内容がわからない。そこでクラブの財務体力を超えた借入を行った結果，クラブは破綻したのである。金融イノベーションとガバナンスの欠如の問題は2008年のリーマンブラザーズ破たんの原因でもあった。

そのような経験を踏まえ，英国サッカーリーグにおける公募債を中心とする負債（デット）ファイナンスを活用したガバナンスの革新性を論じる。負債ファイナンスの新たな試みとして，証券化取引で一般的に活用される真正売買証券化（True-Sale Securitization）に対して，サッカークラブのファイナンスでは事業の証券化（WBS：Whole Business Securitization）が活用されている。Arsenal FCの事例研究を通して，企業規模としては中小企業であるArsenal FCが如何にして大規模資金調達ができたのか，当該債券の財務制限条項（コベナンツ）によるガバナンス強化を図る仕組みを示す。Arsenal FCのような非上場会社では，一部少数株主以外の利害関係者のガバナンスが効きにくい。それに対して，債権者（当該債券を購入する社債権者）がガバナンス強化を図る仕組みが有効かを検証する。

第4章では，サポータートラストの仕組みを活用した新たなガバナンスを提案して

いる。ファンの経営参加と諸形態の比較，ガバナンス強化との関連，そしてサポータートラストの仕組みと意義をまとめている。ここではガバナンスの利害関係者として，株主，債権者（クラブへの貸付），消費者（入場者），地域（地域住民）と多様な側面をもつクラブのファンによるガバナンスの強化を取り上げる。

終章では，本論文のまとめと意義，残された課題と展望を結びとして論述する。

第4節　先行研究

プロチームスポーツの経済学は1950年代に誕生して以来，主に米国中心に多くの研究がなされている。チームスポーツリーグでは欧州のサッカーに見られるように，昇格・降格制度を有し，選手の労働市場に規制を行わず自由競争を行うオープンリーグと，大リーグ野球等米国4大リーグスポーツに代表される，参入障壁を設け競争を制限するクローズドリーグがある。

チームスポーツ全般についての先駆的研究はRottenberg（1956）およびNeale（1964）であり，サッカー経済学を発展させたのがSloane（1971）である。プロチームスポーツ経済学の発展をレビューした後，米国プロスポーツとの比較で，英国のサッカーリーグで倒産が急増している大きな原因であるガバナンス問題に係わる研究を見たい。

まずRottenbergは大リーグ野球の労働市場を研究し，プロチームスポーツでは「サービスの共同生産」を行っていること，またチームが合理的な利益最大化を行う場合，労働市場の制限（リザーブ条項[5]）の有無とチーム間の選手の配分（競争均衡）には関係がないという不変原則（Invariance principle）を主張した。続くNealeはプロスポーツリーグの理論を生み出し，市場競争（経済均衡）からスポーツ競争（競争均衡）を峻別した。すなわちスポーツチームも法律上は収益目的の企業であるが，1チームだけでは試合を市場に供給できない。経済学でいう企業に該当するのは，個別チームではなく競争均衡を図るリーグであると主張した。このように米国でのスポーツ経済学は主にプロスポーツ（ビジネス）に関して研究が始まった経緯がある。

それら米国派に対して，欧州ではアマチュアリズム中心でプロスポーツの発展が遅れたため，Sloaneは，プロスポーツクラブも効用（勝利）目的で行動する点で，利益目的の米国とは異なると主張した。すなわちプロサッカーリーグにおける企業とは，経営意思決定を行う各クラブであり，規則を作るだけのリーグではないとNealeに反論した。

---

[5] 大リーグの統一契約書でチームが支配下の選手の翌年の契約の選択権を所有すること。当該選手はチームの同意がないと他のチームでプレーできない。プロ野球選手の労働市場における自由の制限の中心部分である。条項設定の趣旨はチーム間での選手の均等な配分を行うためである。Rottenberg（1956）p.245-246。保留条項のこと。

1 プロチームスポーツとガバナンス～英国プロサッカーリーグを例に～

英国サッカークラブの研究では,サッカーくじに対する税金を活用して,ロンドン大学バークベック・カレッジの研究所による一連の制度研究がある。

その中で特にガバナンスの見地から興味深い研究が Michie et al（2005）である。それは 2003 年にトップリーグのプレミアリーグ（EPL），それに続くフットボールリーグ（FL），および FL から降格したコンファレンスリーグのクラブを加えた，95 クラブへ詳細なクラブのガバナンスについてのアンケート調査を，実施し分析したものである。英国では企業のガバナンス方法として，強制力（obligatory）のある会社法と，ロンドン証券取引所公式リスト（以降 LSE と呼ぶ）上場企業に対する自主規制（voluntary）である合同規準（Combined Code）や OECD ガバナンス原則があるが，この調査によれば，上場によってクラブのガバナンス意識は向上するものの，一般上場企業と比較して上場サッカークラブでは情報開示，取締役の指名，取締役会の構成，取締役の就任および訓練，リスクマネジメント，利害関係者との相談等のガバナンス水準が全体としては著しく低く，この後の英国サッカークラブの倒産の急増を予見する結果となった。当時は，LSE 上場クラブは 8 社あったので上場クラブのガバナンスの問題が取り扱われたが，その後サッカークラブはすべて LSE 上場廃止となったため，株式上場によるクラブ経営のガバナンスのテーマの有用性が減少した。その意味で，上場以外のガバナンス方法の探索が課題となる。

Holtt et al（2003）ではサッカークラブの定款にあるサッカー振興目的，地域振興目的と，利益目的の親会社（持株上場会社）との利害の衝突は，ファン自身が株主になることによって解決すると，相互会社組織であるサポータートラストを提言している。

他に Vrooman（2007）は，労働市場がオープンかどうかは問題ではなく，Rottenberg の主張する不変原則（クローズド・モデルにおける）を，結果の見えない（欧州・オープンモデルにおける）チャンピオンリーグ進出を賭けて，勝利（効用）最大化に邁進するスポーツ愛好オーナーに果たして適用できるのか疑問を呈し，最終的な解決策は欧州をまたぐ 30 チームのスーパーリーグ（広域クローズド・モデル）であると示唆している。

第 2 部　応用編

第 1 章　英国プロサッカークラブ倒産の背景

第 1 節　サービス産業としてのサッカー[6]

　コトラーは「サービス」を「一方から他方へ提供する行為で，目に見えず所有権を発生しないことが必要条件である。その生産は目に見える商品（以下「商品」と呼ぶ）に付随する場合もしない場合もある。」と定義する。そして五つのサービス類型を挙げている。(1) 純粋商品 (2) 商品と付随サービス (3) ハイブリッド商品：商品とサービスの混合 (4) サービスが主で，商品が従 (5) 純粋サービスである。その上でサービスの四つの特質として不可視性，可変性，不可分性（生産と消費の同時性，サービスの共同生産），非貯蔵性を挙げている[7]。サービス業としてのサッカーは，航空サービスと同じ類型 (4) で，試合というサービスが主で，休憩時間の食事等商品が従である。

　サービスの特質の観点からは，サッカーはまず試合を前もって観ることはできないので，不可視性がある。また可変性がある。品質管理（戦術・練習）に基づき可変性を極力排除しようとしても，プレーヤーは個性が強く，その日の調子，または相手との相性によって思わぬプレーが出て，それが試合に興奮を呼ぶ。さらにサッカーの場合は，単独で顧客相手にサービスする通常のサービスと異なり，対戦相手が必要である。二つのチーム（選手）の力が拮抗（Competitive Balance）していないと盛り上がらない。不可視性と可変性が相俟って起こる予測不確実性がゲームの最大の魅力である。

　またサービスの生産と消費が同時，サービスの共同生産という不可分性によって，TV，インターネット，ビデオがあるものの，スタジアムで観客とプレーヤーが一体となった雰囲気の中での試合を観ることは圧倒的魅力がある。録画・ニュースは結果確認でしかない。非貯蔵性はサービスが貯蔵できない，つまりスタジアムが満員にならない場合に次の試合で空席を埋めることができないことである。これを排除するためにシーズンチケット販売等で客席を埋める努力を行っている。主たるサービスである試合に加え，休憩時間の飲み物・食事，クラブショップでの買い物も付随商品・サービスである。

　そのスタジアム内で，顧客からは表舞台しか見えないが，顧客に見えない部分も含めた「サービス提供システム」ができているかが重要である。つまり，スタジアムはただの「建築物」ではなく，サービス提供システムの産物を産み出し，顧客とクラブが「サービス共同生産」を行って「興奮」「感動」を作り出しているのである。ここでスタ

---

[6] 本節は，西崎信男（2009）一部改変したものである。
[7] Kotler（2003）pp. 229-230 要約

1 プロチームスポーツとガバナンス〜英国プロサッカーリーグを例に〜

図1：サッカーにおけるサービス提供システム

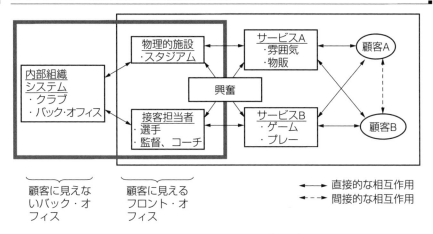

出典：Kotler(2003)p.232を参考に筆者作成

ジアムを自前でもつ重要性がある。借り物では仕掛けに制限があり，サービス提供システムがうまくできない[8]。

その一方で，スポーツはあくまでスポーツであり，ビジネスではないとの伝統的な考え方がいまだに一部で根強くある。しかし米国を除く先進国では，少子高齢化でこれから国の財政が厳しく公的補助が難しくなる。企業スポーツも，本来のビジネスから離れ採算度外視して行うことはガバナンスの徹底化で難しくなっている。スポーツの経済的自立が必要なのである。赤字が親会社の広告宣伝費で処理されているプロ・スポーツはプロとは言いがたい。英国では企業スポーツのプロ化によってプロに昇格したクラブは見られない。現在，英国のトップリーグのプレミアリーグでも，クラブ財政は厳しいクラブが多いが，リーグ全体としては，税金の形で毎年1500億円，草の根サッカーや地域コミュニティへの多額の貢献を行っている。

そこでスポーツ産業を「ポジショニング・マップ」で区分けすると図2となる。

プレミアリーグは地域とマスメディアをうまくバランスさせて，TV放映権料，入場

---

[8] 平田他（2006）76頁。三木谷浩史「プロ野球新規参入1年目の球団経営」から「成功要因の一つは，宮城県と協定を結び，県営宮城球場の管理権を5000万円で取得したことです。（中略）このスタジアム自体をわれわれがデザインし，管理権を得て自由にカスタマイズできるところが他球団との大きな違いです。劇場を持っていない劇団は儲からないのと同じです。」を引用
　同じく楽天野球団社長島田亨は「初年度，楽天野球団が経営を黒字化できた最大の要因は，『プロ野球ビジネスで大切なことは，球場の使用権・営業権を持つこと』」，さらに「球団経営の要とも言える『球場』の営業の仕事に着目しました。」と言う。島田（2006）20-21頁

第2部　応用編

図2：スポーツ産業のビジネスモデル

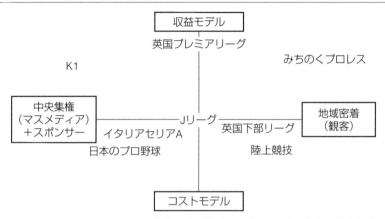

出典：平田他（2005）p.104[9]を参考に筆者作成

料，グッズ等商業の収入を得る「収益モデル」である。そこではスタジアム投資が選手の補強と並び重要な役割を果たしている。流れとしては，良い選手を集めることができれば，良い成績につながる。それが観客動員拡大を通じて収入アップにつながり，そこから選手補強費が出てくるという循環となる。「選手への投資」「スタジアム」への投資が合わさって「ファンのカスタマー化」が進み，それが収入アップへつながるわけである。英国での長年にわたるプロ・サッカーリーグ所属チームを対象にした実証研究[10]でも，良い成績が収入増加に結びつく，（収入が増加すれば人件費の支出可能額が増加するので）選手の賃金増加が良い成績に結びつくことが明らかにされている。

英国プレミアリーグ（EPL）を米国の大リーグ（MLB）と比較すると，そのビジネスモデルの違いが明らかになる。まずサッカーには昇格降格があり自由競争である（オープンモデル）。昇格すれば収入が急拡大し，降格すれば収入が激減するので，選手を売らなければならない事態にも陥る。有力選手を売却すれば，さらに下位のリーグへ降格のリスクを抱える。貧困の悪循環となる。一方 MLB は反トラスト法の適用除外なので，降格なしの地域独占である（クローズドモデル）。独占であるので，個別チームは収益的には安定している。サッカー業界は競争が激しく世界的な人気を博するが，各

---

[9] 平田他（2005）104頁。木村剛「スポーツ戦略論」のポジショニング・マップを加筆修正。Deloitte（2007）p. 14 の分析によれば，欧州 5 大リーグ（英・伊・独・西・仏）の中で，イタリアリーグは全収入の中で放映権料が 62％を占めるなど一番バランスが悪い。英国は放映権が 42％，入場料 33％，スポンサー料他 25％となっている。

[10] Szymanski（1998）p. 49。同様に Dobson et al（2001）参照

1 プロチームスポーツとガバナンス〜英国プロサッカーリーグを例に〜

クラブは収益的には厳しい[11]。

　そういう投機的なビジネス[12]であるサッカー業界で，長期固定投資であるスタジアム投資をなぜ積極化しているか。英国では，ほとんどのクラブが株式会社の形式であることから，資金の固定化を避ける目的で，クラブがスタジアム投資を最劣後に置いたため，大惨事（ヒルスバラ事件）が起こった経緯がある。そこで政府が，スタジアムを「サッカーをプレーする場所」「観客は入場料を払うだけの存在」から，改装して「ファンが快適に過ごせる場所」にすることを義務づけたのである。そこへ1990年ワールドカップでのイングランドの活躍，プレミアリーグの誕生，有料TVの発展が重なったので，爆発的な人気になったのである。まさにサッカーは「スポーツからビジネスへ脱皮」したのである。その流れを受けてプレミアリーグ誕生以来，スタジアムへの投資残高は5,500億円（FA92クラブで7,500億円）にのぼり，地方公共団体からの借り物のスタジアムを使用する欧州リーグに対して差別的優位性を発揮している。短期的には自前のスタジアムをもたないと財務の安定は得られるが，観客増員，グッズや広告料の収入も増加しない問題がある。また有料TVが全盛の今，スタジアムのすばらしさを売ることができなくなる。英国TV番組でのスヌーカー（snooker：ビリヤードの源の玉突き）人気もテーブルの色鮮やかさが大きな原因といわれている。TVは見映えが重要である。また第3章で論じるが，自社所有のスタジアムは借入の際に二次的担保として，クラブ資金調達に資するメリットもある。

　次にクラブの収入構造を分解してみると総収入＝入場料＋TV放映権料＋グッズ売上・広告料となる。英国プレミアリーグは収入面で他を圧して断然トップ，さらに入場料，TV放映権料，スポンサー（グッズ他商業含む）とバランスが取れているのに対し，他国リーグでは安定的な入場料の相対的割合が小さく，景気に敏感な放映権料に大きく依存する。やはり自前のスタジアムをもち，観客動員を増強させることが重要である。

　入場料収入拡大を図るためにはどうするか。入場料収入＝客数×客単価×入場頻度となる。プレミアリーグでは設備稼働率（収容率）は93％，上位12チームでは96％に上る。つまり客数増加はスタジアム増設しかないのである。客単価についても入場料がプレミア創設時と比較，5倍以上にまで上がりこれ以上の値上げは難しい。そこでエリートの「プレミアリーグ」はスタジアムに続くチャネル戦略として，有料ライブTVへ放映権を売ることで売上アップを図っている。リーグが放映権を販売し，順位，放映に応じてクラブにその収入を配分する形式となっている。プレミアリーグのキックオフは英国の土曜午後3時，それがアジアでは同日夜10時か11時とゴールデンタイムと

---

[11] シマンスキー（2005）1-14頁要約
[12] プレミアリーグ2006/2007シーズンでも売上高人件費率は62％，下位リーグでは80％超にも達している。優秀な選手をとらないと地位は上がらないが，コスト管理が大変難しい。Deloitte（2007）p. 3

第2部 応用編

なるので,この点でもプレミアリーグは他のヨーロッパリーグに優位性がある。TVの映えも考慮すると豪華なスタジアムは絶好の装置である。これがまた広告料・グッズの販売にも好影響を与える。スタジアムが中心となって動いているのである。

第2節　プロサッカースポーツと経営破たん[13]

プロサッカーの世界で5大リーグといわれている英国プレミアリーグ（以下EPL），ドイツ・ブンデスリーガ，イタリア・セリエA，フランス1部，スペイン1部等欧州プロサッカーリーグは2008年のリーマンショックも乗り越え，売上高は増加の一途である。その中で，EPLはドイツ・ブンデスリーガを引き離し，トップの売上高を記録している。下位リーグでも英国のGDP成長率を上回る成長率を記録している。

しかしその一方，トップのEPLを含むイングランドリーグで1986～2007の20年間で倒産（insolvency）（Appendix [1] 参照）が68件（複数クラブが複数回倒産）も発生，特に2003年以降，法改正により倒産が急増している。それら倒産しているのはプレミアリーグの常連であるトップクラブではなく[14]，英国の地方都市に所在する中小クラブである。地方都市にあっては，地元プロクラブは地域の誇りで熱狂的な人気を

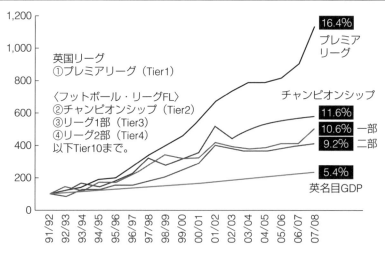

図3：英国名目GDP成長率と英国リーグ売上成長率（1991/92を100として指数化）

出典：Deloitte (2009) p. 2

---

[13] 本節は，西崎（2010b）を一部改変したものである。
[14] ただし，2010年に入り，プレミアリーグのポーツマス（Portsmouth）がトップリーグのクラブとして初めて倒産した。

1 プロチームスポーツとガバナンス〜英国プロサッカーリーグを例に〜

表1：倒産時のクラブ所属リーグ

At the time of entering insolvency the clubs were distributed across the league tiers as follows：

プレミアリーグ	Tier 1	0 clubs	プレミアリーグ
フットボールリーグFL	Tier 2	13 clubs	チャンピオンシップ
	Tier 3	16 clubs	リーグ1部
	Tier 4	19 clubs	リーグ2部
下部リーグ	Tier 5	10 clubs	
	Tier 6	6 clubs	
	Tier 7	0 clubs	
	Lower than Tier 8	1 club	

出典：Beech et al（2008），p.7

誇っている。それらが倒産して消滅するとすれば，それは一スポーツにとどまらず，地域振興の問題にもなる。

第3節　本章の調査の方法

　先行研究については先に論じたとおりであるが，本章についてはサポータートラストに関する研究[15]に併せて，現地フィールド調査を2009年8月7日から18日まで英国にて行った。訪問先・インタビュー先として，英国政府関係サッカー団体サポーターディレクト，ロンドン大学Birkbeck College，AFC Wimbledon他プロサッカークラブ，トップリーグのサポータークラブ，サポータートラストを中心とした。帰国後，フォローアップの意見交換，情報収集を上記先行研究の著者であるSean Hamil（Birkbeck College）およびJohn Beech（Coventry University）に対して行った。他に，欧州におけるプロサッカーリーグについての包括的な比較調査については毎年発行されるDeloitteのAnnual Reviewを参考にした。さらに税金に関する取扱いについては英国国税庁（HMRC）のHP[16]を参照した。

---

[15] 西崎（2010a）参照
[16] 英国国税庁HPより。http://www.hmrc.gov.uk/paye/index.htm

第2部　応用編

第4節　サッカークラブ倒産とその問題点

　以下の図は，EPL20チームの各クラブの賃金総額（縦軸）とリーグ順位（横軸）を2007/2008年シーズンで示したものである。回帰式の決定係数も0.72と高い。明らかに多額の資金を投入して優秀な選手を獲得すればチーム順位があがる（そしてチーム順位が上がれば，クラブ収入が増大し，また優秀な選手を獲得できるという流れとなる）。この傾向は過去数年大きな変化はない。しかし勝負の世界であるので，もし何らかの理由で下部リーグに降格すると逆の流れとなる。

　そのような英国プロサッカーで倒産を増加させている一番大きな問題は，選手の年俸の高騰である。前述のとおり，高給選手を獲得すれば順位が上がる可能性が高まるので，選手獲得競争が激しくなり，年俸が高騰する。売上高人件費率（＝人件費／売上高）の上昇は，人件費（選手の年俸）上昇率が，図3のとおり一貫して上昇する売上高成長率より大きいことによる。その結果，売上高人件費率は2007/08シーズンでは，トップリーグのプレミアで62％，それに続く2部リーグであるチャンピオンシップでは87％にものぼる（Appendix [2] 参照）。チャンピオンシップからプレミアに昇格すれば，売上が急拡大するので，それを期待して無理な投資（補強）に走り，それがこの数字に表れている。日本の中小企業の財務諸表を見ると全業種平均が20％程度，人件

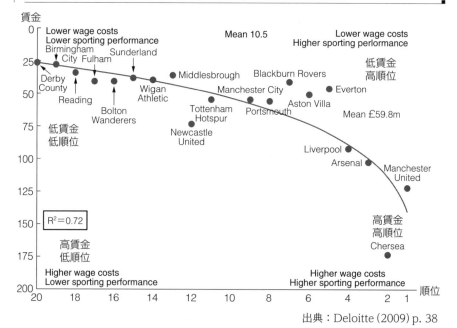

図4：英プレミアリーグにおける労働コストとリーグ順位の回帰曲線

出典：Deloitte (2009) p. 38

費率が高い医療，介護でも 50-60％である[17]。この脆弱な財務構造が機関投資家から敬遠され，一時 30 クラブも上場していたのが，いまやメインのロンドン証券取引所オフィシャル・リストに上場するクラブはなく，数クラブがベンチャー市場に上場するのみになっている[18]。5 大リーグの他の国を見ると，ドイツ・ブンデスリーガを例外とすれば，各国トップリーグも売上高人件費率抑制に苦労しているのがわかる（後述，第 2 章第 3 節参照）。

下表 2 の FA 英国サッカー協会加盟 92 クラブで見た売上と収益性の表を見ると，売上高人件費率の及ぼす結果が見て取れる。かろうじてプレミアリーグは全体としては営業利益が黒字であるが，下位リーグの営業利益はすべて赤字である。

ではなぜ英国リーグはこんな状況になったのであろうか？ 人件費コストを抑制できなくなった要因は四つ挙げられる。

1）FA（サッカー協会）規則 34 条の株主に対する配当制限の撤廃である。34 条の設定趣旨はプロサッカーの過度の商業化を防ぎ，サッカーのスポーツとして，また文化としての側面を維持するために 1899 年に導入された経緯がある[19]。その撤廃の契機に

表2：トップ 92 クラブの売上高と収益性

	2007/08						2006/07		
	Revenue £m	Change on 06/07 %	Operating profit/(loss) £m	Change on 06/07 %	Pre-tax profit/(loss) £m	Change on 06/07 %	Revenue £m	Operating profit/(loss) £m	Pre-tax profit/(loss) £m
Premier League	1,932	26%	185	95%	(240)	16%	1,530	95	(285)
Championship	336	2%	(102)	(36%)	(80)	(29%)	329	(75)	(62)
League 1	125	23%	(24)	(9%)	(18)	10%	102	(22)	(20)
League 2	65	3%	(8)	(60%)	(6)	(50%)	63	(5)	(4)
Total Football League	526	6%	(134)	(31%)	(104)	(21%)	494	(102)	(86)
Overall	2,458	21%	51	n/a	(344)	7%	2,024	(7)	(371)

（営業損失）

出典：Deloitte (2009) p.24

---

[17] 『中小企業の財務指標』平成 19 年度版を参照
[18] ①ロンドン証券取引所公式（オフィシャル）リスト：0　②代替投資市場（AIM）：Millwall, Preston North End, Tottenham Hotspur, Watford1 の 4 クラブ　③店頭市場（PLUS）Arsenal　1 クラブ　合計 5 クラブ　Deloitte (2010) p. 58
[19] FA 規則第 34 条：Oughton (2004)
Conn (2007)：ドイツでは，サッカー協会はブンデスリーガのクラブ株式の 51％を会員とファンが所有する仕組みを作っている。そしてクラブが所在する地元のコミュニティーとつながりを維持するために，若者や貧しい人たちのために最低入場料を 9 ユーロ（約 1,000 円）にまで抑えている。一方英国プレミアリーグでは，その 2〜3 倍を払わされている。

なったのが1983年のTottenham Hotspursによる持株会社上場である。クラブが親会社たる持株会社を設立し，それを上場したのである。これにより子会社のクラブが配当制限しても，親会社は配当制限できないので，クラブの利益が親会社経由配当として社外流出（pay-out）されることが可能になった，すなわち配当制限が有名無実化された。またそれまで後見人（custodian）として無償で働くことになっていた取締役（director）に給料を払ってよいことになった。さらに上場会社（親会社）であれば，当然利益を上げることが優先されるが，そもそもサッカークラブ（子会社）の定款にはスポーツ振興，地域振興，慈善事業が謳われており，そこで親子の間で目的に齟齬がでてくることになったのである。しかし，これに対してFAが異議を唱えなかったために一気にプロサッカーの商業化が進んだ。

2）選手の保有・移籍原則の撤廃である。1995年の欧州司法裁判所のボスマン判決[20]で，選手は，契約終了後はフリーとなった（以前は契約満了後も移籍が完了しない限り，元のクラブに選手登録権：player registrationが残った）。このため選手の登録権の売買が活発となり，年俸が急騰することになった。

3）選手個々人の賃金キャップ（賃金制限）がEU法で違法[21]となったため，これも選手年俸の上昇につながった。

4）1992年のプレミアリーグ誕生等，プロサッカーの急速な商業化の進展に伴い，クラブ運営資金が巨大化した。そこで伝統的クラブ所有者である国内の地元篤志家（benefactor）では赤字ファイナンスができなくなったため，資金力豊富な外国人投資家のクラブ買収が急激に進んだ。

　これらの背景にある大きな流れとして，英国がEU（欧州連合）に加盟（1973年）して以来，英国プロサッカーの運営も英国内だけでは完結せず，むしろEU法[22]の適用を受けることが顕著になったことがある。英国内では1972欧州共同体法が制定され，欧州法と対立する法律は適用しない原則をとることになった。したがって，強制適用し

---

[20] ボスマン判決　European Court of Justice 15 December 1995
　　ベルギーのプロサッカー選手が欧州司法裁判所へ「移籍賠償金（当該選手の年齢と賃金で決定）」と「3＋2ルール（国籍条項：各チーム外国人選手は3人まで。さらに5年以上同国でプレーした外国人選手2人まで）」がEU間での労働の自由を保障するローマ条約48条（改正後39条）に違反すると提訴し勝訴した事例である。Vrooman（2007）p. 2　footnote2, 庄司（2003b）50-51頁

[21] 年俸制限（maximum wage）：選手への最高年俸をリーグで集団的に設定することは個々の選手の稼得能力に対する制限であるので「カルテル行為」として違法とされてきている。そこで代替案として，個々のクラブが「サラリー・コストマネジメント計画：a salary cost management scheme」設定することが検討されている。この仕組みでは，クラブは自らの売上の一定パーセンテージを上限として賃金を支払う制限を受ける。英国ではLeague2（tier4）とnon-LeagueのBlue Square Premier League（tier5）で採用されている。もう一つの代替案として「general performance-related pay：クラブの成績にリンクした給与」制度が昇格・降格，またはカップ戦での成績にリンクする賃金体系であるが，総賃金（wages）に占める割合は大変低い状況である。(Hamil et al 2010 pp. 132-133)

図5：欧州共同体法（英国）

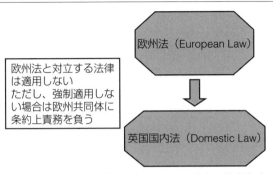

出典：Malleson（2007）pp.29-30参考に筆者作成

ない場合にも条約上履行責務を負う。その意味で，サッカーは自らのクラブの判断だけで自由に運営することはもはやできず，リーグやクラブの運営がUEFA（欧州サッカー協会連盟）等外部上部団体や国際法の影響を強く受けるようになったのである。

第5節　英国プロサッカークラブ経営とガバナンス

　商業化の流れとそれに伴う選手の人件費の高騰に対して，英国プロサッカークラブのガバナンスの仕組みは，どうなっているのであろうか。法律面からの規律，業界規則，また上場会社であれば関係する任意取り決めのほか，ファンの経営参加によるサポータートラストが挙げられる。本節では法制度と業界規則に焦点を当てて論じたい。

　まず法制度として最近英国で一番論議を呼んでいるのが，債権（借入人側から見れば債務）の優先順位を規定する法制度の変遷である。「1986年倒産法」では優先順位，

---

[22] 表3：EU法　出典：庄司（2003a）5頁　引用
「EC法規定が直接効果を有し，国内法に優越する結果，抵触する国内法規定は自動的に適用不可能となり，また，EC法に反する限りにおいて新たな国内立法措置を採択することができなくなる。しかし，EC法によって直接に国内法が改廃されるということではない」庄司（2003a）127頁　引用

表3

EU法（広義）：(EU法（狭義）＋EC法）		
EU法（狭義） (EU条約＋実施措置など）		EC法 (EC条約＋派生法など）
政府間協力（国際法）		超国家的法秩序
共通外交・安全保障 政策（CFSP）	警察・刑事司法協力 （PJCC）	域内市場（物・人・サービス・資本の自由移動＋競争法） 経済通貨同盟（単一通貨）

第2部　応用編

図6：企業統治の問題：英国プロサッカークラブの企業統治

出典：Holtt et al（2003）p.124を筆者一部改変

すなわち倒産した場合，どの債権から優先的に弁済されるかという法的順位のことを規定している。日本では国税が最優先で返済順位のトップに位置づけされる。英国でもこの1986年倒産法では国税が最優先であった。それに次いでサッカー関係者の債権，つまり選手の給料や社会保険料が第2番目にくる。それに対して普通の貸付金，預金および無担保債権等は最劣後に置かれていた（厳密に言えば，最後は債権以下のエクイティ部分を所有する株主が最劣後となる）。

1986年倒産法の時代においてすら，サッカー関係者債権が2番目に優遇されていたことに対して英国人でも違和感があったようであるが，2002年に企業法の制定によって1986年倒産法が改正され，国税が最優先債権から，一般債権と同順位に下落した。その結果として，優先弁済順位において最優先債権がサッカー関係者債権となってしまったのである。改正の政策目的は「企業救済の文化の醸成（Rescue Culture）」となっている。

サッカー関係者債権も，法律的には他の一般債権と同順位であるが，最優先される理由はFootball Creditors Rule（サッカー関係者債権優先ルール）といわれるFA（サッカー協会）規則によるのである。サッカークラブはリーグ内で試合を行うので集団（collective）としてのみ生存できるコミュニティー（リーグの共同生産）であり，会員組織である。したがって，内部の規則が法律に優先するとの論理からこの規則が制定された。

例えば他のチームから優秀な選手を獲得したが，その移籍金を払わなければ，リーグの均衡が保たれないので最優先する場合もその論理である。国税は基本的には100％回収されるのが当然で，もしそれができなければ，国民の税金が民間企業であるプロサッカークラブの赤字ファイナンスにつぎ込まれるのと等しいことになる。国税当局（HMRC）は猛然と反撃して，裁判所（Court of Appeal）に提訴して争ったが，「サッカーリーグ（FL）は会員組織であるので，自分たちの規則を制定する権限を有する」[23]

図7：法制度（The Legal System）

優先弁済順位

- 1986年倒産法（Insolvency Act 1986）
- 〈債権優先順位〉
- 1. 国税当局（HMRC）
- 2. サッカー関係者（Football Creditors）
- 3. その他の債権者

- 2002年企業法
- 1986年倒産法改正：倒産会社の更生手続きに大幅な変更
- 国税当局の最優先順位（Crown preference）放棄
- 企業救済（"Rescue culture"）の文化醸成
- 〈債権優先順位〉
- 1. サッカー関係者（Football creditors）
- 2. その他の債権者（国税当局含む）

出典：Hamil et al（2010）参考に筆者作成

との判決が出たのである。そこでリーグとクラブの関係を示すと次の図8になる。

リーグは株式会社で，その中で各クラブはリーグの株主であり，リーグ会員となる。すなわちリーグとクラブは相互依存関係となるのである。またクラブは同じリーグの中で「競争（competition）」と「協調（cooperation）」に基づいて，ゲーム（サービス）の共同生産を行っている。しがたって，リーグとしては，クラブ間が不均等とならぬようにバランスをとることに集中するのは当然の行動となる。換言すると，リーグはサッカー関係者間の債権債務関係を整理し，リーグでの競争の均衡（the integrity of the Competition）を最優先する。そこからFootball Creditor Ruleが誕生したのである。

このFootball Creditor Ruleはリーグでの競争の均衡を図るものであるが，クラブも難しい対応を迫られている。すなわち，Ruleに則りサッカー関係者債務弁済を優先すると国税当局が和議（CVA）[24]に同意せず，更生手続（administration）[25]が遅延し，再建が困難となる。逆に国税債務を弁済するためにサッカー関係者債務を優先しない場合は，リーグがそのクラブにペナルティ（勝点の減点）を課すので，クラブは降格の可

---

[23] 国税当局（当時 The Inland Revenue）は（Court of Appeal）裁判所でfootball creditors ruleの是非を争ったが，敗訴した。(Inland Revenue Commissioners vs Wimbledon FC（2004）) 本件のWimbledon FCは，プレミアリーグから降格後更生手続入りしたが，税金を滞納したため，国税当局が提訴したものである。

[24] CVA（Company Voluntary Arrangements）：比較的小規模で簡易な企業再建に利用される手続（和議）である。債権者の話し合いによって債務カットが行われる。再生手続が実施されている場合は，更生管財人（administrator）が和議の提案を行う（田作（1998），79-84頁要約）

第 2 部　応用編

図 8：競争の統合：The Integrity of the Competitor

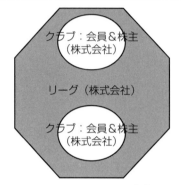

出典：Hovell(2010)を参考に筆者作成

能性が高く，業績が悪化するはめに陥る。リーグの順位表を見ると「ただし，勝ち点減点」との表示が見られ，競争の興味がそがれる。クラブは国税当局を敵に回しても，サッカー関係者を優先し，財務的には国税を払えないと逃げることができるので，実際にも払わないという悪循環になっている（Appendix [3] 参照）。

実例を見るとその国税回収率の低さは著しい。回収率は最高でも 50％，回収率 0％もあるので，10％が一般的な回収率に見える。クラブの経営者は「国税はいわば銀行の当座貸し越し枠（overdraft）である。便利である」と考えていると非難されても反論できないであろう。そんなサッカークラブのガバナンスが今きびしく問われている。

先に英国が EU に加盟して以来，EU の規制を受けるようになったと記述したが，欧州委員会（European Commission。EU の政策執行機関）によれば，スポーツは特殊性（specificity）がある。したがって，その競争，雇用については特別の法的配慮を必要としている。これが問題を難しくしている。リーグの激しい競争状態を維持するためにクラブを平等に扱い，その原動力となる選手の給料を最優先債務とすることになっている。

売上高人件費率が下方硬直性を持つ状況下で，コスト削減のための資金調達に目を向

---

[25] 更生手続（administration）：更生の申立てを指す。企業もしくはその取締役または債権者が裁判所に対して申立て（petition）をなすことにより行われる手続である。更生の申立てにより，債権者の権利は凍結状態（企業にとってはリハビリテーション）となり，裁判所の任命にかかる更生管財人（administrator）が業務運営・財産管理等に従事し，更生計画案を作成する。存続企業体（going concern）としての価値が清算（Liquidation）する損失よりも上回ると判断されるときに提案される。米国の Chapter11 と同様，マクロ経済（特に失業の防止）に資するとの立法趣旨から制定された。更生手続が和議手続（Company Voluntary Arrangement）と併合利用されたり，清算手続に移行したりすることが想定されている。（田作 1998，84-95 頁　要約）

1 プロチームスポーツとガバナンス〜英国プロサッカーリーグを例に〜

表4：国税滞納クラブと回収率（単位：m：100万，k：1,000）

国税滞納クラブ	国税額	支払予定	残額	回収率
Leicester City（League 1）	£7m	£700k	£6.3m	10％
Leeds United（League 1）	£6.8m	£680k	£6.1m	10％
IpswichTown（Championship）	£5m	£391k	£4.6m	8％
Bradford City（League 2）	£2.6m	£26k	£2.58m	1％
Luton Town（League 2）	£2.5m	£275k	£2.2m	12％
Bournemouth（League 2）	£1m	£100k	£900k	10％
Huddersfield Town（League 1）	£723k	£101k	£622k	14％
Oldham Ath.（League 1）	£520k	£260k	£260k	50％
Notts County（League 2）	£487k	£96k	£391k	20％
WimbledonFC（now MK Dons）（League 1）	£460k	£0	£460k	0％

出典：Grant（2008）を要約の上，筆者作成

ける必要がある。プレミアリーグのビッグクラブでは，スタジアム満員率は毎試合90数パーセントであり，常に満員が予想される。そこでは入場料収入を証券化するスキーム他種々のファイナンスも成り立つ。またソフトローンと呼ばれるオーナーからの無利子貸付が大きな比重を占めている。このソフトローンを資本に振り替えるとプレミアリーグクラブでは実質純資産はプラスになる。また銀行借入も重要な資金調達手段である。ただし英国の銀行取引は日本におけるメインバンク制度ではなく，取引ごとのファイナンス（プロジェクト・ファイナンス）と考えたほうが妥当である。それでも英国ではほとんどのクラブがスタジアムを所有しており，二次的に担保として利用できるので，銀行借入の際にも有利に働くのは日本と同じである。プレミアでは入場料収入，放映権料収入，スポンサー・グッズ販売収入と銀行にとっても企業金融（コーポレート・ファイナンス）として十分取り組める案件と判断されているので銀行取引が大きな比重を占めている。問題は降格せずプレミアリーグにどれだけ長くとどまれるかであろう。

しかしそれが期待できない大多数の中小クラブはどうするか。地方の中小クラブは今まで述べてきたようにFootball Creditors Ruleに甘えて，国税延滞金の切捨てを期待するだけであろうか？ 英国サッカークラブをとりまく利害関係者（ステークホルダー）を見ると，やはりあるべき解決方法は，サポーター・地域住民による地元プロクラブへの資金支援であろう。サポーターおよび地域の住民が地元クラブを支える方向である。

第6節 まとめ

英国プロサッカーリーグの最大の問題点は，サッカーを「競争的スポーツ」としてしか認識せず，チーム成績をビジネスに優先させることである。ファンのみならず，経営者もその考え方が抜けないため，選手獲得で過当競争となり財務面で脆弱となる（win-maximizing sportsman owner：Vrooman（2007））。現時点までは，倒産するクラブがあっても，外国人投資家も含めた投資家によって赤字ファイナンスが補てんされてきているが，今後とも継続できる可能性は低い。

スポーツファン，特にサッカーファンは非合理的（irrational）である。自らのチームが上位リーグに昇格したり，欧州のチャンピオンズリーグへ進出することを信じて疑わない。またそれらの試合は多額の賞金がかかっている。そこでファンも経営者も財務規律を無視して過大投資に走る可能性がある（Championship effect：Vrooman（2007））。過大投資を行ったが成功せず，私的整理に陥ったLeeds Unitedの例（第3章第1節参照）は有名である。最優先すべきは，クラブの財務規律を回復することである。そのためにEU法上，法律違反となる個別選手に対するサラリーキャップ制ではなく，リーグ主導で各クラブの売上高人件費率のキャップ（上限）を設定するか（違反した場合，ペナルティを課す），チーム成績に連動する変動給与部分（performance-related）を増やすことも含めた売上高人件費率抑制手段をとることである。またクラブのマネージャーも含めて経営陣に財務感覚を持った人材を登用する必要がある。

プレミアリーグクラブの一部トップクラブを除けば，クラブの方向性としては，地域に根ざし，サポーターからの支援でクラブ運営を行ってくことであろう。そのためにはクラブがファン自身のものであることが必要である。したがって，単なるファンクラブではなく，自ら株主として経営に参加するサポータートラスト（Supporters' Trust）の動きは今後ますます注目されるであろう。

日本でのサポータートラスト成立の条件としては，①サッカーが国民的スポーツとして認識され，サポーターの層が厚くなり，その中から各クラブでクラブ運営をつかさどる人材が生まれること，②サポータートラスト立ち上げのための支援機関が国の助成で誕生すること等が挙げられる。日本のプロサッカーの歴史は浅く道のりは遠いが，これから取り組むべき課題であろう。

日本のJリーグも将来国際化志向・拡大志向を強めると，ヨーロッパ5大リーグが抱える売上高人件費率の制御の問題が出てくると思われる。

第2章　プロサッカークラブのガバナンス

第1節　ガバナンス（企業統治）の定義

企業（会社）観は学問分野によって異なる。

1) 法学，特に会社法学では，会社と株主の間，株主相互間，株主と債権者等の間の権利と義務の関係，紛争解決のルールが規定されている。したがってガバナンスの目的は株主の合理的期待に応えることとされている。

2) 経済学では，エージェンシー理論を前提に，株式会社への出資者としてプリンシパル（本人・依頼人）である株主の利益を実現するように，経営を委託するエージェント（代理人）たる経営者を規律づけることがガバナンスの任務と考える。

以上，ガバナンスとは，法学や経済学では，株主の合理的期待に応えるための制度や慣行，または株主の意思を経営に反映させるための制度と定義される。すなわち，どのような基準が採用されるべきかとの規範論的な観点から「よい経営」を判断する基準を検討している[26]。

3) これに対して，経営学では，より実態論的な観点からガバナンスの問題を捉えようとする。そうした学問分野によってガバナンスの捉え方の違いのほかに，国によって捉え方が異なる。英国や米国では会社用具観（法人名目説）が主流である。会社は株主の用具であるとの見方であり，「会社は株主のもの」との前提がある。したがって株主利益の最大化が「よい経営」の唯一のメルクマールとなる。それに対して日本やドイツで定着しているのが，会社制度観（法人実在説）である。会社がそ

---

[26] 「会社は誰のものか」の議論にはここでは立ち入らないが，岩井克人（2005）（2009）で会社二階建て論を展開している。なお岩井は法人名目説，法人実在説との分け方をしている。

図9：会社は誰のものか：会社二階建て論

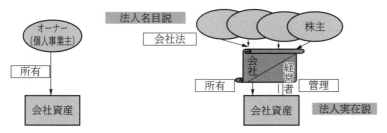

出典：岩井（2005）27頁，同（2009）189-194頁を一部改変

れ自体としての存在意義をもつ社会制度，すなわち公器であるとの考え方である。ここでは「会社は誰のものでもない」と考える。そこでは，「よい経営」とは，健全な形での「会社の成長と存続」が実現する経営で，そのためには資本と労働の協働が欠かせない[27]。本論文でも，実態論を基にガバナンスの問題を取り上げていきたい。

伊藤（2005）によれば，ガバナンスの定義として，様々な利害関係者の利害を経営に反映させる仕組みとされる。ガバナンスの理論（theories）の標準的枠組みは，ガバナンスをプリンシパル・エージェンシー問題とみなす。そこではエージェントが統治される者，すなわち経営者となる。統治する側のプリンシパルとして，株主，債権者，取引相手，従業員，地域社会等，会社の様々な利害関係者とする。その上で，ガバナンスが解決すべき問題としては，①統治される経営者の規律付け（基本的な問題），②利害関係者間の利害対立，③利害関係者内の問題がある。

それらの問題に対処する仕組みとして，①直接的介入として，法的な義務を果たさない経営者を相手どって，株主代表訴訟を起こすことができる。②株主が経営者の活動を監視する役割を委譲するモニタリング委譲がある。その役割を果たすものとして，取締役会，市場（敵対的買収，委任状争奪），支配株主，金融仲介機関（銀行，年金基金等）がある。③間接的インセンティブとして経営成果に依存した経営者報酬が挙げられる。

英国では企業ガバナンスとは，企業を運営する方法を統治するすべての要素に関係するとされる。サッカークラブも会社として登録されるので，企業ガバナンスの制度によってその経営が直接的に影響を受ける。ガバナンスの制度は企業行動に影響を与え，制限を加える法律，規準，規則等を含むものである。利害関係者（ステークホルダー）とは，組織において法律によって認められた利害関係（stake）をもつ個人または会社をいう。英国会社法では有限会社（limited company）は株主だけの利益を代表するものではないとしている。すなわち債権者，従業員までを利害関係者としている。しかし実社会では，利害関係者とは，さらに広く，株主，債権者，従業員，一般大衆をも含むものとしている[28]。

第2節　クラブの所有形態（ownership）とガバナンスの問題

サッカークラブは，当初は会員（member）の選出する委員会（committee）をもつクラブとして組織された[29]。しかし，1885年サッカークラブのプロ化が始まり，クラブ規模が拡大するに伴い，委員会会員の過重になった責任を限定するために，有限会社

---

[27] 加護野他（2010）7-18頁
[28] Holtt et al (2003) p. 124, p. 129
[29] Hamil et al (2010) p. 18

1　プロチームスポーツとガバナンス〜英国プロサッカーリーグを例に〜

(limited company) の株主 (shareholder) によって所有される私的会社 (private company) に転換した。1983年 Tottenham Hotspur がロンドン証券取引所に上場するために、親会社 (持株会社) を PLC (Public Limited Company：公開有限責任会社 (公開会社)) (Appendix [4] 参照) として設立するまでは、20世紀の大半の時期においてクラブは私的会社 (非公開会社) として運営されていた。そのクラブの所有者は地元の篤志家 (Benefactor) であり、クラブの赤字を引き受けるのが責任であった。

　英国に限らず、プロサッカーは売上高人件費率が高位安定している一方、リーグ順位によって売上高の大きな変動が起こるリスクの大きなビジネスである。そこで英国のプロサッカークラブ (株式会社) は選手補強を最優先に扱い、投資金額が嵩むスタジアム整備を後回しにしたことが、1989年の FA カップ準決勝ヒルスバラの大事故につながった。この事態を重く見て、従来は民事不介入を唱えていた政府がスタジアム改装・新築に補助を行ったこと、また有料 TV の普及が重なって人気コンテンツとしてのサッカー人気が急上昇した。巨大なスタジアム新設の資金調達を目的として、プロクラブが続々と上場を試みた。その際、上場のための PLC を親会社として設立したことが、スポーツ振興・地域振興を目的とするクラブと、利益を追求する親会社の目的の齟齬をきたすこととなった (図10)。会社法では、役員が子会社役員を兼務し子会社との利益相反の問題が発生する場合、親会社の利益を優先することを要求するからである。

　そこで親会社 (持株会社) は、サッカークラブ (子会社) 自体では制限されていた取締役に対する報酬支払を実施し、配当金の支払制限 (額面の5％) を上回る配当を上

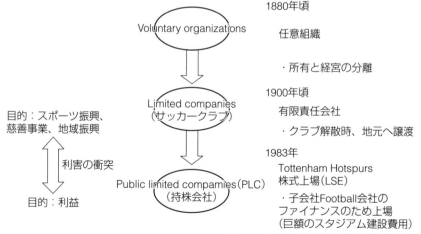

図10：英国プロサッカークラブ組織の発展とガバナンス問題

出典：Holtt et al (2003) を参考に筆者作成

183

場持株会社（親会社）で実施することができるようになった。一種の FA 規則逃れの仕組みであったが，FA 自体が反対しなかったため，黙認された形となり，規則の形骸化につながった。

　この他に後年外国人投資家がクラブを企業買収してオーナーとなる事例や，ファンが相互会社を設立し，会社経由クラブ株式を共同で購入し，その結果としてクラブに取締役を送り出して，経営参加する動き（サポータートラスト）が出てきた。まさにクラブの所有形態が変化すれば，それに応じてクラブ運営の問題，すなわちガバナンスの問題が発生する。

1）上場（Tottenham Hotspur 他）

　1983 年 Tottenham Hotspur 上場の後，それに続くクラブはなかったが，1990 年代後半から 2000 年代前半のサッカーバブル期には，最大 30 クラブが上場した。しかし，サッカービジネスに収益性が期待できないこと，したがって機関投資家の購入意欲が減退し流動性に不安があることから，売買取引は細り，発行者であるクラブにとっては，上場維持費用の負担だけで資金調達は難しい状況となったため，続々と上場廃止となった。このため現在ではロンドン証券取引所公式リスト（LSE）での上場クラブはなく，資金調達額が小さいベンチャー企業を中心とする代替投資市場（AIM：Alternative Investment Market）に Tottenham Hotspur 含め 4 社が上場，他に，資金調達の場（株式発行市場）ではなく流動性付与のための株式売買市場である PLUS に，Arsenal の 1 社だけが参加している状況である[30]。英国サッカークラブで最初に上場を果たした Tottenham もメイン市場から代替市場（AIM）へ上場替えを行った。

　クラブにとって，上場することの利点としては，①投資家とのコミュニケーションが改善する。クラブに合同規準（Combined Code）が適用になり，最良慣行（best practice）に従うことによってクラブの透明性，説明性が増すからである。AIM 上場会社や PLUS 参加会社は合同規準の対象会社ではないが，規準に従って開示することが望ましいとされている。これに従い，AIM の Tottenham や PLUS の Arsenal も，規準に適合するように年次報告書において開示を行っている。ただし，日米の規則主義とは異なり，英国は原則主義を採用している。このため，原則，規準に従うことを要求するが，もし従わなくても別の方法でガバナンスが確保されるのであれば，説明することを前提に認めている。その説明を投資家が了解するかどうかは，会社の自己責任となる。②クラブにとって返済不要の自己資金を直接調達で調達できる。すなわち，返済が必要である他人資金を銀行経由借り入れる間接調達に比較して，企業の経営自由度は高

---

[30] Deloitte (2010) p. 58

い。③株式市場での売買による価格変動により，当該企業に対する市場（投資家）の評価を知ることができる。すなわち，市場経由のガバナンスが効く。

他に，株主から見た利点は株主総会に出席して発言する権利を有することである。また年次報告書を取得できる。

対して，クラブにとっての欠点は，①クラブが最良慣行を行っても，投資家の期待に応える収益をなかなか上げられない。②クラブにとって定期的開示に関わる事務コスト他，上場維持費用がかかる。特に，サッカークラブ株式は流動性がないので売買高が少なく，単位コストが高い。③クラブが敵対的企業買収の対象になる。この点については，上場する意味が，一般投資家に対する当該株式の自由な売買を保証することであるので，避けられない。

他に，株主から見た欠点は，零細個人株主では発言権が小さいことが挙げられる。

2）外国人投資家（Manchester United, Chelsea 他）

英国リーグでは，クラブが所在する地元の篤志家が経営を担ってきたが，サッカービジネスの商業化，グローバル化の進展に伴い，動く資金量が激増したため，オーナー経営者では資金負担ができなくなり，クラブの転売先を探す動きが活発化した。そこに登場したのが，外国人投資家である。1997年にエジプトのアルファイド氏（Mohammed Al-Fayed：高級百貨店ハロッズのオーナー）が，ロンドンのクラブである Fulham を買収したのが最初であった。2003年以降，トップリーグのプレミアリーグで20チーム中8チームが，それに続くリーグであるチャンピオンシップでは，3分の1のクラブが外国人投資家を中心とした新しい投資家にクラブ所有権が変更になっている[31]。

近年の特徴として，英国の篤志家（慈善事業を行う人）がかつてそうであったように，クラブ所有を名誉として，または自らが果たせなかった夢と考え買収する外国人投資家（例えば Chelsea のアブラモビッチ氏）がいる一方，サッカークラブ買収をあくまでビジネスと捉え，投資効率を極大化するためにレバレッジを効かせて LBO[32] で企業買収する投資家（例えば Manchester United のグレーザー氏）が増えてきた。

クラブにとっての利点としては，①クラブは資金難（赤字）を解消できる。さらに豊富な資金力を背景に，有力選手を獲得し，チーム成績を上げて，クラブの経営を拡大できる[33]。②サッカーをスポーツビジネス化して経営の近代化を図れる。

クラブにとっての欠点としては，①外国人投資家は，クラブ所在の地域・ファンとの

---

[31] Deloitte (2010) p. 58, Hamil et al (2010) p. 26
[32] 企業買収手段の一つで，買収対象企業の資産および将来キャッシュフローを担保にして買収資金を調達し，買収を行うものである。（山下（2009）243頁から引用）
買収資金のほとんどを，買収予定のクラブ資産を担保に銀行借入でまかなう手法である。

係わり合いが小さいので，地域密着のクラブ経営を行わない危険性がある。②特にLBOで資金調達した投資に顕著であるが，借入金の元利払いのために，クラブ財政が不安定になる可能性がある。③入場料他を値上げすることで，ファンの利益を疎外する。

3) サポータートラスト（AFC Wimbledon 他）

　クラブのファンが相互会社（"サポータートラスト"の名称で呼ばれる）を設立し，その会社経由でクラブの株式を共同購入し，株主としてクラブに取締役を送る等して，ファンの経営参加を図る仕組みである。サポータートラスト内部での意思決定は，一人1票の民主的方法がとられている。サポータートラストは，サポーターがクラブの顧客（消費者）であり，投資家（株式および資金貸出）であり，経営者（経営参画）にもなるスキームである。

　利点として①ファンの経営参加が可能となり，零細個人株主でも経営意思決定に関与できる。②クラブはファン，地域からの資金面，営業面で支援を受けることができる。

　欠点としては，①資金力が小さいため，大手のクラブの経営再建に活用できるか不明である。②財政面，トラスト設立・運営において，独立アドバイス機関であるサポーターディレクト経由で政府が支援しているため，将来的に自立して運営できるかどうか不明である。③クラブの実力にあったクラブ経営（選手補強においても保守的な財務運営）を行うため，それがクラブの成績に結びつくか実証されていない。サポータートラストについては，第4章で詳しく述べることとする。

第3節　他のリーグの状況

　英国のプロサッカーリーグの特徴を明らかにするために，他のリーグの状況を見たい。以下に見るとおり，各国のサッカーリーグは歴史と文化の違いによって，クラブの所有形態は様々であり，したがってガバナンスも様々である。

　英国リーグの動きの一つとして，相互会社方式によるサポータートラストがある。スペインの会員制組織を模範としているが，多数の会員でクラブを直接所有する会員制組織を運営することは難しく，それに替わる次善の策として，相互会社方式で株式を共同購入し，その上で役員をクラブに派遣するという間接統治形式をとっている。倒産がトップリーグのプレミアリーグにまで及んでくる中，サポータートラストへの期待は大きく，動きはヨーロッパ大陸へ及んでいる[33]。

---

[33] Deloitte (2010) p. 60 では，次のように述べている。
　「プレミアリーグで一番借金が多いクラブが，リーグ成績が一番良く，そして売上高も一番多いクラブである。それらは外国人篤志家からの巨大な借り入れを享受するクラブと，近年新しいオーナーによって買収されたクラブである」

リーグとして健全経営を行っているのは，非営利会員組織としての色彩が強いドイツリーグと，国がスポーツに積極的に介入しているフランスである。それ以外のリーグでは，財務面でクラブ運営が厳しい。

1) ドイツ

　中心となるドイツサッカー協会（DFB）が，プロサッカーリーグの業務を，ドイツリーグ連盟に運営を委ねている。ドイツリーグ連盟はドイツリーグ1部と2部のクラブで構成されている。すなわち，ドイツではクラブがリーグの運営の責任を負っている。1部・2部の業務運営のために，ドイツリーグ連盟は別途ドイツサッカーリーグ会社（DFL）という私的会社を創設している。このDFLが実際のリーグ運営の実務を行っている[34]。

　ドイツでは，伝統的にクラブは非営利会員組織である。そのため，財務情報の公開は制限されていた。しかし，1998年以来，会員組織の子会社有限会社として組織変更が可能となり，リーグ36クラブ中，17クラブが組織変更し，上場クラブも出現した。ドイツのクラブはたとえ上場しても，非営利の会員制組織がクラブを所有し，および経営意思決定を行う。そのための仕組みとして，サッカー協会（DFB）規則で会員制組織が50％＋1票を保持することによって，個人に過半数の株式をもたせない。これによって外国人所有を制限している。

　こうした仕組みによって，ドイツリーグでは，売上高人件費率は39％と大変低いこともあり，全クラブが黒字であり，健全経営を維持できている。この基調は1963年ブンデスリーガ設立以来続いており，倒産したクラブはいまだない。課題は，（各国でプレーするドイツ人選手を集める）国の代表チームは強いが，ドイツリーグの個別クラブは財政面から有力選手を獲得できる競争力はなく，クラブレベルは強豪とはいえないことである[35]。

　ドイツ・ブンデスリーガで注目されるのは，選手の賃金決定方式である。通常事前に決まる（ex ante）基本給与とチームの成績にリンクする変動給与部分（選手年間給与の5〜30％）で構成されており，実証研究によれば，財政状態の悪いクラブでは変動部分が大きく，豊かなクラブでは小さくなっている。一般的には，変動給与の割合が大きいほど，チームの成績に良い影響を与える。勿論，ヨーロッパサッカーの財政危機は，ブンデスリーガにも影響を及ぼしており，財政状態が厳しいクラブが一部にはあるが，最終的には倒産の懸念はない。一つには，クラブの監督が選手の賃金抑制に成功してい

---

[34] Woratschek et al (2007) p. 163-185
[35] Hamil et al (2010)：p. 30

るからである。もう一つは政治のエリートのうち篤志家会員が銀行に公的保証とコベナンツ（財務制限条項他）を提供し，そしてクラブのスタジアム建設に補助金を拠出したりすることで，クラブを救済するからである[36]。

2）フランス

フランスは，プロスポーツの管理でユニークな方法を採用している。目的は，シーズン途中でのクラブ倒産を回避することである。このために，フランスサッカー連合の内部委員会である国立管理局（DNCG）が「フランスサッカーの警察官」の役割を担って，国の監査役としてクラブの会計をチェックする。もし違反が発見された場合には，罰金，選手の新規獲得禁止，降格などの制裁を加える[37]。

クラブは，1901年法（freedom of association law：非営利法人の役割を規定する法律）に縛られ，伝統的にクラブは非営利組織とされてきた。しかし，1999年法改正により，クラブはプロスポーツのための公開会社（Societe anonyme sportive professionalle）になることが許可された。その結果，有限会社となり，利益を上げて取締役へ報酬支払が可能となった。公開会社になったにもかかわらず，当初には政府はクラブの上場を許可しなかった。しかし，その政府の対応は自由な資本移動を認めるEC条約違反とされ，2006年にようやくクラブの上場が認められたが，現状二つのクラブしか上場していない。依然としてクラブは一人の個人株主が所有する形態が中心となっている。

フランスもドイツと同様に，政府の介入もあり全クラブが黒字を維持できている。個別クラブレベルでは，専用サッカー場ではなく公営スタジアムを使用しているため，競争力が低い[38]。

3）イタリア

イタリア産業全般と同様，クラブは富裕な個人，ファミリー，企業の傘下にある。私的会社が多い。しかし，リーグの中にはJuventus（ユベントス），Lazio（ラツィオ），Roma（ローマ）と3クラブが上場を果たしている。問題は上場株式の浮動株数が少ないために，一般投資家が購入できないことがある。どこのクラブも赤字経営で，クラブ所有が勲章（Trophy asset）との位置づけとなっている[39]。

サッカービジネスで考えると正当化できない投資も，政治的に，商業的に，または産

---

[36] Frik (2006) pp. 492, 495
[37] Desbordes (2007) pp. 85-107
[38] Hamil et al (2010) pp. 30-31
[39] 前掲書　pp. 30-31

業として広い視野から見れば理解できる。これら富裕なビッグクラブは今後も引き続き財務資源を投資することが可能であるが，それはオーナーのイメージ，消費者とのコミュニケーション，そして PR の分野での「外部経済」を勘案しなければならない。このようなクラブ経営を行っているため，公営スタジアムでプレーしていることもあり，英国リーグと比較するとイタリアリーグは遅れている。特にスタジアム・マネジメントとクラブのブランド・マネジメントが問題である[40]。

4）スペイン

　スペインのクラブは会員制組織を基本としていたが，リーグのリーダーシップの欠如，商業化の圧力，コスト高騰等によって，クラブが財政危機に瀕したことを契機に，1990 年に政府は SAD（a joint-stock sporting company：有限責任の合同株式スポーツ会社）制度を導入した。その際，スペイン政府はスポーツ法 10/1990 を制定し，赤字クラブに資金援助し赤字を解消した。その結果，42 クラブの大多数が，財政難を理由に会員制組織から SAD に転換した。会員制クラブとして残ったのは算定期間に黒字を維持したクラブだけで，FC Barcelona（バルセロナ）等 4 クラブだけが，一人 1 票の民主的ルールに基本をおく会員制組織として継続を許された。英国で始まったサポータートラストは，FC Barcelona 等の会員制組織を目標にした動きである[41]。

第 4 節　英国プロサッカークラブのガバナンスの仕組み

　英国においては，1980 年代後半から，1990 年代初めにかけて，経営者による独走や不正な会計報告を背景として，大企業における不祥事の発生や企業倒産が相次いだ。このような不祥事に対して，1991 年にキャドベリー卿を委員長とするキャドベリー委員会が設置されるなど，リスクマネジメントへの取組みが開始された。英国でのリスクマネジメントへの取組みを一覧表にまとめると，以下のとおりである。

---

[40] Lago（2006）pp. 470-471
[41] Hamil et al（2010）pp. 29-30

第2部 応用編

表5:英国のリスクマネジメントへの取組み

1980年代後半〜90年代初め	大企業による不祥事や企業倒産,業績の低迷→(原因)個性の強い経営トップ層の独走,不正な会計報告
1991年	キャドベリー委員会設置(学会,監査法人,法曹界,証券取引所からなる)
1992年12月	キャドベリー報告書(取締役会および会計監査役のアカウンタビリティ強化,非業務執行役の登用による取締役会の実効性の確保)
1995年7月	グリーンベリー報告書(役員報酬制度の明示と適正な運用)
1998年1月	ハンベル報告書(「企業統治の原則」を提案)
1998年6月	上記の3報告書を基に,「合同規準」(The Combined Code)を発表→ロンドン証券取引所は,改正上場規則を発表 1998年12月31日以降に到来する会計年度の年次報告書に,「合同規準」に対する遵守状況を開示することを求める

出典:大和総研経営戦略研究所(2009) p. 134 一部改変

(1) 合同規準 (Combined Code) 1998年6月発表

上場企業に対するガバナンスとして,Combined Code(合同規準:CCCG:The Combined Code on Corporate Governance 2008)がある。ロンドン証券取引所公式リスト(LSE)の上場会社が遵守する義務を記載した規準("Code")である。FRC(Financial Reporting Council:財務報告協議会)によって定められた「企業ガバナンスに関する規準(Code on Corporate Governance)」(ハンベル報告書1998年)および「模範となる規準(Code of Best Practice)」(キャドベリー報告書1992年・グリーンベリー報告書1995年)を合わせた合同規準を指す。

(特徴[42])

1) よい企業ガバナンスは効率的,効果的,そして企業家精神にあふれた経営を促進することによって,長期間にわたり株主価値を提供することを可能にする。この合同規準はFRCによって発行され,これらの結果を支え,企業報告およびガバナンス

---

[42] Financial Reporting Council (2008) pp. 1-3 抜粋:
FRCとは英国の独立規制機関で,投資を促進するために高品質の企業ガバナンスと報告を促進する責任を負う。英国企業ガバナンス規範を通じて,高水準の企業ガバナンスを推進する。企業の財務報告や保険経理処理の基準を設定し,会計・監査基準をモニターし強制する。同時に職業会計法人の規制活動をチェックし,会計士やアクチュアリーを巻き込んだ公益の事例について独立の懲戒処分を行う。企業ガバナンス,監査,アクチュアリー業務,財務報告,そして会計士やアクチュアリーの専門性は強い関連がある。FRCの責任と機能の広がりは実効性を強化する。(http://www.frc.org.uk/about/2010/11/01)

への信頼を促進する。
2) 合同規準は厳密に定義された規則ではない（原則主義である）。企業は完全に，または相当程度に条項に従うことが期待されているが，もし他の手段でよいガバナンスが達成されるなら，合同規準に従わなくても正当化される。従わないための条件として，その理由を株主に説明する必要がある。そうすれば株主は会社と状況について議論を希望するかもしれないし，議決権行使の際に影響を受ける可能性も出てくる。この「従うか，そうでないなら説明する（comply or explain）」というアプローチは，合同規準が1992年（キャドベリー報告書）に始まって以来，ずっと続いている。
3) 上場規則では，ロンドン証券取引所公式リストに上場している英国の会社に対して，年次報告書・財務報告書に企業ガバナンスの状況を記述しなければならないと定められている。その場合，二つの視点がある。第一に合同規準の主な原則を堅持すること，第二に合同規準の条項のどれかに従わないことである。それらの記述が株主に対するよい慣行（good practice）の基準として，合同規準に関しての当該企業のガバナンス状況の，明確かつ全般的な説明となるべきである。
4) もし企業が，合同規準の一つまたはそれ以上に従わないとする場合，投資家が判断できるように，注意深く明確な説明を提供すべきである。その説明に際して，企業は現実の慣行が，規準のある条項に関する原則と整合性があり，従わないことがよいガバナンスに貢献することを述べなければならない。
5) 中小上場企業，特に新しく上場した企業は条項のいくつかが自分たちの事例ではバランスがとれない，またはあまり関係がないと判断しても許される。いくつかの条項はFTSE350（時価総額上位350社）以下の中小企業には当てはまらない。しかしそのような企業でも，合同規準にあるアプローチ（comply or explain）を採用することが適当であり，そうすることが奨励される。
6) 株主サイドでは，企業の個別の状況に注意を払い，当該企業の規模や複雑性，そしてその企業が直面するリスクと挑戦の性格を考慮すべきである。株主はもし疑問があれば企業の説明に対して食い下がることはできるが，表面だけを機械的に判断すべきではないし，合同規準から離れただけで，自動的に違反と捉えるべきではない。機関投資家も「従うか，そうでないなら説明する」という原則で企業から出される報告書を見るべきである。
7) 企業も株主も「従うか，そうでないなら説明する」というアプローチが，規則ベースの制度に替わる効果的な手段となっていることを共同して守る責任がある。

なお，合同規準に含まれる「模範となる規準（Code of Best Practice）」については，

第 2 部　応用編

以下の通り規定されている。
第 1 章：企業　（A：取締役　B：報酬　C：説明責任および監査　D：株主との関係）
第 2 章：機関投資家
補足：
スケジュール A：成果主義報酬の設計に関する条項
スケジュール B：非常勤取締役の債務に関するガイダンス
スケジュール C：企業ガバナンスの取り決めの開示

　これらの条項について，各々「主たる原則」と，「それを支える原則」を記述している。合同規準は定期的に改訂されており，2010 年 5 月に FRC は新しい規準を発行した。今回から合同規準（"Code"）とは呼ばず，英国企業ガバナンス規準（The UK Corporate Governance Code）と呼ばれている。本稿においては，上場クラブの年次報告書（2009 年度版）での取扱いを調査するため，合同規準（2008）に関して記述している。

(事例 1：サッカークラブでの合同規準の事例—Tottenham Hotspurs plc 年次報告書 2009 での企業ガバナンスの扱い[43])
　英国金融監督庁（Financial Service Authority：FSA）の上場規則にある「よいガバナンスの原則（Principle of Good Governance）」と「模範となる規準（Code of Best Practice）」に従うこと（合同規準 Combined Code）について
(1) 英国上場当局（The UK Listing Authority）は，すべての上場企業に対してよいガバナンスをどのように適用し，2003 年 7 月の合同規準のセクション 1 に規定された条項に従ったかを開示する必要がある。AIM（代替投資市場：Alternative Investment Market）に登録されている企業は合同規準に従う必要はないが，AIM 登録企業である Tottenham Hotspur は，自らの会社の規模や運営に適用できるときにはいつでも，最良慣行として合同規準を近年採用している。
　しかしながら，2009 年度には年度の一部で規準のセクション 1 の条項に従うことができなかった。その理由は 2009 年 1 月 19 日以降すぐに，非常勤取締役が Mills 氏 1 名になったことである。政府の役職につくために Davies 卿が非常勤取締役を辞任したためである。取締役会は（中略）Mills 氏は能力と威厳をもっているので，（非常勤取締

---

[43] Tottenham Hotspur plc Annual Report 2009, pp. 29-32。Tottenham（AIM），Arsenal（PLUS）の財務諸表に記載あり。①取締役および取締役会②内部統制（Internal Control）③監査委員会（Audit Committee）④取締役他指名委員会（Nomination Committee）⑤報酬委員会（Remuneration Committee）

役が1名になっても）グループにとっても株主にとっても彼一人でも適当であると考えている。

まさに「従うか，そうでなければ説明する comply or explain」方針に沿って，Tottenham Hotspur plc の年次報告書は企業ガバナンスについて記述している。英国での企業報告制度が，日米で主流の規則主義（明確な数値基準等）ではなく，原則主義を採用し，実態に沿った報告をすることを要求している趣旨に適合する動きといえる。さらに，本来は LSE に上場していないにも関わらず（AIM 登録のみの場合には合同規準適用は免除），当クラブが企業ガバナンスの動向を開示しているのは，まさにステークホルダーとのコミュニケーションを重視する企業の態度が現れている。

このように英国では，英国金融監督庁（FSA）の上場規則により規定されていることから，年次報告書の中でコーポレートガバナンスの状況が詳細に記載されている。具体的には，コーポレートガバナンスに関する体制，各種委員会（監査，報酬，指名）の出席メンバーと当該委員会の機能，リスクマネジメントや内部統制への取組み，また企業によっては各委員会への社内外役員の出席状況を星取表にして開示しているケースもある。また，各委員会の報告書も同時に掲載されており，報酬委員会報告等は，かなり詳細な報告書となっている[44]。

（事例2：上場廃止となったクラブの企業ガバナンス—Manchester United FC と Chelsea FC）

Manchester United FC では年次報告書が開示されていない。しかし，2010年1月総額5億ポンドの公募債券発行を実施した際に，企業内容が開示された。第3章第2節で別途議論するが，公募債券発行が企業のガバナンスによい影響を与えた事例である。同様に上場廃止となった Chelsea FC でも，年次報告書が発行されていない。しかし決算短信をホームページ上に掲載している。

両クラブとも，上場していた時代には年次報告書を発行していたが，上場廃止（非公開化）により発行を中止した。いずれも株主はクラブを企業買収したオーナーだけであるが，ステークホルダーは大株主だけではない。その意味では，非公開化は明らかに企業内容の透明性の問題を惹起する[45]。

(2) OECD ガバナンス原則（OECD Principles of Corporate Governance）
OECD ガバナンス原則は，前述の合同規準（Combined Code）同様に，自主規制

---

[44] 大和総研経営戦略研究所（2009）p. 142
[45] MU Finance plc 公募債券目論見書
　　Chelsea FC HP, Manchester United FC HP　各参照

(voluntary) である。

　本原則は，1999年以来，世界中の政策担当者，投資家およびステークホルダーのための国際的ベンチマークとなってきた。企業ガバナンス問題を前進させるとともに，OECD加盟国・非加盟国の双方において，立法・規制上のイニシアティブに対して指針を提供してきた。政策担当者は良い企業ガバナンスが金融市場の安定，投資および経済成長に貢献するかを強く認識し，企業の方も良い企業ガバナンスが如何に自身の競争力を強化することになるかをよく理解している。本原則は，拘束力をもたない基準や良い慣行とともに，実施についての指針を提供する文書である。それらの基準・慣行・指針は，個別の国・地域それぞれの状況に応じて適用されるべきものである。本原則は上場企業を対象にしたものであるが，適用可能である限り，例えば個人企業や国有企業等の非上場企業の企業ガバナンスを改善するための有効な道具となりえる。

　ただし，本原則は各政府，政府系部門や民間企業における，企業ガバナンスについてのより詳細な「最良慣行 (Best Practice)」を策定しようとする動きを代替するものではない。またOECD原則は，拘束力をもつものではなく，目標を設定し，それを達成するための複数の方法を提示するものである。すなわち本原則は，判断の基準を提供することを目指したものである。自分たちの企業ガバナンスの枠組みを策定するにあたり，本原則を如何に適用するかは政府および市場参加者自身が決めることである[46]。

(3) サッカークラブ上場廃止の流れとガバナンス

　1990年代の最盛期にはロンドン証券取引所公式リスト (LSE) を中心に約30クラブが上場していたが，メイン市場からは全クラブが撤退した。残っているのは，現在ロンドン証券取引所代替投資市場 (AIM)，および店頭市場 (PLUS) に登録しているクラブが総計で5クラブしかない (脚注18参照)。

---

[46] OECD principles of corporate governance (2004) pp. 1-12
　http://www.oecd.org/dataoecd/34/34/32361945.pdf

第3章　プロサッカークラブの金融イノベーションとガバナンスの問題

第1節　プロダクト・イノベーションとガバナンス：サッカーバブル期（1999–2002）における Leeds United FC と Bradford City FC の事例研究

1. プロダクト・イノベーションが発生した背景：

　1992年英国トップリーグであるプレミアリーグ誕生以来，娯楽コンテンツとしての世界的なプロサッカー人気とスタジアムの増改築等によって，1990年代後半に大量のTV放映資金がプロサッカー業界に流れ込み，サッカー放映権料も高騰した。それにより選手の賃金，移籍金も急騰したので，各クラブは有力選手を獲得するための資金繰りに奔走した。資金調達の手段としては，経常的な銀行借入以外にも，クラブ株式上場による株式ファイナンス，有利な放映権獲得を目的とするTV他メディアからクラブへの戦略的投資，収容人員が急拡大したスタジアムの入場料を担保とする証券化ファイナンス，そして本節で議論する選手登録権にかかわるファイナンス（player finance techniques）があった（図11参照）。

図11：1992年以降のプレミアリーグの資金調達のトレンド

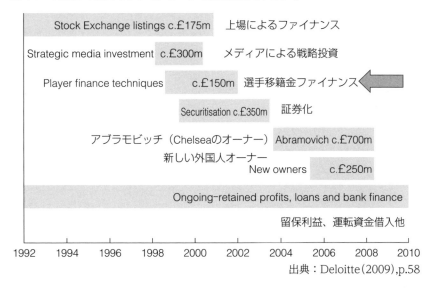

出典：Deloitte(2009),p.58

2. 金融イノベーションが生まれる理由

　金融イノベーションには，①プロダクト・イノベーション，②プロセス・イノベー

ションがある。②のプロセス・イノベーションとは電子トレーディングシステム等既存商品の生産過程に導入されるイノベーションである。本稿で議論するのは①のプロダクト・イノベーションである。金融におけるプロダクト・イノベーションは「リスク」と「規制」の二つの要素で生み出されてきた。すなわち増大するリスクと金融資産価格の脆弱性が，銀行等伝統的な金融機関に対する規制とあいまって，新しいタイプの金融機関が異なったリスク・リターンの仕組みをもつ新商品を提供する機会を作り出した。

　プロサッカーリーグでは，サッカー選手の獲得費用と報酬をファイナンスするために，またスタジアム開発やトレーニング施設拡充のために，これらの資金ニーズは従来型の銀行借入でまかなうのが難しくなってきていた。その理由として，銀行借入を増額するための担保が不足していること，または銀行側に，サッカーを中心とするプロチームスポーツ産業へリスクを今まで以上に増額するニーズがなかったことが挙げられる。そこで前表にある上場によるファイナンス，メディア戦略投資によるファイナンス，選手移籍金ファイナンス，証券化という金融プロダクト・イノベーションが生まれたのである[47]。

　本節で，セール・アンド・リースバック取引を論じる理由は，最新金融商品は従来型金融では満たせないニーズを満たすことができる点は評価できるものの，相対取引であり，複雑な仕組みをもつハイテク商品であるので，関係者全員のガバナンス意識が問われるからである。サッカーというスポーツと最新金融商品は，表面上は縁遠く見えるが，最新金融商品はクラブの資金調達で大きな役割を果たしており，クラブ倒産にも多大な影響を与えた事例である。そこでは，前章までに論じたサッカー関係者債務優先ルール等法律・リーグ規則も関係していた。

3. 選手移籍ファイナンス

　　（セール・アンド・リースバック取引：Sale-and-Leaseback Arrangement）

(1) 選手登録権（player registrations）

　プロサッカークラブの主たる資産の一つは，選手の登録権の移籍（transfer）価値である。選手はクラブによってサッカー当局に登録され，登録権の所有者であるクラブに対してその選手のサービス（プレー）を利用する排他的権利を与える。プロサッカーでは，移籍金（transfer fee）は選手がクラブ間の契約で動いた場合には，補償金（compensation）として以前のクラブに払われることになっている。しかし，1995年のボスマン判決が出るまでは，クラブの契約が失効したあとも，以前のクラブに支払うことになっていたのである。現在では判決の結果，契約が終了すればフリーエージェン

---

[47] Gerrard（2006), pp.709-710 参照

トとなるので，移籍金を支払う必要はなくなった。
(2) セール・アンド・リースバック取引（Appendix [5] 参照）

　1990 年代後半に英国プロサッカーで開発された取引である。取引の目的は，中期の負債ファイナンスの担保として，選手登録権の譲渡価値を活用することである。サッカークラブは必要な場合，現金を獲得する目的で選手移籍に頼る。セール・アンド・リースバック取引はこれを商品化したものである。この取引では，選手登録権をファイナンス会社へ売却する形式ではあるが，選手を保持（retain）することができる。

　他の産業で広く使われるセール・アンド・リースバック取引と比較すると，

① この取引は正式には（formally）セール・アンド・リースバック取引ではない。理由は，資産（選手の登録権）は譲渡されず，クラブの貸借対照表にそのまま残るからである

② この取引はオフ・バランス取引ではない。理由は，サッカー当局に登録されたクラブだけが，選手の登録権をもつことができるからである。（すなわち，サッカー関係者以外の他の組織では登録権を保有できない＝ファイナンス会社は購入できない＝選手の売り手のクラブにはオン・バランスのまま残る）さらに，選手という人的資源は有形固定資産と異なり，選手登録権の保有の譲渡に対して拒絶する権利を有し，また金銭的に折り合いがつくかどうかの問題も残る[48]。

③ この Benfield Greig 社が開発したセール・アンド・リースバック取引は，これらの難点を克服して「選手の登録権の推定（estimated）市場価値」を主たる担保として貸付を行うが，債務不履行が発生した時には，他の資産にも遡及（recourse）することができる仕組みである。

④ この取引のもう一つの特色は，サッカー産業に対して過大な貸出しをもつ従来型銀行の問題を解決したことがある。銀行はクラブに対して貸出を行う。しかしその貸出リスク（credit risk）を再保険市場経由で，貸出債権とは別に実質的に売却する。これを Credit Insurance wrap（信用保険ラップ）という。Leeds United が更生手続に入り，管財人により負債の洗い出しがされたときに，このセール・アンド・リースバック取引の最終リスクをとったのは，ドイツの再保険会社 Gerling であったことが判明した。かれらが，債務不履行リスクを引き受けたのである[49]。

---

[48] 当時の新聞報道でもリースの対象になった選手が誰なのかクラブ内で疑心暗鬼となっていたとある。ベストプレイヤーの 6 人が借入の担保となっているとの報道もある（Hobson (2003））。リースでは，一般に重要性の原則が適用されること，また個人のプライバシーの問題もあるので，どの選手が対象になったのか注記されない可能性もあったからである。しかし結局は，選手登録権はリーグのクラブ以外へは譲渡できないので，セール・アンド・リースバックと銘打っているが，実質は選手登録権保有したまま（オン・バランス），その推定譲渡価値を担保に借入を行ったことを示していると思われる（クラブにとっては，オン・バランスの担保付借入債務）。

第 2 部　応用編

選手登録権にかかわるファイナンス（セール・アンド・リースバック取引）とは，具体的には 1999-2002 年英国サッカーバブル期に，英国プロサッカークラブによって活用された金融テクニックである。英国では通常短期のファイナンスで活用される取引である。多くのマスコミ報道では，セール・アンド・リースバック取引としたが，現実には上述のとおり，選手の登録権の推定譲渡価値を主たる担保とする中期貸出である。以降，このサッカー界での選手登録権推定譲渡価値を担保とする中期貸出取引のことを，通称の「セール・アンド・リースバック取引」と呼ぶ。

4．サッカー界におけるセール・アンド・リースバック取引事例
(1) セール・アンド・リースバック取引のメリットとデメリット

（レッシー：Leeds United）：選手登録権購入資金をファイナンス会社から一括で受け取ることができる。支払をリース料として分割返済できる等資金繰りが楽になる。また従来型の銀行から貸出増額を受けられないときに活用できる。

（レッサー：REFF〔ファイナンス会社〕または貸出銀行）：新たな金融の仕組みを提

図 12：セール・アンド・リースバック取引の仕組み

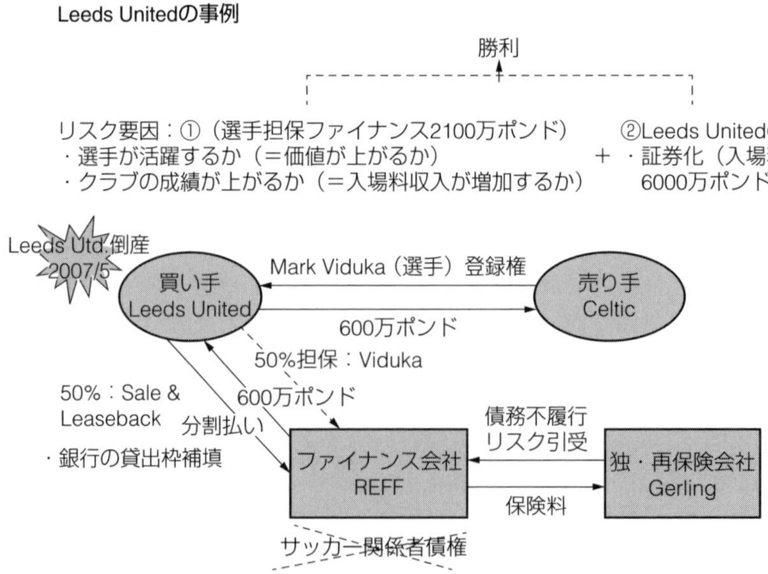

Leeds United の事例

リスク要因：①（選手担保ファイナンス 2100 万ポンド）　　②Leeds United の賭け
・選手が活躍するか（＝価値が上がるか）　　　　　＋・証券化（入場料担保）
・クラブの成績が上がるか（＝入場料収入が増加するか）　6000 万ポンド

Leeds Utd. 倒産 2007/5
買い手 Leeds United　← Mark Viduka（選手）登録権 ―　売り手 Celtic
　　　　　　　　　　　600 万ポンド
　　　　　　　　　　　50%担保：Viduka
50%：Sale & Leaseback　600 万ポンド
・銀行の貸出枠補填　　　分割払い
ファイナンス会社 REFF　← 債務不履行リスク引受 ―　独・再保険会社 Gerling
　　　　　　　　　　　　　保険料 →
サッカー関係者債権

出典：Hobson (2003)、Gerrard (2006) を参考に筆者作成

---

[49] Gerrard (2006) pp.714-715 参照

1　プロチームスポーツとガバナンス〜英国プロサッカーリーグを例に〜

供する（プロダクト・イノベーション）ことによって，手数料収入と運用レートを享受できる。レッシーが倒産した場合は，信用リスクを負う可能性がある。現実には再保険市場でレッシーの債務不履行リスクを，保険料を払って売却しているので，実質的にはリスクをとっていない。

（セール・アンド・リースバック取引の付随メリット）

リーグの規則では，すべての未払債務はクラブが試合を行う前までに履行（honor）されなければならない。すなわち更生手続（administration）に入ったクラブは，試合日程が決定されるまでに，未払選手移籍金や選手への未払賃金（サッカー関係者債務）を完済しなければならない。

セール・アンド・リースバック取引は選手担保の資金調達が主たるメリットであるが，付随メリットとして，クラブの債務が事実上サッカー関係者債務から無担保の商業債務（trade debt）に，債務優先弁済順位が変更になることがある。すなわち，リーグ規則で返済を優先しなくてはならないサッカー関係者債務ではなく，下位の一般債務となるので，結果的に返済を遅延させても，リーグでの試合に影響がなくなるという事態が発生した。この種のファイナンスがサッカークラブの資金調達方法としてふさわしいか，またリーグ（サッカーリーグ）の倒産防止政策（insolvency policy）の有効性に疑問を生じさせた。これもクラブのガバナンスの欠如といえる。

(2) セール・アンド・リースバック取引の形式上の仕組み

まず最初に，Leeds（レッシー）が Celtic から選手の登録権を購入する。バブル期であるので，価格は高騰している。その資金を調達するためにその選手の登録権を担保にセール・アンド・リースバック取引を行い，銀行から貸出を受けて，Celtic に代金を一括で支払う。形式はセール・アンド・リースバック取引であるので，レッシーである Leeds United は選手の登録権の購入代金に金利分，およびファイナンス会社（レッサー）の利益を含めて，毎年の支払リース料の形式で払う取引を行ったことになる。この取引は当時，Leeds United のみならず，トップリーグでは選手獲得競争に負けないために，よく利用された取引形態であった。それはリース取引そのものであり，表面上はなんら違法取引ではなかった

(3) セール・アンド・リースバック取引の問題点

当時，後年コーポレートガバナンス強化の引き金となった米国のエンロンやワールドコムでは，簿外負債を含めて巨額の不正経理，不正取引が発覚し世界を震撼させていた。セール・アンド・リースバック取引が，ひそかにサッカー界に広がっていたことが明るみに出たのが，Bradford City FC が 2002 年 5 月に更生手続（administration）に入っ

た時であった。当時，クラブの債務は2,200万ポンドと公表されたが，同じ年の8月にクラブに対する債権者リストが発表されたときには，クラブの債務額は3,650万ポンドに急増していた。クラブが倒産に陥ったことにより，管財人が債権債務を洗い出した結果，クラブの債務としてこの取引が再分類されたのである（reclassify）。この取引では，元プロサッカー選手が運営しているファイナンス会社REFFが，この資金調達の仕組みを開発し，選手を高額で売却したいクラブ，高額でも選手の獲得資金を調達したいクラブ，サッカービジネスの将来に期待した生命保険会社等金融機関がこの取引の参加者であった。背景として，TVマネーがサッカー市場に流れ込み，選手の獲得競争が過熱していた状況があった。

Bradford City FCの例では，700万ポンドがドイツの再保険会社Gerlingへの債務であった。元々はファイナンス会社のREFFへの債務であったが，再保険会社Gerlingが債務不履行リスクを引き受けたのである。この結果，最終的にCVA（和議）が成立した際には，Gerlingは自社債権額700万ポンドに対して，たった70万ポンドの返済しか受けられず，1年以内に残り100万ポンドの支払を受けられる予定となっているだけである。なお，もしサッカー関係者債務であれば全額返済を受けられたのである。

貸出人にとっては，従来の貸出枠が埋まり新規貸出ができない中で，サッカーのブームに乗る方法としてこのファイナンスに応じたのである。勿論TV放映権の将来について危惧をいだくものもいたが，選手の貨幣価値はうなぎのぼりに上昇すると思われていた。選手のセール・アンド・リースバック取引はリスクが大きい。Gerlingのケースでは，Bradfordが全債務の25％以下しかそのドイツの保険会社に負債を負っていないので，Gerlingは約700万ポンドの債権償却に同意するしか道がなかったのである。もし同意せずクラブが清算すれば，債権回収ができない可能性もあったからである。CVA（Company Voluntary Agreement：和議）が成立するためには，75％の債権者（金額ベース）の同意が必要であり，この例では他のすべての債権者は条件に同意した。しかし，例えば，もし別のクラブが保険会社に25％以上の債務を負っていれば，クラブがその債権者への返済を行おうとすれば，75％の債権者の同意は得られず，CVAは成立しなかったので清算に追い込まれる可能性もありえた[50]。

最後に，この問題に関しての，考慮すべきガバナンス上の問題は以下のとおり指摘して提起しておく。当時英国では，セール・アンド・リースバック取引は，取引自体は違法取引ではないが，クラブのガバナンス上で大きな問題があった。

1) 取引銀行は，債務者であるクラブの貸借対照表，損益計算書他財務諸表に基づき，貸出枠を設定して銀行取引を実行している。しかし，クラブは野心的で，財務上可

---

[50] Banks（2002）を参照

能な資金調達をはるかに上回る借入をセール・アンド・リースバック取引と称する取引で実行したことが，クラブのガバナンス上，問題がある。当時 Bradford City も Leeds United も上場していたので，株主および一般投資家へのディスクロージャーに関しての問題である。クラブ自らの財務力を超えた資金調達であるので，ファイナンス会社も通常の銀行借入増額が難しい借入人（クラブ）の足元を見て，高い金利，利益を上乗せしたリース料を設定した可能性もある。クラブ経営者も，強気一辺倒の経営をしていたので，誰もこの取引を止めることはできなかった。

リーグはサッカー関係者債務であれば，サッカー関係者債務優先ルール（Football Creditor Rule）でクラブに完済させるなど，リーグとしてガバナンスを働かせることも可能であったが，それを逃れるためもあったのか第三者（サッカー関係者以外の債権者）を取引の相手方とする取引に参入したのである。最終的にクラブの（債務の弁済順位を落とした）債務を引き受けた保険会社は選手の価値を評価する体制にはなく，結果として大きな損害を被ったのは自己責任とはいえるが，ガバナンス上問題のある取引に加担した責任は重い。クラブ側も総額を一括払いであれば獲得できない選手を，リース料支払で分割できることから，安易に資金調達を行ったことがガバナンスの欠如と言える。

2) デメリットは，クラブの財務力を超えた借入を行うことである。キャッシュで獲得するより，高値で獲得した選手を活用してリーグ順位を上げられれば，売上も拡大するという順回転となるが，選手が活躍しないとか，またはクラブがよい成績が上げられないと，過大なリース料支払が負担となる。

Leeds United の事例は，給与の減少と不動産価格下落に苦しむ住宅購入者と同じである。クラブの成績が期待を下回る不振で入場料が急減する一方，巨額のローン金利支払と，借入金額を下回るクラブ価値（評価損を抱える状態。negative equity）に陥っていたのである。(Hobson (2003))

3) Leeds United の事例では，セール・アンド・リースバック取引以外に，自らのクラブのスタジアムの入場料を担保にした資金調達（スタジアム・ファイナンスといわれるプロジェクト・ファイナンス）を実行していた。バブル期とはいえ，「高額有名選手の獲得，そしてそれによるリーグ成績の向上，それが売上高増加につながる」と一方的に判断し意思決定する経営を行った点で，クラブ経営のガバナンスに問題があったといえる。

第2節：証券化取引（Securitization）と負債サイドからのガバナンス

1. 証券化取引

前節では，セール・アンド・リースバック取引という，最新金融手法にかかわるガバ

ナンスの問題を法律面他で指摘したが，それ以外でも，最新の金融手法を活用したサッカークラブの資金調達が行われている。証券化といわれる手法である。

証券化の定義としては，ある会社が将来のキャッシュフローを担保に，債券を発行するプロセスをいう。債権者は当該債券の元利払に対して，当該キャッシュフローに対する優先権をもつ。証券化と似た取引として，流動化という取引がある。流動化の定義は，対象資産のキャッシュフローを裏づけとする資金調達方法であるのに対して，証券化は流動性を高めるために，有価証券の形で発行する資金調達方法である。証券化も流動化もオフバランス取引である。オフバランス取引とは，会社の貸借対照表（バランスシート）から消える（オフ）取引，また会社の貸借対照表に登場しない（オフ）取引である。証券化，流動化が行われる理由は，一般的には①リスクヘッジ手段②低コストの資金調達手段③オフバランス効果がある。

証券化においては，資産の保有者が，いわば特定の保有資産のみに依拠して，資金の融通を行うもので，その意味でアセット・ファイナンスとも呼ばれる。従来，企業が資金調達を行う場合は，銀行借入などの負債（他人資本）による場合がデット・ファイナンス，株式発行などの株主資本（自己資本）による場合がエクイティ・ファイナンスと呼ばれ，いずれも当該資金調達を行う企業の（筆者注：一般財産の）信用度に依存するため，コーポレート・ファイナンスと呼ばれていた。そのため，コーポレート・ファイナンスが伝統的な概念であるのに対して，アセット・ファイナンスは新しい概念であり，アセット・ファイナンスが証券化等の新しい代名詞とされる[51]。

他の区分として，発行募集方法による分類方法があり，公募債と私募債に分けられる。公募債とは，不特定多数の一般投資家に広く募集を募り，新しく発行される社債をいう。それに対して，私募債は，特定少数のプロの機関投資家に対して新しく発行される社債で，非公募債ともいう。私募債は公募債に比べて手続が簡単で，コストも少ないという利点がある。証券化は複雑なスキームを活用するので，転売（リスク移転）のための流動性は一般的にはないといえるが，本項で議論する Arsenal 債は信用補完を行い，格付け取得を受ける等を行い大規模発行金額とすることによって，流動性のある公募債券として仕組まれた例である。

証券化の類型には，真正売買証券化と事業の証券化の二つの類型がある。

---

[51] 鯖田（2010）3頁参照

1 プロチームスポーツとガバナンス〜英国プロサッカーリーグを例に〜

2. 真正売買証券化（True-sale Securitization）

図13：真正売買証券化の仕組み

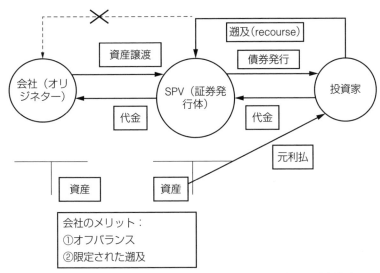

出典：Gerrard（2006）pp.712-713を参考に筆者作成

　証券化商品ではそれを発行する会社の信用力ではなく（保証などの信用補完がない場合），証券化される資産の信用力に依存した商品であるので，実務上は倒産隔離を欠かすことができない。倒産隔離とは，原所有者（オリジネーター）の倒産リスクから切り離す（隔離する）ことである。倒産隔離の目的は，①SPV（証券発行体）をオリジネーターの倒産リスクから隔離すること　②SPV自体の倒産を予防することが挙げられる。オリジネーターの倒産リスクからSPVを隔離するためには，まず対象資産の真正売買（True-sale）を確保する必要がある。真正売買とは，証券化のために形式的に行われた売買ではなくて，正しく行われた売買のことをいう[52]。

　前図13で仕組みを解説する。まずオリジネーターが資産をペーパーカンパニー（SPV）に売却する。SPVは当該資産を購入するために，債券を発行する。両社の貸借対照表（B/S）を見ると，オリジネーターのB/Sから当該資産がSPVのB/Sへ譲渡されるのがわかる。オリジネーターにとってのオフバランス取引となる。オリジネーターに対する債権者は，オリジネーターが倒産した場合には，資産譲渡先であるSPVに対して，遡及ができなくなる。SPVは当該資産からの収入で発行債券の元利払いを行う。

---

[52] 井出（2007）128-129頁参照

もし逆に当該資産で債務不履行等があり，キャッシュフローが不足した場合，債券保有者はSPVの資産にしか遡及できない。すなわち，債券保有者はオリジネーターに遡及できないのである。このように真正売買証券化はオフ・バランス取引であり，限定された財務的遡及しかできない取引である。真正売買証券化は，財務的遡及に関して，次に述べる事業の証券化と異なる仕組みの取引である[53]。

3. 事業の証券化（Whole Business Securitization: 以下WBSと呼ぶ）

WBSの定義としては，「事業運営者が特定の事業資産を用いて事業を営むことにより，生み出す将来のキャッシュフローを，裏づけとした社債等を発行すること」となる。すなわち，WBSとは，仮に事業運営者が債務不履行に陥った場合も，裏づけ資産から生じるキャッシュフローによって，この社債等の債務の履行が円滑に行われるような法的手当てがなされることにより，事業運営者の格付けより高い格付けを目指す仕組みのことをいう。

このほかの手当てとしては，コベナンツ（融資取組みにあたり，契約内容に記載する特約条項。約束に反した場合は，期限の利益を喪失して即時一括返済を求められる場合もある[54]）を設定することにより，投資家の権利の保護や事業の安定的な継続性を確保すること等がある[55]。銀行であれば，相対取引であるので，融資を行う際の遵守事項を銀行取引契約書に盛り込み，借主に遵守することを要求する。例えば，モニタリングのために，決算書を毎期提出させるような情報開示に関する事項であったり，純資産維持・黒字維持のような財務制限条項（財務コベナンツ）を入れたりする。それに対して，証券化において，債券発行は債券が転々流通することを前提としている。したがってコベナンツを設定しておかなければ，期限の利益喪失事由が存在しないことになる。コベナンツを設定することによって，債券所有者の権利の保護，事業の継続性を確保することに資する。

(1) 財務コベナンツ
主な財務コベナンツは以下のとおりである[56]。
1) カバレッジ・コベナンツ
① インタレスト・カバレッジ・レシオ：事業利益が金融費用（支払利息など）の何倍であるかを測定するもので，金融費用の支払能力を測るための指標である。

---
[53] Gerrard, B (2006) p.712
[54] Oxford Dictionary of Accounting (2005) p110 参照
[55] 井出（2007）116頁参照
[56] 山下（2009）184-186頁

② デット・サービス・カバレッジ・レシオ：元利金返済額（デット・サービス）をまかなうだけの，キャッシュフローを創出しているかを判断するための指標である。
　③ フィックス・チャージ・カバレッジ・レシオ：デット・サービスだけでなく，設備投資金額を含めたカバレッジを見るための指標である。
2）レバレッジ・コベナンツ
　事業利益に対して，どの程度の借入水準となっているかを判断するための指標である。
3）資本勘定，黒字維持
　① 純資産維持：純資産額をプラスに維持することを定めたものである。
　② 黒字維持：利益（営業利益，経常利益，当期利益）を黒字にすることを定めたものである。
4）設備投資制限：最大設備投資金額

(2) 特別なコベナンツ
　サッカークラブは以上の一般的なコベナンツ以外に，証券化取引にあたり，後述のとおりサッカー産業独自のコベナンツを設定される。
　サッカー業界の証券化は1995年のNewcastle Unitedが最初であり，その8本の証券化取引のほとんどが，期間25年のスタジアム建設のためのファイナンスであった。サッカー証券化取引は現在までWBSである。その仕組みは，入場料と会社接待用業務収入のキャッシュフローを担保とするものである（Leicester City FCを除く）[57]。
　サッカークラブのファンの基盤は，クラブの歴史と地理の問題である。いったんファン基盤ができると，昇格または降格がない限り入場料は安定している。トップリーグのプレミアリーグではスタジアム満員率は平均92％である。なおトップはArsenalの100％である[58]。

---

[57] Gerrard (2006) p.713
[58] Deloitte (2009) Safety in numbers p.8

図14：WBS（事業の証券化）の仕組み

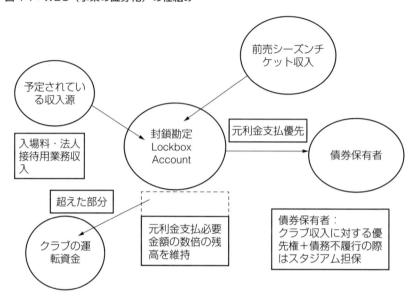

出典：Gerrard（2006）pp.712-713参考に筆者作成　＊封鎖勘定[59]

WBS（事業の証券化）の仕組みは次のとおりである[60]。

まず証券化では，収入が安定的（stable）で，予測できる（predictable）であることを必要とする。英国サッカークラブでは，入場者数が大変予測しやすいのは先に述べたとおりである。証券化のプロセスは以下のとおりである。最初に，前売りシーズンチケットの場合では，サッカークラブが関与できない封鎖勘定に売上代金が入金される。その勘定では，債券保有者に対する年間の元利払いの数倍の残高が維持され，それを超えた部分がクラブの運転資金勘定に流れる仕組みとなっている。このように債券保有者は，クラブの売上高に対する優先権をもつ。また，ほとんどの事例では，クラブの所有するスタジアムがクラブの債務不履行の際の最終的な担保となる。

4. サッカークラブにとっての証券化の是非

資金使途によって，証券化の是非が変わる。なぜなら，証券化とは中長期資金調達であるので，運用と調達の期間のマッチングの問題がある。是とされる資金使途はスタジアム建設資金であろう。長期設備資金で建設される運用に対して，長期借入でまかなう

---

[59] 封鎖勘定：債券回収用分割管理特別（銀行）口座のことである。担保となっている入場料他がこの口座に振り込まれ，そこから債権保有者に元利金が支払われる。
[60] Gerrard（2006）p.713

のが安全性の見地からも望ましい。スタジアム建設により，入場料は安定的収入として増加することが期待できるので，財務上では慎重な調達と言える。

他方，選手獲得資金（選手登録権購入）およびクラブの運転資金に使用すると，短期の運用を長期借入でまかなうことになり，期間のミスマッチングとなる。なぜ問題になるかといえば，証券化取引は複雑でコストがかかる取引であるので，クラブの財政状態が急変した場合（サッカーでは降格があれば，対戦チームが人気のない相手となるので，観客が減少し，財務状態は急速に悪化する），この証券化という長期債務の解約・条件変更は極めて難しい。可能であってもコストがかかるし，機動的にできない難点がある。さらに機会費用としては，証券化が解約できない場合に，コストが高い銀行の貸越枠使用により余分なコストが発生する可能性がある。

証券化のメリットとして，上記仕組み図14にあるように，封鎖勘定に潤沢な資金を積ませるので，選手賃金に無駄なキャッシュをつぎ込む余裕がなくなることが挙げられる。

次に，通常の銀行貸出との比較では，サッカー関係者債務優先ルールが適用されるので，銀行の貸出債権はサッカー関係者債権に劣後する。これに対して証券化取引では，収入の配分に対して，サッカー関係者よりも債券保有者に優先権がある。この点では，資金運用者としての銀行にとっては，債権保全の見地からは，証券化商品が好ましいといえる。

5. 証券化取引を通じたガバナンス強化：証券化の事例研究
　　　―Arsenal FCの公募債発行―
1) Arsenal Bond（入場料担保公募債券）の発行の仕組み

発行者のArsenal FCは1886年創立，英国ロンドンに本拠地を置く。1893年にサッカーリーグ（Football League）に加盟した最初のイングランドのクラブである。リーグ1部（旧First Divisionおよび現Premier League）優勝13回，FAカップ優勝10回の英国屈指の名門クラブの一つである。本件公募債発行は，本拠地スタジアム移転（工事期間：2004年～2007年）に際しての銀行借入金を借換えするために発行された。英国のサッカークラブが発行した初めての公募債券である[61]。

(本債券の特徴)
　① プロサッカークラブで初の「公募（publicly marketed）」「資産担保（asset-backed）」債券である

---

[61] Barclays Capital et al（2006）p.15

② 2006年7月発行の総額2億6,000万ポンド（最長期限25年）の2本立て債券発行（主幹事：Barclays Capital/RBS）である
③ 資金使途：新スタジアムへの移転に伴うリファイナンス（銀行借入の返済による借換）である。2006年7月開場の新スタジアムは，建設資金を銀行借入で調達していた。利率他条件が発行者にとって高かったために，本債券での借換えとなった。
④ 入場料を担保にする資産金融（Asset-backed）である
⑤ WBS（Whole Business Securitization：事業の証券化）であり，新スタジアムでの入場料キャッシュフローを担保とする
⑥ 入場料キャッシュフローは，連帯保証人であるArsenal Football Club（プロサッカークラブ）の成績に依存する。本ファイナンスによって建設された本拠地スタジアムは2008/09シーズンで見ると，収容人員が38,000人から60,000人に増加したが，スタジアム満員率は100％であった。スタジアム新設によって，クラブの成績や景気に依存するヨーロッパでの試合（カップ戦）や放映権料に依存する度合が低くなり，経営の安定性に資する。結果，Arsenal FCの売上の最大部分は安定的な入場料収入となった[62]。
⑦ 信用補完として，保険会社の保証が付いている。また格付機関による格付けが付与された。有名なクラブとはいえ，一般企業の基準では中小企業（Appendix [6] 参照）ともいえるサッカークラブの公募債券を一般大衆に販売するためには，信用補完が必要であった。

なぜなら複雑な仕組みで，一般投資家にはわかりづらい証券化商品は，プロ機関投資家にはともかく，一般投資家には仕組み，その信用リスクを判断しがたく流動性に欠ける問題点がある。それを高格付けの保険会社の保証をつけること，および格付機関から発行体そのものへの債券の格付け（信用格付，すなわち元利返済の安全性に対する格付け）を受けることによって，一般投資家が売買しやすい仕組みとしたことによって，流動性が付加された。

（債券要項）
① 債券発行者：Arsenal Securities plc（SPV：目的会社）
② 総額2億1,000万ポンド：固定金利，平均残存年数13.5年，スプレッドは英国国債利回＋0.52％ 利率：5.14％
③ 総額5,000万ポンド：変動金利，平均残存年数7.1年，スプレッドはLibor＋0.22％。なお，Liborとは，ロンドン銀行間金利のことである
④ 連帯保証：The Arsenal Football Club plc, Arsenal (Emirates Stadium)

---
[62] 前掲書 p.19

Limited 他グループ会社2社
⑤ 保証：Ambac Assurance UK (AAA)
⑥ 債券格付：AAA（Arsenal の原格付け BBB）格付機関：Fitch, S&P2社
⑦ 資金使途：借換資金（総額2億6,000万ポンドの借入，主幹事 RBS）。原資金使途：総額4億7,000万ポンドの新スタジアム建設資金
⑧ 上場：ロンドン証券取引所国債・固定利付債市場（London Stock Exchange's Gilt Edgedand Fixed Interest Market）
⑨ 返済財源：新スタジアム入場料収入担保（債券格付 S&P）。他に，旧スタジアム跡地でのマンション分譲代金，1億ポンドの新スタジアム命名権（アラブ Emirates 航空），1,500万ポンド20年のスタジアム内レストラン経営権

図15：Arsenal Bond の取引構造

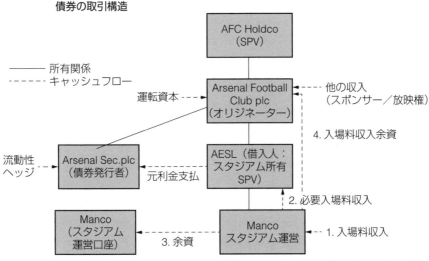

出典：Barclays et al (2006) p.21 から引用

(Arsenal Bond の投資家保護条項[63])
① AESL, AFC, Manco, AFC Holdco の連帯保証。
   AESL, AFC, Manco の資産に対する固定・浮動担保設定（Appendix [7] 参照）
② AESL, Manco, 発行者（Arsenal Sec.plc）に対する制限的なコベナンツ（制限条項

---
[63] 前掲書 p.23

非担保条項（negative pledge）[64]・証券化外での借入およびヘッジ取引に対する制限・基本資産の処分禁止・より良い企業統治を行う条項
　③　契約関係者との直接的な合意
　④　発行者の流動性確保（最低18か月分の支払元利金分）封鎖勘定
　⑤　AESLとManco（スタジアム運営口座：封鎖勘定）における準備金確保
　⑥　AFCグループのサッカービジネス以外への参入制限およびArsenalサッカービジネスのグループ外での制限
　⑦　モニタリングの増強
　⑧　トリガー条項の設定[65]

(2) プロサッカークラブにとっての公募債発行の意味とガバナンスの強化
　先に（第2章第1節）記述したように，ガバナンスの理論（theories）の標準的枠組みは，ガバナンスをプリンシパル・エージェンシー問題と見なし，近時では統治するプリンシパルとして，株主，債権者，取引相手，従業員，地域社会等，会社の様々な利害関係者とすることが潮流となってきている。しかし英米では依然，プリンシパルは株主との志向が強い。その影響を強く受けて，英米流ファイナンス理論から見ると，やはり株主こそがガバナンスを行うプリンシパルとの考え方が強い。
　一例として，砂川（2010）は「企業の経営に問題があり，業績が落ち込んだとしよう。配当は減額され，株価は下落する。業績の落ち込みは，負債の返済には影響がない程度である。このとき，債権者が企業経営に口出しすることはない。企業経営の問題点を指摘し改善を迫るのは株主である。債権者が企業経営に乗り出してくるのは，業績が落ち込み，低迷が続き，財務的に危険な状況になってからである。（中略）。通常の状態において，コーポレート・ガバナンスの主役になる投資家は，利益配分が最も劣位の株主である。」[66]と述べている。その理由として，株主が優先弁済順位で最劣後する代償として，議決権が与えられ，自分たちの意見を反映させることができるとしている[67]。しかし，優先弁済順位が最劣後であることだけから，最終のリスクを株主だけがとっているとは

---

[64] 非担保条項（negative pledge）：無担保債権者が同順位の債権者への担保提供を禁止する絶対的非担保条項と，同順位の債権者へ担保提供する場合は，自らにも同等（pro rata）の担保提供をすることを条件に同意する相対的非担保条項がある。
[65] トリガー条項：証券化商品のスキーム上，加速度償還（貸倒率の上昇など対象債権の劣化に備えた劣後配当停止・優先元本の優先返済），サービサー交代（サービサーの回収能力の低下または倒産リスク回避）などの措置を発動させるきっかけとなる事由が一般的にトリガーと呼ばれている。想定以上にオリジネーター（セラー兼当初サービサー）の信用力が悪化した場合や債権の劣化に備える目的，当初留保していた手当（債務者対抗要件の具備など）を具備する目的および回収能力低下の牽制の目的など元利金回収の確実性を高める効果がある。http://www.jcr.co.jp/qa/qa_desc.php?report_no=qa0308
[66] 砂川（2010）175-180頁
[67] 前掲書 179-180頁

1　プロチームスポーツとガバナンス～英国プロサッカーリーグを例に～

いえないであろう。なぜなら，倒産によって，従業員も，地域住民も，取引先，取引銀行も何らかの負担を受け持つことになるからである。その一方で，株主は株式を売却して投下資金を回収することができる。実態論としては，統治するプリンシパルとして，株主，債権者，取引相手，従業員，地域社会等，会社の様々な利害関係者であろう。

　英国プロサッカークラブについていえば，前章までに論じたとおり，サッカーは英国社会に深く根づくソーシャルキャピタルであり，「Peoples' Game」（国民的スポーツ）と英国政府も認めている。ファン，地域住民をクラブの利害関係者から外すことは難しい。すなわち，サッカークラブが株式会社であるからといって，クラブが株主のものと捉えることはない。

　一般企業の議論とは離れて，砂川（2010）の議論は英国サッカー業界には当てはまりにくい。一時は30クラブに及んだクラブ株式上場も，今やLSE公式リスト上場はゼロである。特に外国人投資家が買収したクラブは，実質クラブオーナーは大多数の株式を支配している。その意味では，まさに経営者はオーナーの言うとおりに，クラブの経営を行う。もしクラブ成績が不振であるとか，クラブ財政が不振になると，オーナーはすぐ経営者の首を挿げ替えるのである。その意味では，プリンシパルが株主であると捉えれば，ガバナンス問題は発生しない。しかし，現実にはどんなビッグクラブでも，クラブ株式をもたないファン，スタジアムの所在する地域，および地域住民の声を無視することは，クラブの存在を脅かすことにもなりかねない。そこでクラブ経営においては，クラブが株式会社であり，少数大株主でクラブ株式を押さえていても，クラブのほかの利害関係者もクラブのガバナンスに参画する必要がある。

　問題は，その方法である。まさに非上場であるから，LSEの任意取決めに従う必要はない。したがって，非上場クラブであってもArsenal（PLUS市場）やTottenham（AIM市場）は，投資家とのコミュニケーションを求めて，LSEの任意取決めに従うクラブもある一方，Manchester Unitedのように一切開示を行わないクラブもあった。LSEの任意取決めに従って企業内容を開示することは，ガバナンス（good governance）のためには良いことで，LSEも推奨している。現実には，その推奨にも関わらず，英国プロサッカークラブの倒産は減らず，2010年にはいよいよトップリーグのPortsmouthが倒産した状況がある。任意で自発的なガバナンスを期待しても，第1章で見たようにオープンモデルのサッカー業界では，ガバナンスの効果が見えない。またそれに過度には期待できない。

　株式所有による議決権で経営に関与する，またはLSE任意取決めに従って経営をガバナンスすることも難しい現状がある。そこで注目されるのは，ビッグクラブ向けの公募債発行に際しての，社債権者によるガバナンスである。社債権者は企業が倒産の瀬戸際になるまで，ガバナンスを発揮しないと主張されているが，社債，特に公募債の場合

は，種々の債権保全措置が組み込まれ，コベナンツ（財務制限条項他制限条項）が契約書に規定され，そこで約束した条項を借入人（サッカークラブの社債発行目的会社(SPV)）が遵守できない場合には，条項の軽重に従って，その条項に従うことが強制され，従えない場合は，「倒産条項（Events of Default）」に該当すると判断される。その場合は，期限の利益を喪失し，期限前償還に追い込まれることになる。同時に，他の同順位債権も償還することを要求され（cross default），それができなければ倒産となる。

このように，企業が危機的な状況になるまでは，社債権者はガバナンスを利かせないというのは誤りであろう。みずから公衆（公募債券とは一般大衆の間を転々流通する。従って，企業内容開示が強制される。）に宣言したことを守れないと，倒産リスクを背負うことになるので，借入人（クラブ）のガバナンス意識は高まるのである。社債発行の場合，特に公募債発行の場合には，社債管理会社（発行会社のため）または信託会社（社債権者のため）設置され，契約書に基づき，管理事務を行う。したがって，発行会社の事業内容を理解できない社債権者であっても，社債管理会社等を経由して，ガバナンスを実行することも可能であるし，第三者評価機関である格付け機関による外部格付け，および発行者・発行会社グループ会社の連帯保証がつけられている場合もあるので，リスク判断はできる。クラブが銀行借入だけで資金調達している場合，または社債であっても私募債で調達している場合は，相対取引であり，開示は限られた当事者だけにされるので，他の利害関係者のガバナンスは効かないのは間違いない。したがって，社債権者のガバナンスは大規模公募社債の際に，企業情報が社債権者のみならず，一般大衆にも開示されるので，非上場企業であっても，企業の広い利害関係者の利益を守ることができるといえる。ここに社債発行，特に公募社債発行によるガバナンスが，非上場会社であるクラブのより良いガバナンス方法と主張するものである。

確実な元利金返済を要求される債券は，発行企業の安全性に基づき，利率，返済期限，発行金額，担保の有無等が決定される商品である。一方，債券と異なり，株式は企業規模（安全性）よりも企業の成長性，収益性を評価する商品である。プロサッカークラブは既に前章までに見たように，収益性に問題があり，機関投資家が見放したため，上場が発行企業にとってメリットがなくなったので，上場廃止が相次いでいる。したがって，プロサッカー企業にとっては，株式発行（エクイティ・ファイナンス）の道は実質上閉ざされているので，負債による資金調達（デット・ファイナンス）が重要である。

伝統的な銀行借入については，銀行も一時の熱狂がさめ，貸出枠を拡大する方向ではない。サッカーバブル期には，先に述べたようにセール・アンド・リースバック取引のような貸出枠逃れのような取引もあった。それはサッカークラブのガバナンスを麻痺させるものであったので，現在では許されない取引である。

1　プロチームスポーツとガバナンス～英国プロサッカーリーグを例に～

　そこで，中小企業ともいえるプロサッカークラブにとっての資金調達は本来，リスク判断のプロである機関投資家を対象に，私募債で行うのが当然である。しかし私募債であれば，流動性が欠けるので大規模資金調達は難しいし，調達金利も高くなってしまう。そこでオリジネーター（実質発行者）である Arsenal FC を債券の仕組みと投資家保護条項で縛り，信用度を上げて，中小企業では考えられない大規模公募債券（WBS による）を発行できたことは，これからのサッカークラブのガバナンスを考える上でも重要である。およそ大企業とはいえないサッカークラブが，長期，大きな金額，低い金利という条件で，調達できるのはクラブ側にもメリットがあるし，その対価として安全性確保のために自社ガバナンスの強化を受け入れることができる。

　サッカークラブにとっては，ほとんどのクラブが，地域密着でファンの経営参加を受け入れ，サポータートラストを立ち上げる方向性が一つで，もう一方がトップクラブを中心とする大きなクラブの資金調達，ならびにその対価としてのガバナンス強化があるといえる。

　債券要項にあるとおり，本債券は公募債としてロンドン証券取引所に上場されている。公募債で企業内容開示（価格変動開示も含む）のためにロンドン証券取引所に上場している。それによってもガバナンスが強化されることは，他の私募債形式証券化取引と大きく異なる点である。AAA（トリプル A）の保証会社 Ambac の格付けだけではなく，債券発行者の原格付け（保証なしでも投資適格の BBB（トリプル B）格の格付けを取得した）も企業ガバナンスの強化とそれによる投資家保護に資する。一般投資家は保険会社の保証だけを見るだけではなく，発行者の格付けを見ることで，投資の意思決定を自ら行うことができる。債券発行者の原格付けがなければ，単に債券発行者の信用度判断を生命保険会社に委ねるだけになってしまう。企業規模としては中小企業に近いといえるサッカークラブが長期・低利の大規模資金調達が可能になった。その見返りに企業の格付け維持のためガバナンス強化が進むのである。これはサッカークラブのガバナンス強化のためには，重要な仕組みであり，クラブにとって大きなインセンティブになるといえる。

　なお，2010 年 2 月からはロンドン証券取引所国債・固定利付債市場において，電子商取引が開始された。これにより，株式市場同様に，発行者企業の情報が市場経由，価格に反映されるなど，当該社債の価格，すなわちその発行会社の信用度にかかわるクレジット情報の「透明性確保」が可能になった。さらにマーケットメーカー（特定の銘柄に関して日常的に参加者に対して提示した価格で売買に応じる証券業者）が指定されており，売り買い両サイドの価格提示が可能になったので，当該債券の流動性が増強されることになった。

　この債券上場による投資家保護は，投資家の市場への参加を増やすことに繋がり，投

第 2 部　応用編

資家が発行会社の信用度判断を以前に増して行うことになる。それが価格に反映され，最終的には企業のガバナンス強化に繋がる。株式の上場廃止が続く英国サッカークラブに対する，市場からのガバナンス強化が，債券市場から始まっているのである[68]。

なお 2010 年初頭にプレミアリーグでライバルの Manchester United（上場廃止会社）が同様に大規模な公募債券を発行した。その際に，公募債であるので，一般投資家向けに，この取引以外では行っていない企業内容開示を行った。それ以前は，Manchester United は開示については積極的なクラブではなかったので，公募債発行による企業内容開示は，クラブのガバナンスに大きな影響を与えたと思われる。

表 6：サッカービジネスにおける信用リスクとその軽減策
～サッカービジネス特有のコベナンツの例～

サッカー特有のリスク	軽減策	具体的内容
売上高の変動・高額の選手維持の長期的費用	・運転資本テスト ・負債支払い勘定（封鎖勘定）	3 シーズンのプラスキャッシュフローを維持する ・発行者の入場料収入への優先権
クラブ選手のレベル維持	移籍代金勘定	選手譲渡代金の 70 ％を選手、サッカー資産へ再投資
スタジアム運営費用	先渡販売制限	ボックスシート以外は 1 シーズン以内
保守的なマネジメント体制	・運転資本テスト ・負債に関する制限 ・ビジネス活動への制限	・Arsenal の金銭的負債額の制限 ・Arsenal FC がサッカー以外の活動をすることへの制限
サッカーの構造的変化	モニタリング増強	・Arsenal FC は取引に派生する課題を議論するために信託機関や財務保証人と公開ディスカッションを開催する

（出典　Barclays Capital et al(2006) 他[69]）

---

[68] londonstockexchange.com（2010）参照
[69] Barclays Capital et al（2006）p.22 および Arsenal Bond Prospectus pp.89-95

第4章　ファンの経営参加によるクラブガバナンスの強化
　　　　（サポータートラスト）[70]

第1節　本章のねらいと調査の方法

(1) 本章のねらい

　前章では，最初にサッカーバブル時期での負債（デット）ファイナンスであるセール・アンド・リースバック取引を検討した。「リスク」と「規制」があいまって，プロダクト・イノベーションとしてこの取引が生まれたが，取引関係者が皆，短期的な利益を追い求めた結果，クラブガバナンスが形骸化し，倒産に至った例を見た。プロダクト・イノベーションの下で，複雑な取引が当事者間だけで完結したためにクラブのガバナンスが効かなかったのである。

　それに対して，21世紀に入ってから，負債サイドによるガバナンスとして，事業の証券化（WBS）が開発された。会社（オリジネーター）の信用から，入場料キャッシュフロー等を切り離し，浮動担保と管理レシーバー制度[71]を活用する仕組みである。さらに高格付の保険会社から保証を得ることで，債券の格付けをアップし，大規模公募債を発行し資金調達できたのである。その過程で，債券の要項で各種の縛りを規定することによって，発行者（SPV）およびクラブ会社（オリジネーター）のガバナンス強化が図られている。クラブ株式が上場廃止となり，株主（エクイティ）からのガバナンスが難しくなってきている状況で，債券（デット）からのガバナンスは今後の展開で発展が大いに期待される。例を見ても，従来からガバナンス意識が強いArsenal FCのみならず，上場廃止により全株を外国人株主が買い取ったため，業績開示に消極的なManchester Unitedですら，大規模公募債（事業の証券化WBS）を行うに際して企業内容開示を行ったことは，デットからのガバナンスが有効であることを証明している。ただし，このようなスキームは英国プロサッカークラブのほんの一部のビッグクラブに限られている。

　これに対して，大多数のプロクラブのガバナンス強化の有力な手段として，サポータートラストがある。必ずしもクラブ株式を所有しなくてはならないわけではないが，相互会社形式のサポータートラスト経由でクラブ株式を購入することによって，クラブの有力な利害関係者であるファン（サポーター）が経営参加する方法である。非上場会社であるクラブのガバナンスに有効である。

---

[70] 本章は西崎信男（2010a）を一部改変したものである。
[71] 管理レシーバー制度：林（2010）170頁引用。「浮動担保権者が選任するレシーバー（財産管理者）に担保物の管理，処分，さらに債務者の経営管理権まで担わせる制度です。レシーバーは債権者の利益に沿って行動します。」

第 2 部　応用編

本章のねらいは,

1) プロスポーツにおける企業統治の先進事例である英国プロサッカーにおいてファンの経営参加が誕生した背景を明らかにすること,
2) ファンの経営参加の重要性,日英のプロサッカーにおけるファンの経営参加の諸形態を比較分析することによって,サポータートラストのクラブガバナンスでの有効性を明らかにすること
3) 英国プロサッカーリーグにおける新たなファンの経営参加形態であるサポータートラスト[72]の仕組みを明らかにすること,
4) サポータートラストの仕組みが,プロ・スポーツクラブでファンの経営参加を達成するため重要な意義をもつことを論じることである。

日本のJリーグでは誕生以来,ドイツのブンデスリーガをベンチマーク(指標)としており,今やプロサッカーの中心的存在となった英国リーグの仕組みが必ずしも研究されていない。サポータートラストが研究され,その考え方,仕組みが日本のJリーグ等プロスポーツ産業に取り入れられ,スポーツ産業拡大,ひいては日本経済活性化に資することを望むものである。

(2) 本章の調査の方法について

第1章第3節で見たように,Michie et al (2005), Trenberth et al (2007) 等ファンの経営参加についての先行研究はあるが,相互主義(Mutualism)について Michie,J (1999) があるだけで,サポータートラスト他の仕組みについて分析・まとめた先行研究は見当たらない。そこで研究の中心となるのは英国金融サービス機構(FSA)[73],政府関係団体サポーターディレクト(SD)[74],各サポータートラスト等のHPに掲載されている法律(会社法他)・規制・情報・パンフレット・クラブ定款が中心となる。英国と日本では法制度が異なり,特に日本では一般的な相互会社法がないため[75],相互扶助の考え方,仕組みを分析するために,またファンの経営参加の実態を調査するために,2009年8月7日から18日まで英国にてフィールド調査を行った。往訪・インタビュー先として,英国政府関係団体サポーターディレクト,ロンドン大学 Birkbeck College,

---

[72] サポータートラストは2009年6月現在,150以上のプロおよびアマチュアのサッカークラブおよびラグビークラブで設立されている。その会員は12万人以上。STが株式を所有してるクラブの数は110あり,そのうちSTが過半数の株式を所有しているクラブが16ある。クラブには現在45人以上のサポータートラスト選出の取締役がいる。Supporters' Direct (2009)
[73] FSA：http://www.fsa.gov.uk/
[74] Supporters' Direct：http://www.supporters-direct.org/
[75] 日本でも近年,会社法(平成18年5月施行)の「合同会社」,および一般社団法人及び一般財団法人に関する法律(平成20年12月施行)の「一般社団法人」が定められ,それらは「相互会社」に近いものであるが,一人1票をとなっていない点で相互会社とは異なる。

ファンがクラブを所有する AFC Wimbledon の他，プロサッカークラブ経営陣，およびトップリーグのプレミアリーグのサポータートラスト，サポータークラブを中心とした。

第2節　ファンの経営参加によるガバナンス：サポータートラスト
(1) ガバナンスにおけるファンの経営参加の重要性と仕組みの諸形態

　サッカーではファンをサポーターというが，サポーターは普通の消費者と大きく異なる。サポーターは経済学的には「非合理的」で，入場料が高くてもスタジアムが貧弱でもチームのファンを辞めない。まさにクラブはファンを「何もサービスしなくても喜んで入場料を払う金づる」と長くみなしてきた。うべかりしメリットを享受せず，一方的に剥奪されるのがサポーターだった。そのクラブの怠慢が大事故につながり，政府（労働党政権）も後押ししたファンの経営参加が始まった。

　大多数のクラブにとっては，安定的資金調達の面からもファンの重要性は大きくなっている。サポーターがスタジアムを埋めて入場料収入を上げる，さらにスタジアムでサポーターにグッズを販売することが収益の基本になる。入場者が多いとスポンサーにとっても広告宣伝効果が向上し，TV も視聴率が上がるので，TV 局も多額の放映料を払うことにつながる。いまやクラブにとってはファンをいかに維持するかが経営の基本になったのである。

　それでは如何にしてファンの経営参加を達成するか。図16に日英のプロサッカーリーグにおけるファンの参加形態を示した。

　まずはクラブそのものをファンが経営する，換言するとクラブをファンが直接所有する形態である。相互会社組織（mutuals）といわれるものでスペインの FC バルセロナが有名である。次に間接的所有形態としてサポータートラスト（Supporters' Trust）がある。クラブは株式会社のままで，ファンが信託（トラスト：trust）という名称の相互会社（IPS 後述）の仕組みを使って，クラブの株式を共有して経営に参加する形態である。他に日本では応援組織であるファンクラブ（英国では ISA：Independent Supporters' Association，つまりサポータークラブと呼ばれる），または資金援助団体である後援会（ファンクラブと同じ），そしてサポータートラストに形態が似ている持株会がある。

　細かく見て行く。まず究極の民主主義といえる相互会社組織（mutuals）が挙げられる。これは英国では住宅貯蓄組合（Building Societies）でなじみの形態で，取引の両側（売りと買い）とも同じ関係者が立つことで，通常であれば取られるスプレッド（利ざや）を小さくできるものである。情報コストの削減にもなる。スポーツにおいては，ファンがゲームの生産者（スポーツサービスの共同生産）であり消費者でもある。例え

第 2 部　応用編

図 16：ファンの経営参加の諸形態

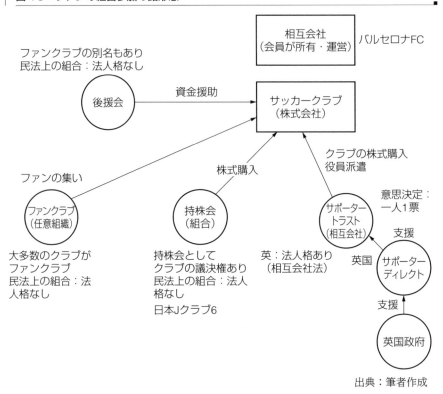

ばチケット代は当然安くできるはずである。しかし 90 年代中盤以降プロサッカーが有料 TV の人気コンテンツとなって以来，ゲームの共同生産に参加しない TV 視聴者が急増し，サッカーの商業化が大きく進んだ。そのためチケット代が急騰し，ファンがスタジアムから締め出される状況が発生している。クラブ運営の高コスト化の中で，バルセロナ FC はスペインにおける政治・民族背景から 10 万人を超える会員をもち，財政的にも運営が成功している稀有のケースといわれている[76]。しかしながら，特殊例であるバルセロナ FC を別にすれば，買収金額が 1,000 億円を超えるような大きなクラブを買収して相互会社化することは現実的とはいえない。

　次に相互会社化を代替する形態としてサポータートラストがある。その誕生の背景には，前述のとおり 1988 年のヒルスバラ事件が契機となって労働党内閣がサッカーを国

---

[76] Gil-Lafuente, J.（2007）pp.186-207

1　プロチームスポーツとガバナンス～英国プロサッカーリーグを例に～

技（People's Game）と公式に認めファンの待遇改善，ファンのクラブへの経営参加を支援し始めたことがある。1992 年それまでに小クラブであったノーザンプトン・タウン FC でクラブ倒産危機にサポーターが立ち上がり資金拠出した際に，信頼できない経営陣から拠出金を守るために信託機関を置いたことからサポータートラストの仕組みが始まっていた[77]。その経験と仕組みを研究し，汎用の仕組みを作って全国のクラブに指導・伝播させたのが，政府主導のサポーターディレクト（Supporters' Direct）である。2000 年に設立してから，全国に伝播され今やトップリーグのプレミアリーグでも 60% にサポータートラストがあり，プレミアリーグの 25% のクラブは取締役を受け入れているなど英国内での普及は目覚しい。

(2) サポータートラストの仕組み・意義

　サポーターがクラブを直接所有する代わりに，相互会社（IPS：Industrial and Provident Societies）を設立し，その IPS 経由で会員（サポータートラストに会費を払ったメンバー）は共同して（collectively）クラブの株式を購入する，さらに場合によっては株式購入によって取締役を派遣する仕組みである。サポータートラスト（以降 "ST"）は IPS 法（Industrial and Provident Societies Act1965 産業福利給付組合法[79]：以下「相互会社法」と呼ぶ）という法律に規定され，法人格をもつ協同組合である点が特色である。金融サービスを行うので英国金融サービス機構（FSA：Financial Service Authority）に登録され，かつ監督下に置かれるので，サポータートラストが法律に抵触する行為を行った場合は，監督官庁である FSA が登録をキャンセルする等，厳しい運営がなされるなど法的担保がなされている。

　サポータートラストでは，必ずしもクラブ株式を所有する必要はないが，所有しない限り，クラブ経営に参画しにくい。そこで，サポータートラスト経由，ファン（サポーター）はクラブ株式を共同購入し，議決権行使することによって，クラブの経営にガバナンスを働かせる。今やクラブ株式は，ベンチャー市場（AIM）に一部が上場されている以外は，非上場がほとんどであるが，サポータートラスト経由クラブ経営者にコンタクトし，クラブ株式を購入できる。序章で言及した Michie et al（2005）によれば，

---

[77] マクギル（2002）276-277 頁参照。サポータートラストは，英国での信託（Charity 法）で列挙される信託に該当しない。しかし最初に Northampton Town FC でサポータートラストが生まれた時に，その仕組みを「信託」として名前をつけた歴史的経緯がある。その後政府支援を受けた中央機関サポーターディレクトがサポーターのために法的他の整備を行い，現在の仕組みになったが，既にサポータートラストの名称が一般に定着してしまったのである。信託ではない IPS の仕組みを「トラスト（信託）」とブランドネームとして使用しているのである。（Supporter' Direct の Kevin Rye 氏へのヒアリングによる。2009/8/10）
[78] AFCWimbledon：http://www.afcwimbledon.co.uk/
[79] 財）損害保険事業総合研究所（2004）81 頁参照

第2部　応用編

> 図17：サポータートラストの仕組み（AFC Wimbledon：クラブを所有している例）

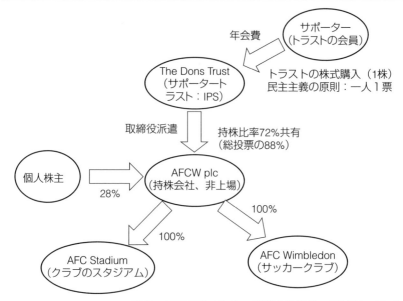

出典：AFC Wimbledon HP[78]より筆者一部改変して作成

サポータートラストはクラブガバナンスにとって有効であるとのアンケート調査結果が出ている。

　図17は，サポータートラストが，単にクラブ株式を購入するだけではなく，プロサッカークラブを所有（過半数の株式を支配する）するに至っている AFC Wimbledon plc（クラブ）の The Dons Trust（DT）の例である[80]。流れを見たい。まずサポーターはサポータートラストの会員（a member）となる。本例では年間25ポンドを会費（membership fee）として支払い（銀行口座自動引き落とし可），うち1ポンドが ST の株式1株購入代金（当初1回限り）となる。つまり DT の株主となる。その DT が，AFCW plc（非上場の持株会社）の株式の過半数を押さえることによって，子会社化して役員を派遣する。さらにこの AFCW plc がクラブ（AFC Wimbledon plc）とスタジアム（AFC Stadium）の株式を100％所有する仕組みをとっている。この方法によって，サポーターは DT 経由（間接的に），サッカークラブ AFC Wimbledon plc を100％所有する AFCW plc の株主となることによって，クラブの実質株主となり，クラブを所有していることになる。サポーターと相互会社 ST の関係

---

[80] The Dons Trust: http://www.afcwimbledon.co.uk/aboutthetrust.ph?Psection_id=10

は，相互会社法で，会員一人 1 票（one member one vote）で民主的に，かつ非営利（not for profit）で運営されることが保証されている。そこで ST の役員（a director）が数名選挙で選ばれ，さらに ST の役員数名がクラブの持株会社である AFCW plc へ役員（an executive director）として数名派遣され，クラブの経営を担当する。その際，プロサッカーの現場運営の専門家を，外部から役員（a non-executive director）として雇用することができる。

　まとめると，本仕組みは，1) サポーター（会員）は，サポータートラストの役員に自ら立候補でき，また選挙で役員を選ぶことができるなど民主的仕組み（democratic）である。さらに会社法（Company Law）上の会社は営利団体（for profit）であるのに対して，サポータートラストは非営利団体である点で，長期的視点に立った経営が行いやすい利点がある。2) トラストの会員は年会費の中からトラストの株式 1 株を購入する（初年度のみ。1 株 1 ポンド。DT の場合は，株券を発行する）。会員株主は役員の選挙他重要事項の投票では一人 1 票の投票権をもつ。DT がクラブの持株会社 AFCW plc の大株主として経営権を握るので，DT の会員は間接的にサッカークラブ AFC Wimbledon plc のオーナーとなる。3) FSA に登録され，かつ管理されているので，トラストの定款（Constitution）から逸脱した規則の変更，運営は FSA から認められない等，法的担保がある。4) クラブの持株会社が上場している場合は，会員がトラストに設ける口座から定期的に株式を購入し，共同で株式を所有する。小額の投資で，株主になれるメリットがある。ただし，保有株数の多寡に関わらず，ST での経営意思決定においては一人 1 票の原則が適用される。他方，ST の会員が共同保有している株式の権利行使については，クラブの定款によって異なる。ST からの派遣取締役を含めて一人 1 票の民主制ルールで議決する場合も，クラブにおける ST の持株に応じた議決権行使を行う場合もある。

　以上のように，サポータートラストは相互会社（IPS）の仕組みを活用することによって，ファン（会員）のクラブへの経営参加を可能にする。さらに相互会社は相互会社法によって，法人格を所有するので，1) 自己の名義でクラブ株式を購入できる，2) その他の取引の当事者となれる。それらの点で ISA（法人格のないファンクラブ）に比して大きなメリットがある。

　このようなメリットをもつ相互会社（IPS）として認められるためには，相互会社法で以下のいずれかの条件を満たす必要がある。一つはメンバー間の相互扶助を目的とする（bona fide co-operative for the mutual benefit of their members）団体，もう一つが自分たち以外のコミュニティーへの慈善事業を行う（for the benefit of the community）団体である。後者についてはサポータートラストが誕生した際にトラスト（信託）の名称がつけられたが，サポータートラストはチャリティ法（Charity

Law）上のチャリティではない[81]。本来は相互会社が解散する際には，会員に財産を配分するが，定款でクラブの立地するコミュニティに資産を寄付すると規定されることが多い。いずれの条件からもサポータートラストは相互会社（IPS）として認められるのである。

このIPSは，会社法（Company Law）上の会社（a company）とほぼ同じであるが（有限責任 limited），保有株数にかかわらず一人1票の原則で（a principle of one member one vote）民主主義が貫かれている点，非営利（not-for-profit）である点で，会社と大きな違いがある。この点がクラブにおけるファンの経営参加を実現させる際に重要な点である。

サポータートラストが，日本のJリーグ6チームにおける持株会（英国にはない形態であるので，ここでは直訳で Share Purchase Club と呼ぶことにする）と異なる大きな点は，サポータートラストが法人格をもつこと，そして相互扶助の精神（co-operative），コミュニティーへの貢献（for the community）が貫かれている点である。クラブ経営に民主的な代表を送ること，株式購入を通じてクラブ，サポーター，地域コミュニティーの共通の目的をもつこと，そしてスポーツを通じて地域の核となることがトラストの定款に明記されている（Appendix[8]参照）。この目的が書かれた定款を変更する場合，精神に合わない変更はFSAの規定で認められない。一部のファンがトラストを支配して，定款の規定から外れる行動がとれないよう管理されている。

これに対して，日本のシステムとしてJクラブ6チームで採用されている制度がクラブの持株会（民法上の組合である。法人格なし）である。

大企業の持株会[82]を参考に，財政的に苦しむクラブを助けるために，地域住民に広く株主になってもらう仕組みである。会員はサポーターに限定せず，誰でもなれる。個々人では，少数株式しか購入できず，クラブ経営意思決定に参加することは望むべくもないが，持株会を経由して多数の株式を所有でき経営に影響を与えられる仕組みである。持株会はサポータートラストと仕組みが外見上類似しているが，民法上の組合との法的位置づけで，法人格がなく持株会の議決権行使の方法，理事の選出方法等に規定が明確ではない。また相互扶助の精神が仕組みに埋め込まれていないこと，任意組合は法人格をもたない個人の集合体で，登記や決算広告等情報公開の必要がないことから，金銭を扱うクラブ持株会としてガバナンスを外部から判断することができにくいこと，FSA

---

[81] Industrial and Provident Societies Guidance Note by Co-operatives uk，前書きおよびp1 参照。"for the benefit of the community" については，慈善団体（charity）に外見的に見え，行動も慈善団体に見えるが，慈善法（Charity law）の下での組織ではなく，FSAに管理される。英国ではこのような団体を halfway house という。（Supporters' Direct の Kevin Rye 氏からのemail による。2009/09/29）

[82] 道野（1997）1552-1578 頁参照

図18：クラブ持株会（日本：Jリーグ）

- 目的：地域住民に広く株主になってもらい、Jクラブへの支援・参画意識を高める
- 法的形態：組合（民法667・1）：業務執行―各組合員あるいは各組合員から委任された業務執行者

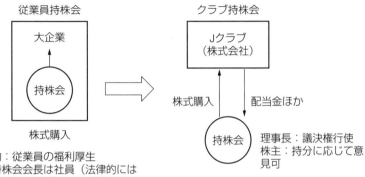

出典：武藤（2008）を参考に筆者作成

等の監督など法的担保がない点で、サポータートラストと大きく異なる。そのため持株会方式では、会員からの不満が多い。英国では持株会はないが、同じく法人格をもたないサポータークラブ（ISA）でも、持株会と同様の問題、不満が聞かれる。持株会については、Jリーグの理事でもある武藤（2006）（2008）はファンの経営参加はアマチュアの経営参加を認めることになり、クラブとして、またJリーグとして好ましくないと論じている（Appendix[9]参照）。現状日本では、クラブ持株会のみならず、ファンの経営参加そのものに対して積極的に推進する動きは見られない。

これらの他の形態として、ファンクラブがある（英国ではIndependent Supporters' Association）。この形態も持株会と同様に、民法上の組合で法人格をもたない。またクラブの株式を所有しないため、クラブの経営に参加することは実質的にはできない。あくまでファンの立場から、クラブを支援し、クラブの運営に希望を表明する。それに対して、クラブ側は最大限の配慮を払うと言明するだけで、ファンクラブは経営に対する強制力をもたない。英国ではクラブが買収され上場廃止される際、ファンがクラブ株式を所有して議決権行使をしたい場合でも、クラブがファン株主から株式を全株買い取るのが普通である。例えばチェルシーFCの事例では、ファンクラブしかなくサポータートラストは設立されていない。そのため巨大化したクラブとファンとの親密な関係が、崩れてきたといわれている。

サポータートラストが持株会、ファンクラブ等に比較して優れている点は、法人格を

もつことである。そもそも法人格を自らもたないと，クラブの運営に際し，実務的に取引の相手方になれないので，効率性にも欠ける，また仕組の中での運営が不明確になり易い欠点がある。

このサポータートラストが英国で誕生し発展してきたのには，英国におけるサッカーの位置づけの問題に大いに関わると思われる。日本ではアマチュアリズムがいまだに強く，政府には，特にプロスポーツを振興するとの考えはない。したがって，政府は関与せず，スポーツ関係者も意識が進化していないといえる。一方，英国ではサッカーに特徴的に見られるように，サッカーというスポーツを，プロであれアマであれ，英国政府が国技と高く評価し，サッカー振興を社会的，文化的に望ましいと支援している。そのため政府はサッカー支援のために補助金を提供し，その条件としてファンの経営参加を促した経緯がある。その後も，政府関係団体であるサポーターディレクト経由で，英国内のスポーツクラブ（現状サッカー，ラグビー）に対して，サポータートラストの設立支援を続けている。

第3節　本章のまとめ

1）英国サッカーおよび世界のサッカービジネスは，1990年半ば以降急成長を遂げたが，2008年夏以降の世界不況でビジネスモデルの再構築が問われている。「組織は戦略に従う」（チャンドラー）。そして戦略は環境に従う。英国プロサッカークラブでガバナンスの充実に向けて取組みが始まっている。景気変動に左右されるスポンサー，TV放映権に頼るのではなく，安定的支持基盤であるファンこそがクラブ経営の中心である。そのためにはファンのクラブへの経営参加を図るのがガバナンスの方向性であろう。

2）サポータートラストは，弱小クラブの支援から出発したファンの支援組織であるが，ファンの経営参加の形態として英国内のサッカー，ラグビーで急拡大している。さらに，その勢いは欧州大陸の国々にまで及んできつつある。相互会社（IPS）の仕組みを活用して，相互扶助（co-operative）の精神で民主主義的運営を達成し，さらにIPS名義でファンの持株を共有（hold collectively）して，大株主として経営にファンの声を反映させる仕組みである。そこにはIPS法とFSAの管理・監督で縛って，一部の人間の独走を許さない法的担保がある。サポータートラストは，より良いガバナンスの観点から他の経営参加形態であるファンクラブ，持株会に比較して優位性がある。

3）日英におけるスポーツの位置づけ，法律の相違があるので，日本での展開は異なる。日本では相互会社の規定が保険業法にあるだけで相互会社法はない。したがって，ファンの経営参加の受け皿となる相互扶助精神を生かす組織は現状見当たらない。考えうるのは，サポータートラストを「信託」[83]の仕組みに組み替えていく方向性であろう。信

1　プロチームスポーツとガバナンス〜英国プロサッカーリーグを例に〜

託は，財産管理の仕組みであり，信託目的を，設けることも，設けないで最低現状維持の単純管理を行う等も，自由に設定できる。その意味で，相互会社の理念（一人1票の民主制等）を，信託スキームで実現できる可能性はあると思われる。信託スキームも含めて，ファンの声を経営に反映させる仕組みを今後の研究課題としたい。

　本調査のためにロンドンの諸機関を往訪したが，相互扶助（co-operative）の概念が英国ではごく自然に受け止められている。サポータートラストは，個々のファンとトラストの間で一人1票の原則による民主主義的運営，さらに非営利組織として株式会社には難しい長期的視野での経営を達成できる仕組みである。当然のこととして，株式会社であるクラブに対する影響力の面から，トラストは少数株式しかもたないファンの株数を共有することで大株主として，資本主義の論理でファンの声を経営に反映させることができる。この仕組みではFSAの監督がある点もトラスト運営の適正化に大いに資すると思料される。今後はプロスポーツ全般で，本仕組みが検討され，それぞれの国の法制度等に合わせて取り入れられていくべきであろう。

　一方，ファンの経営参加について，サポータートラストがクラブの運営に対する脅威になるとの捉え方もありうる。たしかに広告宣伝価値，ブランド価値を高く評価されるビッグクラブでは，営利目的で資金力豊富な外国人投資家による（買収する会社の資産を担保に借入を行うLBO等を使う敵対的）企業買収が発生する。しかしサポータートラストは，サポーターで組織される非営利・相互組織であり，主にクラブの存続自体が難しい弱小クラブへ経営参加を行っており，脅威となる危険性は小さいといえる。そもそも，サッカービジネスが収益ビジネスと考えるところから間違っているとのコメントがある[84]。むしろクラブもサポーターもクラブの存続を希望している。「大多数のSTによるクラブ所有はクラブが債務不履行（insolvency）になったときにクラブを破産手続（administration）から救いだす過程で生じている場合が多い。」[85]

　したがって，サポータートラストも（敵対的）企業買収を企図するものではなく，純粋にファンの声を反映させる仕組みととらえるべきであろう。現実の運用では，ファンはサポータークラブの会員になること自体が「栄誉」と捉えているようである[86]。

　サポータートラストは斬新な取組みではあり大きな広がりを見せつつある。クラブを

---

[83] 信託とは，第三者（受益者（beneficiary））のために，（委託者（settlor）の）財産を受託者（trustee）によって所有させる取決めである。受託者は，当該財産の法的所有者であるが，受益者が英国法上のエクイティ（equity）の利益をもつ。信託は，意図して設定できるし，または（裁判所が）法を適用して信託であるか否かを判断する（擬制信託）。Oxford University Press（2003）p.517
[84] Kuper et al.（2009）pp.83-105
[85] Supporters' DirectのKevin. Rye氏のメールによる回答 2009/11/9
[86] サポータートラストは，クラブの株式をクラブ会員の資金で購入し所有するが，クラブからの配当金を期待していない。一種の献金（寄付金）として把握している。（AFC WimbledonのErik Samuleson,氏に2009/8/12ヒアリングしたものである）

第2部　応用編

救う点では現時点までは成功しているが，ST が民主的であることの合理性には異論もある。また将来的にロンドンオリンピックの資金需要拡大，また労働党政権から保守党への政権交代等 ST にとって逆風が起こる可能性もある。まさに ST の仕組みが成功するかどうかの分水嶺にいるといえる。この数年，世界的な景気後退が続く中，続々と地方の弱小クラブを中心に支払不能，そして破産手続開始が起こっている。それを救ってきたのがサポータートラストである。もし ST がなければ地域のシンボルであるプロサッカーチームが消えていった可能性がある。その意味で，確たる評価は今後をまたなければならないが，ファンが参加してクラブに対して資金的に支援できる仕組みを提供できたことは，クラブのガバナンスを考える上で，大きな前進といえよう。

終章　スポーツマネジメント確立のためのガバナンス

第1節：二極分化するサッカーリーグとガバナンス

1) 英国プロサッカーリーグは史上最高の売上を記録しているが，倒産も急増している。その理由は，サッカークラブは私企業ではあるが，経営意思決定のプロセスにおいて，スポーツ目的（勝利）が重視されており，ファンのみならず，経営者も利益最大化ではなく効用最大化（勝利至上主義）を求めるからである。サッカーにおいては，人件費総額とチーム成績との間に強い相関関係が見られること，サッカーがオープンモデルであることも，競争を激化させている原因である。プロスポーツを分類した場合，ビジネスとして発展した米国のプロスポーツ（クローズド・モデル）では利益最大化＞効用（勝利）最大化，アマチュアリズム（スポーツ）として発展した欧州のプロスポーツ（オープン・モデル）では利益最大化＜効用（勝利）最大化となる。この違いが，米国ではリーグの共同生産（規制がなくても，競争バランスが取れる）に収束させようとするのに対して，欧州，特にサッカーでは経営者もファンも勝利がすべてに優先するので，無理な補強から，経営破たんに陥る傾向にある。

2) 英国トップリーグのプレミアリーグの中でも，一部トップクラブと，その他のクラブには戦力格差，経営格差が大きい。トップクラブは毎年リーグ優勝を競い，その結果，ヨーロッパのチャンピオンズ・リーグ進出で巨額の売上高を挙げている。その他の多数のクラブは，降格を避けるため，または（2部リーグクラブの場合）昇格を目指して選手増強に走り，売上高人件費率は維持できないレベルに達して，経営を脅かしている。英国プロリーグの中のエリートリーグであるプレミアリーグの中にも，少数のトップクラブとその他クラブという区分けがすでに厳然と存在する。

3) サッカークラブの利害関係者は株主，債権者（社債権者，銀行），ファン，地域住民，地方自治体，英国でいうサッカー関係者（FA，FL等リーグ団体，選手，選手協会，他のクラブ等）等，一般企業に比べて幅が広い。またファン（一般企業では消費者にあたる）がクラブの経営に参加する等特異な位置づけがあり，またサッカー関係者優先などの特別な規則が存在する点で，一般企業と大きく異なる。

4) そこで，英国プロサッカークラブの経営の方向性の一つとして，プレミアリーグのトップクラブ（Manchester United, Arsenal 他，数クラブ）は，欧州のイタリア，ドイツ，フランス，スペインの一部リーグのうちのトップクラブと組んで，例えば国境を超えたスーパーリーグ（Supra-Regional）を創設し，参加する方向が考えられる。限られた数のビッグクラブが参加する一種のクローズドモデルである（Vrooman (2007) と同様の方向性である）。地域的にはオープンであるが，リーグの運営として

第 2 部　応用編

図 19：サッカー産業のビジネスモデルの方向性

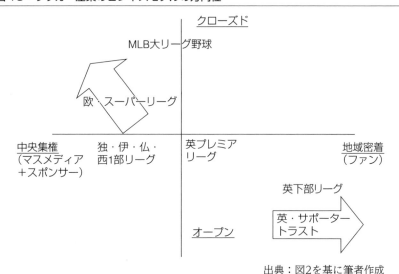

出典：図2を基に筆者作成

はセミ・クローズドとなる。いわば，現在の英国内でのプレミアリーグ（PL）対その他クラブのリーグであるサッカーリーグ（FL）をヨーロッパに拡大するものである。それらのクラブは，クラブ強化のための資金調達に関しては，外国人オーナーの資金力に頼る方法をとっているが，クラブの利害関係者は株主だけではない。またオーナーがクラブ経営から退いた場合のリスクが残る。したがってクラブのより良いガバナンスのために，自ら資金調達するべきである。前章で詳しく論述したとおり，株式に代わる債券（証券化）での調達はクラブガバナンスの強化のために，大きな効果がある。ArsenalやManchester Unitedの事例で証明されている。企業規模としては，中小企業にしか過ぎないプロサッカークラブは，そのビジネスモデル，ブランド価値によって，大規模資金調達を公募で実施することができる。その見返りに，非上場クラブ，または開示の必要がないベンチャー市場企業であるサッカークラブが，一般大衆に企業内容を開示するのである。また，一般投資家にクラブが発行する債券の信用度を格付取得の過程で，第三者の格付機関からそのビジネスモデルに対して，厳しい（信用）格付審査を受ける。これによって，クラブはクラブ経営に対して，社債権者のみならず，一般大衆の監視を受けることになり，ガバナンスの強化が図れ，ゴーイングコンサーンとして事業を継続する基盤ができる。

　企業経営に対するガバナンスは，社債権者の関与は最終段階にならないと可能ではなく，通常では株主こそガバナンスの主人公であるとの主張がされている。一般上場企業

であれば，その議論は理解しうるが，そもそも収益性が低いサッカークラブへは，機関投資家の投資ニーズは期待できない上に，個人投資家はファンであるので，収益を期待しないで，株式を売買せずもちきる状態では，株主にガバナンスを期待できない。さらにサッカー業界ではサッカークラブが上場廃止にまで進んでいる以上，株式での資金調達は難しい。そこで債券発行によるガバナンスは重要性を増す。特に公募債での債券発行の企業ガバナンス効果は，不測の事態になる以前に警告が出るシステムが契約書に規定されており，ガバナンス効果は大きい。

　ビッグクラブの欧州スーパーリーグが創設されれば，クラブ経営者は特異なルールを勘案しながら，幅広い利害関係者の利害を調整する課題を担う。名実ともに大企業として脱皮するためには，企業収益を目的として株主の期待に応える必要がある。高度で複雑な経営管理を行える人材が必要とされるであろう。そこでは証券化，債券発行，銀行借入，リース等の負債での資金調達はレバレッジ効果による経営効率向上（ROE 自己資本利益率等）の側面もあり，サービス産業としての魅力を総合的に強化し売上を伸ばすことが要求されるであろう。プロサッカー企業から，一般企業への脱皮が要請される。

　5）もう一方の方向性は，ファンがクラブに出資して資金支援を行い支えるサポータートラストである。プレミアリーグの中の一部ビッグクラブ以外の大多数のクラブに該当する方向性である。欧州の他のリーグでも，クラブ経営のガバナンスが効果的になされているのはドイツと，国の支援が強いフランスである。英国では基本的に，政府は民事不介入が原則であるので，フランス型は導入難しい。そこで参考になるのが，ドイツの非営利会員制組織であろう。

　現在のプレミアリーグは選手増強のための資金需要を，一部入場料値上げで賄っている状況がある。入場料値上げは，重要な利害関係者であるファンを排除する結果となっている。クラブの成績とクラブ財政という二律背反の課題を解決する一つの有力な方法が，サポータートラストである。クラブ株主の立場を持ち，同時にクラブのファンで試合の消費者を兼ねる相互会社組織（サポータートラスト）はクラブ経営のガバナンス強化のためには有効であろう。サッカーは地方にあっては特に，地域のソーシャルキャピタルの位置づけが大きく，したがって，政府が危険防止のため，有事として例外的に介入スタジアム整備に乗り出した経緯がある。元来，北部イングランドの工業都市（マンチェスター，リーズ，リバプール等）の工場労働者のために奨励された歴史的経緯もあるので，再び地域のプロスポーツとして再スタートすることができる。そこでは，地域のファンの資金援助（出資，貸付，寄附）を確固たるものにするために，サポータートラストは重要な役割を果たす。

　21 世紀はじめまでプレミアリーグ（旧一部）で活躍した Wimbledon FC（現

AFCWimbledon）は，外国人によるクラブ買収，本拠地移転，クラブ分裂等を経て，現在 Blue Square Premier League（5部）に所属しているが，サポータートラストが経営するクラブとして少数ながらも熱狂的なファンがクラブを支えている。有名プレーヤーが全くいないチーム間の試合であっても，地域対抗，また同じ都市のライバルクラブ間の試合（ダービーマッチ）も，それなりに盛り上がる。結果が最初から予想されるビッグクラブとの試合とは別の楽しみ方がある。まさに競争バランス（competitive balance）があるので，盛り上がるのである。AFC Wimbledon の総会の議論でも，必ずしも将来プレミアリーグ復帰を目標とするかどうかでは，株主会員の意見は分かれている。このクラブに限らず，地域密着のプロクラブとして，ファンが経営参加することによって，クラブ経営のガバナンスがなされることが大多数のプロクラブの経営の方向性であろう。

第2節：本論文の意義および今後の課題

　1）スポーツ産業，とりわけプロスポーツにおけるクラブの経営問題に着目し，欧米でも数少ない先行研究を踏まえて，諸統計資料のほか現地でのフィールドワークにより収集したデータに基づく定性分析も併せて，法制面を含む分析を実施した。このような新しい研究対象領域に基づく研究例はわが国ではいまだ見られず，積極的に詳細な制度分析の取組みと調査を行った点で先駆的意味があると思われる。

　プロスポーツの歴史が長い欧米では様々な研究が進んでいるが，日本ではスポーツ・マーケティングが中心である。またJリーグにおける選手補強とチーム順位の実証研究が見られるが，制度論的に分析した研究はなく本研究は新規性があると思われる。

　2）経営学分野で近年盛んになっているガバナンス研究について，事業体としてのサッカークラブないしリーグの経営や運営に大きく影響を及ぼしている財務状況，とりわけファイナンス方法との関連に焦点を当てて，金融革新技術（金融イノベーション）の視点からの考察も踏まえて，ガバナンスの問題点と展望を示していることに新規性があると思われる。

　英国リーグでは，トップクラブは最新のファイナンス手法で資金調達を行い，その他大多数のクラブはファンの経営参加の手法で，サポータートラストを生み出している。資金調達の方法として，またガバナンスの方法としてクラブの規模に応じて対応している。英国リーグの革新性を示すものである。

　しかし，セール・アンド・リースバック取引にみられたように，私募的な1対1の取引は透明性，説明性に問題がある。公募債がガバナンス強化のためにも好ましい方向性であろう。この分野における具体的案件の仕組み，意義について日本では論述したものは見当たらないので，本研究がファイナンス分野でも貢献できたと思われる。公募債

発行によるガバナンス強化は仕組み面の予防的仕掛けからも，その意味づけが評価されるべきと考える。

　3）欧州での数少ない研究例では部分的にしか触れられていないサポータートラストに関して，ガバナンスとファイナンス（レバレッジを含む）の両面からクラブ経営における財務的安定性に対する有効なメカニズムを考察し提起していることで，実践性も備えた研究となっていると思われる。

　サポータートラストはすでにプロ，アマチュアを問わず，他のスポーツ（ラグビー）や英国以外（ヨーロッパ）にも広がっており，将来日本への導入もありうる。サポータートラストの経営学的研究について，本研究が日本では最初のものと考えられる。

残された課題と展望

　1）サポータートラストの日本での展開の可能性について，法制度の違いがあるが，信託の仕組みを使うなど他の方法を研究していきたい。

　2）英国プロサッカーの革新性は，金融面で顕著である。本研究で取り扱った資産金融以外にも，革新的なファイナンス技術がある。本論文で検討した公募債発行によるガバナンス強化について，さらに他の仕組みも含めて，事例を研究することによって，明らかにしていきたい。

　一方，日本のJクラブは未だ親会社からの支援を受けるなど，企業スポーツ的色彩が抜けない問題点がある。企業のガバナンス強化の風潮の中で，親会社は赤字を続けるサッカークラブを支援することは難しくなる。親会社からの支援以外の資金調達方法を考える必要があろう。将来的には，私募債発行による資金調達の方法等を開発することを今後の研究課題としたい

第 2 部　応用編

参考文献

（日本語参考文献）

砂川伸幸（2010）「コーポレート・ガバナンスと資本コスト」，加護野他『コーポレート・ガバナンスの経営学 会社統治の新しいパラダイム』有斐閣

井出保夫（2007）：『最新証券化のしくみ』日本実業出版社

伊藤秀史（2005）「企業とガバナンス」伊丹敬之他編『日本の企業システム 第Ⅱ期第 2 巻 企業とガバナンス』有斐閣 1-11 頁

岩井克人（2005）『会社はだれのものか』平凡社

岩井克人（2009）『会社はこれからどうなるのか』平凡社

角田幸太郎（2006）「人的資源の会計的認識：日英プロサッカークラブの実務を例として」『経済学研究』55-4, 2006. 3 北海道大学 79-94 頁

加護野忠男・砂川伸幸・吉村典久（2010）『コーポレート・ガバナンスの経営学』有斐閣

小堀好夫（1993）『英国会計基準の系譜と展開』千倉書房

鯖田豊則（2010）「証券化の税務と会計の再検討」『東京国際大学論叢商学部編』第 81 号

島田亨（2006）『本質眼』幻冬舎

シマンスキー，S＝ジンバリスト，A. 著，田村勝省訳（2006）『サッカーで燃える国 野球で燃える国』ダイヤモンド社

庄司克弘（2003a）『EU 法 基礎篇』岩波書店

庄司克弘（2003b）『EU 法 政策篇』岩波書店

財）損害保険事業総合研究所（2004）『主要国における共済制度の現状と方向性について』，財）損害保険事業総合研究所

大和総研経営戦略研究所編著・青井倫一監修（2009）「ガイダンス コーポレートガバナンス」中央経済社

田作朋雄（1998）『イギリスのワークアウト─債権回収と倒産処理』近代文芸社

西崎信男（2009）「プロ・スポーツにおけるスタジアム戦略─英国プロ・サッカークラブのスタジアム・マネジメント─」『日本経営診断学会論集⑧』日本経営診断学会，145-151 頁

西崎信男（2010a）「プロ・スポーツクラブへのファンの経営参加：英国サポータートラストの仕組み・意義」『スポーツ産業学研究』，Vol. 20, No.1（2010），53-64 頁

西崎信男（2010b）「英国プロサッカーの経営問題に関する一考察」『長崎大学大学院経済学研究科 研究論集第 5 号』長崎大学大学院経済学研究科，1-20 頁

林繁樹（2010）『証券化ビジネス・ガイドブック 実務と WBS への展開』中央経済社

平田竹男・中村好男編著（2005）『トップスポーツビジネスの最前線 2』現代図書

平田竹男・中村好男編著（2006）『トップスポーツビジネスの最前線』講談社

マクギル，クレイグ，田邊雅之訳（2002）；『サッカー株式会社』，株式会社文藝春秋，pp276-27（McGill, C., FOOTBALL INC VISION, Paperbacks, 2001.）

道野真弘(1997)「従業員持株会の問題点」,『立命館法学』1997年6号(256号), pp1552 (340)-1578 (366)

宮内義彦編著(2008)『リースの知識 [第9版]』日本経済新聞社

武藤泰明(2006)『プロスポーツクラブのマネジメント―戦略の策定から実行まで―』東洋経済新報社

武藤泰明(2008)「スポーツ組織の持株会の評価：Jリーグを例に」『スポーツ科学研究』, 5, 147-162, 2008.

山下章太(2009)『金融マンのための実践ファイナンス講座』中央経済社

(英文参考文献)

Banks,S. (2002). Going Down, Football In Crisis, How the game went from boom to burst, Mainstream Publishing

Barclays & RBS (2006). Arsenal Securities Plc L210, 000, 000 5.1418 per cent. Guaranteed Secured Bonds due 2029 Issue Price 100.058 per cent. And L50,000,000 Floating Rate Guaranteed Secured Bonds due 2031 Issue Price:100 per cent. Prospectus dated 18 July 2006 (投資家用Arsenal Bondの発行目論見書 prospectus)

Barclays Capital & RBS (2006). Arsenal Securities Plc Investor Presentation July 2006 (Arsenal Bond 投資家説明会配布資料)

Beech, J., Horsman, S., & Magraw, J. (2008). The circumstances in which English football clubs become insolvent The CIBS Working Paper Series-no. 4, CIBS, Coventry University

Britton, A & Waterston, C (2006). Financial Accounting, Fourth Edition, Prentice Hall

Conn, D. (2007). What money can't buy, Observer Sport Monthly, Sunday, 29 July 2007

Deloitte (2007). Deloitte Annual Review of Football Finance 2007

Deloitte (2008). Deloitte Annual Review of Football Finance 2008

Deloitte (2009). Deloitte Annual Review of Football Finance 2009

Deloitte (2010). Deloitte Annual Review of Football Finance 2010

Desbordes, M (2007), The role of management in French football's regulation-a inique model that can be exported?, Desbordes, M. (Eds.) (2007) Marketing & Football, an International Perspective, Butterworth-Heinemann

Dobson, S., &Goddard, J. (2001). The Economics of Football, Cambridge University Press

Frik, B (2006) Football in Germany, Andreff, W., & Szymanski, S., (Eds.) (2006). Handbook on the Economics of Sport,Edward Elgar Publishing

Garner., B. A. (Eds.) (1999).; Black's Law Dictionary seventh edition, West Group

Gerrard, B. (2006). Financial innovation in professional team sports:the case of English Premiership soccer, Anreff, W & Szymanski, S. (Eds.), Handbook on the economics of sport,Edward Elgar Publishing Limited

Gil-Lafuente, J. (2007) ; Marketing management in a socially complex club : Barcelona FC, Desbordes, M. (Eds.). Marketing & Football an International Perspective, Butterworth-Heinemann

Hamil S., & Walters G., (2010) : Ownership and Governance, Hamil, S. &Chadwick, S. (Eds.). Managing Football an International Perspective, Butterworth-Heinemann

Hamil, S., & Chadwick, S. (Eds.) (2010). Managing Football an International Perspective, Butterworth-Heinemann

Hobson, R. (2003). The riddle of Leeds United: who owns the star players? The independent on Sunday 29/10/2003

Holtt, M., Michie J., & Oughton, C., (2003). Corporte Governance and the Football Industry, Trenberth, L. et al (Eds.). Managing the Business of Sport, Dunmore Press Ltd pp.123-125

Hoye, R., &, Cuskelly, G. (2007). Sport Governance, Butterworth-Heinemann

Jones, M (2006). Financial Accounting, John Wiley & Sons Ltd

Kotler, P. (2003). A Framework for Marketing Management Second Edition. Pearson Education

Kuper, S., & Szymanski, S. (2009), Why England Lose & other curious football phenomena explained, Harper Collins Publishers, pp83-105

Lago, U. (2006) The state of the Italian football industry, Andreff, W., & Szymanski, S., (Eds.) (2006). Handbook on the Economics of Sport, Edward Elgar

Malleson, K., (2007). The Legal System, Oxford University Press

Michie, J., Oughton, C., (2005) : The Corporate Governance of Professional Football Clubs in England, Corporate Governance : An International Review, Vol. 13, No. 4, pp. 517-531.

Neale, W. C. (1964) : The Peculiar Economics of Professional Sports, A Contribution to the Theory of the Firm in Sporting Competition and in Market Competition, The Quarterly Journal of Economics, LXXVIII (1), February, pp. 1-14

Oughton, C. (2004). "Football Clubs and Social Enterprise" CMI Conference, Cambridge 2004, pp4-5

Oxford University Press (2003). A Dictionary of Business third edition, Oxford University Press

Oxford University Press (2005) : Oxford Dictionary of Accounting,, Oxford

University Press

Penner, J. E (2008). The Law Student's Dictionary, Oxford University Press

Rottenberg,A. (1956) :The Baseball Players' Labor Market, The Journal of political Economy, LXIV (3), June, pp. 242-258

Sloane, P. J. (1971) : The Economics of Professional Football : The Football Club as A Utility Maximiser,Scottish Journal of Political Economy, XVIII (2), pp. 121-146

Szymanski, S. (1998). Why is Manchester United So Successful? Business Strategy Review. Volume 9 Issue 4, pp47-54.

Szymanski, S. (2007). "The Champions League and the Coase Theorem" Scottish Journal of Political Economy, Vol.54, No.3, July 2007, pp.355-373

The Economist (2003) .International Dictionary of Finance Fourth Edition,The Economist

Trenberth, L (Eds.) (2003) Managing the Business of Sport, Dunmore Press Ltd

Vrooman, J. (2007). The Theory of the Beautiful Game ; The Unification of European Football, Scottish Journal of Political Economy, Vol.54, No.3, July 2007 pp.314-35

Woratschek, H., Schafmeister, G., & Strobel, T. (2007), A new paradigm for sport management in the German football market, Desbordes, M. (Eds.) (2007). Marketing & Football,an International Perspective, Desbordes, Butterworth-Heinemann

(URL)

AFCWimbledon: http://www.afcwimbledon.co.uk/2009/08/06 アクセス（以下同じ）

All Party Parliamentary Football Group Inquiry 2008/2009 (2009) : English Football and its Governance p4, http://www.allpartyfootball.com/inquiry8.htm 2010/6/20

Arsenal Bond (London Stock Exchange) http://www.rns-pdf.londonstockexchange.com/rns/3621G_2006-7-18.pdf 2010/9/01

Arsenal Holdings plc Statement of Accounts & Annual Report 2007/2008 : http://www.arsenal.com/assets/_files/documents/sep_08/gun__1222765802_annual_report2008.pdf 2010/9/1

Banks,S. (2002) : Football catches Enronitis http://www.spiked-online.com/index.php/site/article/8146/ 2010/07/30

Chelsea FC HP: http://www.chelseafc.com/page/Home/0,,10268,00.html 2010/10/15

Financial Reporting Council (2008) .The Combined Code on Corporate Governance June http://www.ecgi.org/codes/documents/combined_code_june2008_en.pdf 2010/10/1

FSA：http://www.fsa.gov.uk/ 2009/8/5

Grant, P (2008) "Football clubs owe tax millions" 23, Nov, 2008 BBC http://news.bbc.co.uk/2/hi/uk_news/7741859.stm 2010/7/15

HM Revenue & Customs: PAYE for employers http://www.hmrc.gov.uk/paye/index.htm 2010/6/20

Hovell, M. (2010) "HMRC 2-Football 0" http://www.lawinsport.com/index.php/news/editors-choice/607-hmrc-2-football-0 2010/7/14

Industrial and Provident Societies Guidance Note by Co-operativesuk, 前書き及びp1参照。http://www.fsa.gov.uk/pages/Doing/small_firms/MSR/pdf/coop_leaflet.pdf 2009/5/11

JCR 日本格付研究所 http://www.jcr.co.jp/ 2010/11/01

Jリーグ公式サイト：aboutリーグ http://www.j-league.or.jp/aboutj/jclub/2009-10/013.html 2010/9/2

London Stock Exchange's new retail bond market goes live 1 February 2010 http://www.londonstockexchange.com/about-the-exchange/media-relations/press-releases/2010/londonstockexchangesnewretailbondmarketgoeslive.htm 2010/11/01

Michie,J., (1999)；A Golden Goal? uniting supporters and their clubs,The Co-operative Party http://new-mutualism.poptel.org.uk/pamphlets/mutual4.pdf 2009/8/1

MU Finance plc 公募債券目論見書：i.dailymail.co.uk/pdf/ManUtdProspectus.pdf 2010/10/15

Manchester United FC HP：http://www.manutd.com/default.sps?pagegid={63600C0C-B276-4CB1-8FB1-3460BE926722} 2010/10/15

Supporters'Direct http://www.supporters-direct.org/ 2009/08/05

The Dons Trust:http://www.afcwimbledon.co.uk/aboutthetrust.ph?Psection_id=10 2009/08/06

The Football Association with Deloitte (2004)；Corporation Tax and Football, FA RegulationBooklet http://www.thefa.com/TheFA/RulesandRegulations/FARegulations/~/media/Files/PDF/TheFA/FAU_CorpTax.ashx 2010/6/20

The Football Association with Grant Thornton UK LLP (2005)；Governance: A guide for Football Clubs,FA Regulation Booklet December 2005 http://www.thefa.com/TheFA/RulesandRegulations/FARegulations/~/media/Files/PDF/TheFA/FAGuidetoGovernanceDec2005.ashx 2010/6/20

The Institute of Chartered Accountants (1984)：Statement of Standard Accounting Practice No.21（会計基準書：SSAP）2010/9/1 http://www.frc.org.uk/images/uploaded/documents/A7176A%20SSAP%2021%20cover1.pdf

参考文献

Tottenham Hotspur plc Annual Report 2009 http://www.tottenhamhotspur.com/uploads/assets/docstore/2009_annual_report.pdf 2010/10/15

第 2 部　応用編

Appendix

[1]「倒産 (Insolvency)」Beech et al (2008) p18 Appendix
　倒産状況にある (insolvent) とは，以下の三つの状況で発生する。
　1) 継続的状況：費用が収入を定常的に上回り，その差額を補てんする資産を所有しない状況
　2) 一時点の状況：借入金の返済期日が到来したにもかかわらず十分な資金がない状況
　3) 借入人が依存する資産や保証の価値が大幅下落したため，通常であれば期限をつけないで貸し出し期限延長になる貸付金を貸出人が渋る場合（いわゆる貸し渋りにより資金が提供されない場合）
　その時には貸出人は返済を迫るが，借入人は以下の三つのどれかの手段をとる
　　① 状況を無視する
　　② 自ら一種の自発的更生手続 (voluntary administration：清算) において，借金を返済するために資産を売却し，取引停止の状況におく。
　　③ 更正手続 (administration) に入ることによって裁判所から法的保護を求める
　　　②の自己清算を取るケースは少ない。通常は③の更正手続に入るケースが多い。①はサッカー関係者債権優先ルール (football creditors rule) に代表される特殊な規則によって英国プロサッカークラブで発生している状況である。

[2]「売上高人件費率 (Wages/revenue ratio)」
　人件費の定義 (Deloitte 2009 Appendix 1, p.2 および Arsenal Holdings plc Statement of Accounts and Annual Report 2007/2008p37 参照)：英国 GAAP (Generally Accepted Accounting Practice) に基づき作成される財務諸表の注記 (notes) に規定される。賃金 (wages)，給与 (salaries)，社会保険料，および年金負担分の金額は各々明記されるが，選手，トレーナー，事務スタッフ，グラウンドスタッフの区別はなく，すべてを合計したものが人件費 (staff costs) と記載される。なお日本のJリーグでは，選手と監督・コーチ他チームスタッフとの区分がなされ，選手等人件費として金額の推移が開示されている (Jリーグ公式サイト：aboutリーグ)。

[3]「赤字クラブが国税を延滞する仕組み」
　クラブは赤字であれば，法人税 (Corporation Tax) を支払う必要はない。しかし，赤字であろうと雇用する選手 (被雇用者) の賃金 (wages) にかかる税金 (個人所得税) および社会保険料 {National Insurance contributions (NICs)：年金と健康保険をカバーする。一定以上の給与を得ている被雇用者は class1 の保険料納付が義務づけられ実質目的税となっている} の源泉徴収義務 (PAYE) を負っている。HM Revenue & Customs PAYE for employers 参照

1 プロチームスポーツとガバナンス～英国プロサッカーリーグを例に～

各国リーグの売上高人件費率 単位:% 出典:Deloitte June 2009/2008/2007

	96/97	97/98	98/99	99/00	00/01	01/02	02/03	03/04	04/05	05/06	06/07	07/08
EPL	48	52	58	62	60	62	61	61	59	62	63	62
伊1	58	64	72	69	85	99	85	80	68	63	68	68
西1	44	53	56	54	73	72	72	64	64	64	62	63
独1	50	54	55	56	54	53	50	55	47	51	45	50
仏1	61	69	69	53	64	69	68	69	63	59	64	71
英2	na	na	na	na	na	na	na	na	72	72	79	87

英国2部である（Tier 2）チャンピオンシップは、世界的にもプレミアリーグ、ドイツ・ブンデスリーガ、スペイン・リーガに次ぐ観客動員数を誇り、イタリア・セリアAを上回っている。またチャンピオンシップの（プレミアリーグへの）昇格決定最終戦（2007年5月）の価値は6000万ポンド（84億円@140）と見込まれ、世界のサッカー史上で1回の試合で史上最高の賞金がかかった試合と予想された。(Deloitte (2007) p.28)

2002年企業法制定以前は、国税債務が支払最優先であったので、クラブも源泉徴収分を国税当局に納めていた。しかし企業法制定（2002）により国税債務の地位が変更になった段階で、サッカー関係者債権優先ルール（Football Creditors Rule）もあり、降格したクラブは入場料収入、スポンサー収入、グッズ販売収入他売上高が激減するので、源泉徴収した個人所得税および社会保険料を国税当局に納めるのを後回しにした。これが2003年9月以降にクラブの倒産激増に繋がった背景である。Beech, J. et al (2008) p.8 参照

[4] PLC：譲渡制限のない株式を発行する会社のことである。日本の会社法で規定する「公開会社」と同じである。上場会社とは限らない。上場するためには流動性が必要であるので、株式の譲渡が制限されると不可能になる。会社には非公開会社（私的会社 private company），公開会社（public company）があるが、定義としては、公開会社でない会社が非公開会社とされている。いずれの場合も、有限責任であるので，public limited company または private limited company と呼ばれる。したがって証券取引所に上場するには、譲渡制限のない株式を発行する公開会社（public limited company）でなければならない。しかし公開会社であるからといって、必ず上場しなければならないわけではない。

英国のプロサッカークラブは多くが非公開会社である。したがって株式は一部の株主が所有していることが多く、重要な利害関係者である個人に株式が流通しない問題点がある。（日本のJリーグは規模が小さいこともあり、公開会社が上場している例はない。例えば浦和レッズのようなビッグクラブ以外は、規模が小さいだけではなく、収益性他で投資家を見つける

第2部 応用編

ことが難しいと想定される。英国でも同様の状態であり，上場できても，投資家が少ないため新規資金調達が難しいのみならず，市場での売買が少ないため上場維持費用（事務コスト含む）だけがかかり上場する意味がなくなるのである。
Supporters'Direct HP: http://www.supporters-direct.org/ の Handbook 参照。

[5] リースの定義としては，特定の資産の所有者（レッサー：Lessor）と，対価を払ってその資産を使用することが許されるもう一方の当事者（レッシー：Lessee）の間で締結される契約である。レッサーは所有権を保持（retain）するが，レッシーは，当該レンタル料または何らかの支払の対価として定められた期間，当該資産を使用する権利を獲得（acquire）する。英国の「英国会計基準書第21号（Statement of Standard Accounting Practice No.21）のリース（Leases）とハイヤーパーチャス（Hire Purchase：選択権付きリース契約）」では，リースをオペレーティング・リースとファイナンス・リースで区別し，異なった会計上の扱いを決めている。すなわちファイナンス・リースではレッシーは貸借対照表上に計上する必要がある。

リースバックについては，資産所有者がもう一方の当事者へ資産を譲渡するが，すぐその後，当該資産を使用する権利を獲得するために，資産購入者とリース契約を結ぶことを指す。このような取引は資金調達の方法であり，ファイナンス・リースかオペレーティング・リースかによって，会社の財務諸表に影響を及ぼす可能性がある。(Oxford Dictionary of Accounting（2005）p.237)

なお，英国会計基準書（SSAP）によれば，ファイナンス・リースでは，法的権利（legal title）は移転しないが，実質上はレッシーがリース物件の法的所有（legal ownership）を行っているので，会社の財務諸表の利用者を誤解させないように貸借対照表に債権（leased assets），債務（lease liabilities）を認識する。ただし，本指針は①強制ではない（non-mandatory）②推奨（recommendation）であると注意書きがある（会計基準書1984）。

また，金融リース（筆者注：ファイナンス・リース）では借主（同：レッシー）が使用，収益権と購入予約権をもつので，借手側で資産計上（Capitalized）すべきことを要求する。（小堀（1993）280頁）英国は，国際会計基準審議会（IASB）によって設定される会計基準である国際財務報告基準（International Financial Reporting Standards, IFRS。国際会計基準と呼ばれることが多いので，以下国際会計基準と呼ぶ）を採用しており，条文主義の日米と異なり，原理原則主義を基礎としている。したがって，原則（principles）に沿う限り，各社で会計方針や会計処理が異なることも許される。その場合，会計方針およびその取扱いの説明の情報公開が義務づけされる。ただし，上場企業については国際会計基準が採用されているが，非上場企業については国内基準で報告してよいことになっている。英国はコモンローという法制度を採用しているため，法律は広く原理原則について定められており，それが会計基準にも影響を与えている[87]。

Bradford City および Leeds United は当時上場企業であったが，もし選手をセール・ア

ンド・リースバックしていたのが事実であれば，株主にその取引を開示しなかったことは大きな問題であろう。Leeds United（ロンドン証券取引所公式リスト1996年上場2004年上場廃止），Bradford City（店頭市場OFEX1998年上場，2002年上場廃止）となっている。(www.footballeconomy.com 2007/6/3)

[6] 英国人でBBAというコンベアーのベルトを製造している会社を知っている人はほとんどいない。BBA社はロンドン証券取引所（LSE）における株価指数であるFTSE250種総合株価指数の採用銘柄である。しかし2008年，売上高は11億5,000万ポンド，利益は6,600万ポンドであった。これはロンドン証券取引所の時価総額が最大であるロイヤル・ダッチ・シェルに比較すると，売上高でBBAはシェルの282分の1であった。

そのようなBBAであってもプロサッカークラブと比較すると巨人である。2009年世界で一番売上高が多かったのはレアル・マドリッドの3億2,500万ポンドであった。利益に至っては，プロサッカークラブは大多数が非公開化されたので，利益の数字も時価総額も不明であるが，利益を計上しているクラブはほとんどない。すなわちプロサッカークラブは有名ブランドの大企業に見えるが実態は事業規模，収益ともとるに足らない企業といえる。Kuper et al（2009）p.84要約

[7] 固定担保権と浮動担保権：イギリス法における担保権としては固定担保権（fixed charge/specific charge）と浮動担保権（floating charge）とがあり，前者はある特定の物件を担保物件とする担保権であり，後者は担保物件を特定しないで，債務者の，変動する各種資産（有価証券・在庫品，等）を担保の目的とする包括的継続的担保権である。浮動担保権が債務者の資産にかかっていても，債務者は自由に自らの資産を処分できる。担保権が行使される時点で浮動担保権は結晶化（crystalise）されるのであり，これ以降は担保物件がその結晶化時点での物件に特定され，浮動担保権は固定担保権に変わる。この浮動担保権は，英国で債務者の総資産が担保に供されるような場合（いわゆる総財産担保）に広く用いられている。田作（1998）153-154頁

事業の証券化（WBS）の起源は英国だといわれ，主に英国法特有の浮動担保制度（Floating Charge）と管理レシーバー制度（Administrative Receiver）が，事業の証券化を可能にしたとされる。すなわち，オペレーター（事業運営者）が倒産した場合においても，必要な資産を確保し，事業活動を継続できる制度として，浮動担保制度と管理レシーバー制度が機能している。裁判所や管財人が中立的な立場で行動する，本邦とは，この点で大きく異なる。林（2010）p170-171頁

[8] クラブで働く人たちや，監督・コーチ・選手などの経営参加についても，例に挙げた

---

[87] Britton et al（2006）pp.175-176, 183

第2部　応用編

"The Dons Trust（DT）の定款（The Constitution）の Constitution of the Society Board（DT 役員会の定款）54. e. iii には，役員会の互選されるメンバーとして，サポータートラストの構成グループのバランスをとることを Board Member Policy（役員選出方針）としている。特に互選されるグループの候補として，①クラブ所在地の市役所他官公庁，②若者③障がい者④地元の事業者⑤クラブ（AFCW）のサポーターグループ⑥クラブの従業員⑦クラブと連携して運営される企画を行うスポーツ団体，地元団体⑨選手団体他を経由して，クラブの選手の代表が明記されている。

[9] アマチュア（ファン）の経営参加に関しては，英国でも否定的な論調もあるが，英国ではサッカーの歴史は古く，ファンの層も広くて社会に深く根づいている。したがってサポータートラストの会員も，ビジネス経験者，専門職の人材が豊富である。サポータートラスト（The Dons' Trust）がサッカークラブ（AFC Wimbledon）を保有している例では，クラブの社長（Chief Executive）は世界的なコンサルティング会社の PricewaterhouseCoopers の元の director である。そもそも破たんが相次ぐプロサッカークラブの経営は，長年サッカー界にて経験を積んだはずのプロ（サッカー）経営者のスポーツマネジメント能力欠如が原因であるともいえる（以上は前掲 Kevin Rye 氏に 2009/8/10，AFC Wimbledon の Chief Executive である Erik Samuelson 氏に 2009/8/12，Birkbeck College, London の Sean Hamil 氏に 2009/8/13 にヒアリングした結果をまとめたものである）。

2 米国におけるベンチャー起業支援施策の動向
―マンチェスター・ユナイテッド IPO と Jobs Act―

西崎信男 (2016)

Reopening US Capital Market for Emerging Growth Companies in the States
—Manchester United's IPO and Jobs Act—

抄録：2012年英プレミアリーグの Manchester United（MANU）がニューヨーク証券取引所（NYSE）に上場，そして新株発行による資金調達を行った（IPO）。安定性に欠け収益性にも問題があるサッカークラブが，投資家保護が徹底し世界で最も厳しい NYSE になぜ上場できたのか？　そこには新規創業を促進し，雇用を産み出すために，証券発行市場，流通市場の規制を緩和して（Jobs Act），成長企業に米国資本市場を再開放するとの米国政府の強い決意があった。米国側には規制緩和のシンボルとして，MANU 側にはオーナーの資金繰り問題，広告塔としての上場があった。サッカークラブのファイナンスと米国ベンチャー企業施策を論じる。単なるプロスポーツクラブの上場ではない。その背景に世界各国の資本を巡る取引所経由の戦いがある。

Key Words：MANU，NYSE，IPO，新規創業，雇用，Jobs Act，議決権種類株式，資本移動のグローバル化

1．はじめに

　2012年8月，英国プロサッカークラブ MANU が NYSE 上場を果たし，同時に新株発行し資金調達を行ったが，衝撃的なファイナンスであった。MANU は世界的に知名度が高く，サッカークラブとしては売上高が大きいが，せいぜい年間売上高500億円程度で中堅・中小企業である。一流企業が集まり，上場の手続きが煩雑で厳しい NYSE ではとうてい無理と思われていたにもかかわらず実行できた。MANU は，過去，香港，シンガポールなどを企図したが成功せず[注1]，世界で一番上場が難しいと言われる NYSE でなぜ可能になったのか。その要因とされる Jobs Act およびその背景にある米国のベンチャー企業支援策の変革を探ることが本研究の目的である。

2．米国の中小企業

　米国では日本同様，全企業数の99％以上が中小企業であり，そのうち特に零細企業

受付日：2015年5月31日
受理日：2015年10月13日

第 2 部 応用編

(従業員 20 人未満)は,GDP(非農業部分)の約半分を産出,新規雇用数の純増分の 60〜80 % を占めている[1]。したがって米国経済の活力は中小企業活性化によると言える。米国での中小企業 (small business concern) の定義は,独立自営 (independently owned and operated) かつ当該企業事業分野で支配的ではない (not dominant) という一般基準が設けられている (1958 年米国中小企業法第 3 条)。米国では日本と比較,伝統的に開業率も廃業率も高く,さらに開業率が廃業率を継続的

図 1:開業率と廃業率の日米比較

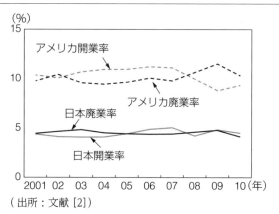

(出所:文献 [2])

図 2:米国における新規公開数推移

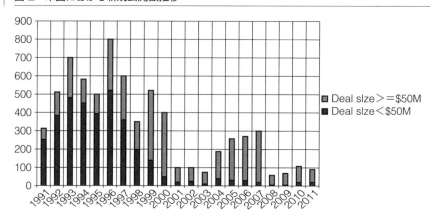

Figure 2-1. Decline in the number of IPOs. Source: IPO Task Force, a small group of professionals representing the investment industry and formed at the U.S. Treasury Department-sponsored "Access to Capital Conference," October 20, 2011

(出所:文献 [2], p.23)

図3：米国における新規創業数　参考文献［3］p.24

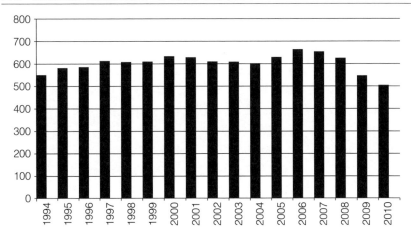

Figure 2-2. Number of Private sector establishments launched. Source:"Taking Action, Building Confidence: Interim Report of the President's Council on Jobs and Competitiveness," October 2011.
（出所：文献［2］, p.24）

に上回ってきた（図1）。すなわち新陳代謝が激しく，経済が活性化している。しかし米国でも開廃業率は2008年では逆転する事態となった。一つには2000～2001年のITバブル崩壊に加え，2008年リーマンブラザーズ倒産によって，先行きに対する警戒感が強まったのである。それが新規株式公開（IPO）の件数の急減（図2），新規創業企業数（図3）の減少傾向につながった。新規創業（ベンチャー創業），株式公開という中小企業のエネルギーが近年減少してきていることが明らかになり，オバマ政権の中小企業政策転換の引き金となった。

　この新しい政策は，Jobs Actと言われ，文字どおり，雇用（Jobs）を生み出すために中小企業（特に成長企業）に米国資本市場を再開放するものである。米国には新規証券発行市場を規制する1933年証券法（Securities Act of 1933）と証券流通市場を規制する1934年証券取引法（Securities Exchange of 1934）があり，公募株式・債券を発行する際に，投資家保護のために発行者に種々の規制を課している。今回のJobs Actはそれらの法律を改正する形式をとっている。米国の新規創業が低調で，そのために雇用創出が失われているとの認識があったことによる。新規参入企業による技術革新が経済成長の源泉である。そのために資金調達が重要な課題とされ，Jobs Actが制定されたのである。

第 2 部　応用編

3. MANU の上場および新株発行による資金調達（エクイティ・ファイナンス）

　そのようななか，2012 年 8 月 MANU が NYSE に上場した。MANU は 1991 年ロンドン証券取引所（LSE：公式リスト）に上場していたが，米国の投資家のグレイザーに買収され，上場廃止となった経緯がある。その際に購入するクラブ資産を担保に借入金をして買収（LBO）を実施したため，無借金会社であった MANU が多額の借入金を背負うことになった経緯がある。今般の上場および新株発行による資金調達は，LBO の借金のリファイナンス，すなわち低利資金への借り換えのための資金調達であった。

　サッカークラブは LSE で一時 30 余クラブが上場していたが，今はほとんど残っていない。それはサッカークラブが後述のとおり，①安定的な経営が望めず，収益的にも期待できないため，機関投資家が購入しないこと，②投資家がサッカーファンで，いったん購入すると所有を継続し，流動性がなくなり，クラブとして次の資金調達につながらないこと，③買収されるリスク，④上場管理事務および費用が過大であることなどデメリットが多く，上場維持のインセンティブがなくなったからである。③，④についてはサッカークラブに限らず他業種でも起こりうる事態である。株式を公開することを単なる資金調達と考える傾向があるが，買収されるリスクを負う。また上場した株式に流動性がないと次の資金調達ができず，上場費用だけがかさむことになる。

　このような歴史がありながらロンドンよりも規制が厳しい米国でどうして，サッカークラブが上場してエクイティ・ファイナンスができるに至ったのか？　それは，新規創業の減少により，雇用数が 2007 年基準で約 200 万人も減少し[3] (p. 25)，オバマ政権としても看過できないと，新法（Jobs Act）制定となったことがある。新規創業を促進するには，資金調達が重要であり，上場，そしてエクイティ・ファイナンスへの道筋を容易にすることが必要だったのである。

　米国証券市場の規制法の歴史を見ると，1929 年大恐慌の原因への反省から，銀行の証券業務兼営を分離するグラススティーガル法制定，公募証券を発行するためのディスクロジャー規制である 1933 年証券法，発行後流通市場で投資家が会社情報を得て投資判断を可能にする 1934 年証券取引法が整備された。キーワードは「投資家保護」で，発行者を規制していた法律を，Jobs Act の制定で事実上改正，発行者が証券市場を利用しやすいように規制緩和を行ったのである。

4.　Jobs Act（Jumpstart Our Business Startup Act, 2012 年）

　成長企業に資本市場の門戸開放するために，売上高 10 億ドル未満の企業を EGC（Emerging Growth Company：成長企業）と定義した。これにより，MANU が EGC と認定され，資本市場へのアクセスが可能になった。米国でも中小企業にとって

は基本的に間接金融が中心であったので，資本市場へのアクセス向上は，新規創業に大きな貢献となる。

次にレギュレーションD（規則D）のさらなる緩和を行った。規則D自体，登録コストを負担できない中小企業に対して，1933年証券法によるSEC登録義務免除を行う規定だが，免除企業の範囲をさらに広げた。

3番目の特徴として，クラウドファンディング（企業が多数の投資家に対して少額の株式を売却することによる資金調達）が容易になるような規制緩和を行っている。発行市場においても直近12カ月以内に500万ドル以下の発行を行う企業には，SEC登録前に需要調査の実施，正式の目論見書Prospectusの代わりに簡便な仮目論見書Offering Circularで代用など種々の規制を軽減できたが，それをさらに緩和して5,000万ドル（50億円）以下まで，適用範囲を拡大した。研究開発において「死の谷」と呼ばれる資金調達の問題が発生するが，問題解決には，大口ではエンジェルによる投資，小口ではクラウドファンディングが必要とされる[4]。今回のJobs Actはクラウドファンディングが容易になるように発行手続きを緩和している。それで死の谷を渡れなければ，事業化できないケースが起こる。事業化しさらに公開まで進むには，ベンチャーキャピタルからの投資が必要で，最終的にIPOまでこぎつけられる。このような米国での規制緩和による成長企業支援策に乗る形でMANUはNYSE上場し，IPOに成功したのである。

英国サッカー業界全体としては，英国GDP成長率をはるかに上回る急成長を遂げているが，クラブ単位では倒産が激増している。それはサッカーのビジネスモデル自体がオープンモデルで，リーグ間の上下移動が発生し，売上高人件費率を制御できないためである（昇格するためには高給選手の獲得で人件費がまず上昇する。狙ったとおりに昇格し売上高が増加するのは翌シーズンになり売上高人件費率が先に悪化する。しかし昇格しなければ，経営悪化するか，選手を外部へ売却することを余儀なくされる）。

5. 研究の方法

IPOの仮目論見書にて，A株，B株の株式発行構造の精査を行うとともに，二次的資料であるアナリストの文献もチェックして，ファイナンスの問題点を整理し英国現地の関係者の直接取材（期間：2013年2月22日〜3月3日。取材先：Duncan Drasdo, CEO Manchester United Supporters' Trust/Erik Samuelson, CEO AFC Wimbledon/Kevin Rye, Manager Supporters' Direct）と，文献調査（Manchester UnitedのNYSE Preliminary Prospectus，米国The JOBS Act of 2012，英国Localism Act of 2011）を実施した。

第2部　応用編

6. 調査結果

　Multi-Class Equity Structure（複数種類株式構造）がポイントである。原則としてすべての株式の内容は同じである。種類株式とは，一定の事項についてほかの株式と内容が異なる株式である[5]。株主は，保有する株式数に応じて同じ権利内容を持つのが原則であるが，会社法では例外として，一定の範囲と条件のもとで，権利の内容が異なる複数の種類の株式を発行することを認めている。

　なお，普通株式は一般的な株式であるが，種類株式が発行されると，普通株式も権利の内容がその株式と異なることとなるため，種類株式の一つとみなされる。

　種類株式の発行により，株式会社は多様性のある資金調達を図ることが可能である。種類株式の一種である議決権種類株式は普通株を二つに分け，議決権の比重を変えることにより，議決権のほとんどをオーナーが維持する構造である。議決権の代わりに優先配当を受ければ優先株になるが，今回のMANUの事例では，優先株でもなく普通株でありながら，議決権が1/10しかない株式を投資家が購入するかどうかが論点になった。米国では議決権種類株式は珍しくはなく[注2]，プロスポーツでは大リーグ野球（MLB）のクリーブランド・インディアンスが1998年に実施した（その後2000年に上場廃止）[注3]。

　まず今回新規発行するのはClass A株で，ほかにオーナーが全株所有するClass B株があるが，売り出しはしない。A株もB株も普通株で配当は当面望めない（目論見書に記載あり）。相違点は議決権がA株には1票に対し，B株には10倍の10票が与えられる。配当は同じ（当面ゼロ）であるのに対して，議決権が小さい株式を発行した。さらにオーナーが所有するB株を，上場株で流動性があるA株に転換可能とする一方，A株からB株への転換を不可としている。実質的に，オーナーはB株保有で多くの議決権を行使し，売却する場合はA株に転換し売却できる。資金使途はいびつな債券の借り換えになっている。すなわち，当初デット（債務）で資金調達した際，相手は大口の機関投資家と想定され，彼らの個別の資金繰りに合わせた仕組債券となっている。特記事項に，理由の開示なく，オーナーに対して1,000万ポンド（150億円@Y150）の分配を行った事実が記載されている[6]。仕組債券以外でも，本株式の投資家が合意すれば異例な取引（オーナーに特別配当を行う）ことも可能であることを示している。

　種類株式とは，株式に係る議決権，剰余金の配当，残余財産の分配などについて異なる内容の株式を発行することである。普通株式は①経営参加権，②利益からの配当，③残余財産に対する劣後的地位，④償還義務の不存在，⑤倒産手続きにおける劣後的地位を具備するとされる。日本では今回のような複数議決権種類株式が上場制度整備懇談会で報告されたものの上場実施例はなかったが[7]，2014年に初めてサイバーダイン（CYBERDYNE）株式会社による「議決権種類株式」を用いたわが国初の上場（東証マザーズ）が実施された[注4]。

2 米国におけるベンチャー起業支援施策の動向—マンチェスター・ユナイテッド IPO と Jobs Act—

IPO により A 株を発行して資金調達を行いながら，オーナーは議決権のほとんどを支配し，かつ，所有する A 株の「売り出し」による「資金回収」を行っている。したがって，クラブの外部資金調達金額は半分になる。1,600 万株を 14 ドル（約 234 億円）で IPO した際，半分の 800 万株余りは新株発行であるが，残り半分はオーナーからの売り出しである。結果，オーナーが保有する A 株は 3,100 万株から 2,300 万株へ減少し，第三者（外部投資家）の持ち株は 1,600 万株余となる。議決権は，A 株 1 票，B 株 10

表1：MANU の発行株式（2012/8/9 IPO 直前）
　　　（旧）A Class （旧）B Class の 2 種類　出所：参考文献 [6]

"A" 株式	Glazers	第三者	総株式
IPO 以前	31,352,366 株	0	31,352,366 株
"B" 株式	Glazers	第三者	総株式
IPO 以前	124,000,000	0	124,000,000
合計	Glazers	第三者	総株式
IPO 以前	155,352,366	0	155,352,366

（出所：文献 [6]）

表2：(IPO) "A" 株式　16,666,667 株　価格 $14
　　　"B" 株式発行なし

"A" 株式	Glazers	第三者	総株式
IPO 以降	23,019,033	16,666,667	39,685,700
%（A 株）	58%	42%	100%
持株比率	14%	10%	24%
"B" 株式	Glazers	第三者	総株式
IPO 以降	124,000,000	0	124,000,000
%（B 株）	100%	0	100%
持株比率	76%	0	76%
合計	Glazers	第三者	総株式
IPO 以降	147,019,033	16,666,667	163,685,700
持株比率	90%	10%	100%

注）"A" 株新株発行　8,333,334 株，"A" 売り出し（Glazers から）　8,333,334 株
（出所：文献 [6]）

第 2 部 応用編

表 3：(議決権比率) IPO 以降

"A" 株式	Glazers	第三者	総株式
IPO 以降	23,019,033	16,666,667	38,685,700
議決権比率	1.8 %	1.3 %	3.1 %
"B" 株式	Glazers	第三者	総株式
IPO 以降	1,240,000,000	0	1,240,000,000
議決権比率	96.9 %	0	96.9 %
合計	Glazers	第三者	総株式
IPO 以降	1,263,019,033	16,666,667	1,279,685,700
議決権比率	98.7 %	1.3 %	100 %

(出所：文献 [3])

票なので，IPO によって第三者の持ち株比率は 10 % になったが，賦与された議決権はたった 1.3 % にすぎず，オーナーが 98.7 % を牛耳るほぼ 100 % 所有企業のままである。すなわち米国では，表面上投資家にいかに不利な手法でも，投資家が購入してファイナンスが成立すれば，市場が追認し，調達は成功とみなされる。表 1～3 に，今回ファイナンスにおける株式移動および議決権移動の整理を示す。

7. グローバル資金導入をめざし競争する各国証券取引所

先述のとおり，米国はベンチャー企業支援による雇用創出をねらい，Jobs Act を制定した。その際，新規創業のために一番問題となるのが資金調達である。世界各国ともグローバル資金の運用と調達を自国市場で資金調達してもらうことが証券市場活性化のためにも重要と考えている。そこで重要となるのが証券取引所改革である。

世界主要取引所の時価総額（百万米ドル）TOP10（2015 年 2 月末）は NYSE が依然他を圧してのトップでシェアは約 30 % であり，続いてナスダック，東京，上海，ユーロとメジャーな証券取引所が並んでいる[注5]が，表 4 のとおり上場企業数ではインドをはじめとする資本市場ではマイナーな諸国が上位を占めている。MANU の上場に際しては，英国，香港，シンガポールとの競争に NYSE が勝利したと言えるが，グローバルな資金取引を世界各国が競い合っている。そのような背景の中で NANU の上場，資金調達が行われたのである。

表4：世界主要取引所の上場企業数TOP15（2015年2月末）

No.	取引所名（和文）	上場企業数		
		合計	国内企業	国外企業
1	ボンベイ証券取引所	5,597	5,596	1
2	トロント証券取引所	3,761	3,691	70
3	BMEスペイン証券取引所	3,542	3,510	32
4	東京証券取引所	3,474	3,462	12
5	ナスダックOMX	2,780	2,426	354
6	ニューヨーク証券取引所（NYSE）	2,461	1,934	527
7	オーストラリア証券取引所	2,072	1,966	106
8	韓国取引所	1,859	1,845	14
9	香港証券取引所	1,766	1,675	91
	上位15取引所合計	34,535	33,128	1,407
	世界合計	45,766		

（出所：注5）を一部改変）

8. 結論

（1）米国では新規創業が活発との印象が強いが，近年のITバブル崩壊，リーマン倒産などにより，企業家精神も衰えが見える。それが雇用数の減少として表面化したために，Jobs Act制定となり，それを活用したのが，MANUのオーナーの戦略であった。

（2）サッカーは地域密着のスポーツであり今般の動きは地元を無視した動きであり欧州では受け入れがたい。しかし米国では，リスクとリターンが合えば投資するので，ファイナンスが成立する。もちろん機関投資家からは議決権種類株式発行について，透明性，統合性，収益性から批判はある。

（3）オーナーであるグレイザーはMANUがLSEに上場していたときに，株式を買い占めて，非公開化した。自らの経験を逆に活かして，MANUのNYSE新規上場に際しては，インディアンスの例に倣い，配当金ゼロで多額の資金調達を行う一方，上場株であるので株式買い占めによる会社乗っ取りのリスクを避けるために議決権を98.7％も抑える議決権種類株式発行を行うことに成功した。すなわち新株発行で実質コスト・ゼロの資金調達をするが，会社の経営には一切口を出させない仕組みでファイナンスを行ったのである。インディアンスの事例では金額が少額であったので球団のファンが購入したと言われているが，MANUの場合は金額が大きいために，機関投資家が購入し

たと言われている。

　MANU が世界的なブランドであり，中国で No. 1 人気クラブであることを評価して買われた可能性がある。実際に GM のシボレー（スポーツ車部門）が MANU の胸ロゴスポンサーで多額の資金（7 年間で総額 5 億 5,900 万ドル[8]　670 億円@ 120）を投入している。これらも含めて MANU のクラブ価値は世界 3 位　31 億ドル（2015 年 5 月現在　forbes[9]　3,720 億円@ Y120）に達している[8]。

　（4）議決権種類株式の資本市場に与える影響として，1．企業の資金調達手段の多様化に資する．2．投資家の投資機会が増大する．というプラスの面もあるが，マイナスの面として，上場のメリットである株式市場とのコミュニケーションによるコーポレートガバナンスが不十分になる点が挙げられる。

　（5）投資家保護が重視され，慎重なスタンスが強かった米国市場が，証券市場および証券取引市場を世界に先だって改革している。NANU の NYSE 上場，新規株式発行による資金調達は単なるスポーツ企業の財務活動ではない。背景に雇用問題，新規創業，そして資本を巡る世界的な競争がある。

注

1) MANU はマーケティングの観点から，アジアの拠点となりうるシンガポールで上場を試みたが，議決権種類株式をシンガポールが認めておらず，MANU が NYSE へ逃げた経緯がある。同様に議決権種類株式を認めているが発行実例がない英国，認めていない香港市場も忌諱されたと思われる。中国 E コマース最大手のアリババも議決権制限を付するパートナーシップ制度を認めるかどうかで香港上場を諦めて，NYSE で上場を行った。これらの問題の後，香港もシンガポールも議決権種類株式発行に関わる法整備を行い始めた。資本を巡る各国間の争奪競争が発生しているのである[9]。
2) S＆P1500 構成銘柄の約 3％が，複数議決権株式発行会社である（文献 [10], p.4）。
3) アメリカ大リーグ（MLB）の先進例：Cleveland Indians（1998）
　　発行者：The Cleveland Indians Baseball Co.
　　発行金額（調達金額）：6,000 万ドル（約 69 億円@ $＝Y115.70 1998 年年末）
　　発行株式数：400 万株（普通株 A：1 株＝1 議決権）。ただしオーナー保有株（普通株 B：2,281,667 株　1 株＝10,000 議決権　議決権 99.88％）
　　発行価格：1 株＄15（約 1,735 円@ $＝Y115.70）
　　上場：NASDAQ（店頭株市場）
　　　MLB 株式所有規則：1 個人又は 20 人以下のグループが常時，最低 10％の経済的利益を持ち，議決権の 90％を持つことを条件とする[11]。

MLBの球団運営条件を満たすことが，純粋株式投資では投資対象にならない新規株式発行形態に至ったのでる。オーナーにとっても都合よい仕組みであるが，投資家は誰か。それはファンなのである。

1995年から2001年までの期間で，MLBで利益を計上したのはヤンキースとインディアンズの2チームだけとMLBコミッショナーは議会証言している。すなわちMLBのビジネスモデルでは営業利益は赤字であるが，フランチャイズ（本拠地）の価値が上昇しているので，将来チームが売却されるときに売却益が獲得できる可能性が唯一の経済的メリットと言える。機関投資家はプロスポーツ株式を買わない。新株発行によって実質コスト・ゼロに近い資金調達をしたオーナーは今までどおりに自分の意向でチームを動かすことができる。

現にインディアンスの事例では，新株発行の後2年後にはオーナーは新たなオーナーに株式を売渡し，クラブ経営から退いた。自己の利益だけを求めて種類株式を発行したとも見える。球団経営のガバナンスの問題が残る。

4) 普通株に対して優先株を発行しての種類株式発行が初めて日本でなされたのは伊藤園が2007年9月に発行した優先株式である。この優先株式は議決権がない代わりに，配当が普通株式に比べて優遇されている。優先株式とは普通株式に比べ何らかの点で優先権がついた株式であり，多くの場合，優先配当権や残余財産の優先分配権が付与される代わりに議決権がつかないという形態をとっている。MANUの事例は，普通株における種類株式発行である。

5) WFE（国際取引所連合）の公開データをもとに楽天証券が作成），https://www.rakuten-sec.co.jp/web/special/worldcaprank/（2015/5/20 アクセス）

参考文献

[1] (財)中小企業総合研究機構訳編『アメリカの中小企業白書2006』同友館，2007.
[2] 内閣府平成25年度　年次経済財政報告，http://www5.cao.go.jp/j-j/wp/wp-je13/h05_hz020109.htm
[3] Cunningham, W. M., *The Jobs Act*, Apress, 2011.
[4] 柳川範之「少額投資が金融を変える」日経新聞（2013/7/23）
[5] 金子　宏ら『法律学小辞典［第4版補訂版］』有斐閣，p. 591，2008.
[6] Preliminary prospectus: 16,666,667 Shares Manchester United plc Class A Ordinary Shares
[7] 森・濱田松本法律事務所『エクイティ・ファイナンスの理論と実務　商事法務　他』，2011.
[8] Independent, http://www.independent.co.uk/sport/football/news-and-

comment/manchester-uniteds-chevrolet-deal-pushes-premier-league-shirt-values-to-191m-9635617.html
 [9] http://www.forbes.com/soccer-valuations/list/#page:1_sort:0_direction:asc_search:
[10] 大和総研重点テーマレポート（2015/3/26），http://www.dir.co.jp/consulting/theme_rpt/governance_rpt/20150326_009585.pdf
[11] Rosner, S. et al., *The Business of Sports,* 2nd ed., p. 35, 2011.

3 クラブ株式上場によるサッカークラブのガバナンス
―マンチェスター・ユナイテッド―†

西崎信男（2015）

Governance of Professional Football Clubs by Their Listings: Manchester United plc at New York Stock Exchange 2012 †

1. はじめに

　40余りに達した英サッカークラブの上場（ロンドン証券取引所；以下，LSE）は，2000年代に入りクラブの低収益性，株式の流動性欠如等から，機関投資家からの需要がなく上場廃止が相次いだ。マンチェスター・ユナイテッド（以下MANU）も2005年に米国投資家（マルコム・グレイザー氏）により買収され上場廃止となったが，2012年8月に資金調達面やマーケティング面でも有効なニューヨーク証券取引所（以下NYSE）に再上場された[1]（注1）。同時に新株発行し資金調達（IPO）を行ったが，衝撃的なファイナンスであった。

　その理由は，MANUは世界的に知名度が高く，サッカークラブとしては売上高が大きいが，せいぜい年間売上高500億円程度で中堅・中小企業である。一流企業が集まり，上場の手続きが煩雑で厳しいNYSEでは到底無理と思われていたにもかかわらず，実行できたからある。MANUは，過去，香港，シンガポール等を企図したが成功せず，世界で一番上場が難しいと言われるNYSEでなぜ可能になったのか。

　米国側の状況としては，新規創業を含む中小企業が長く米国経済の活力の源泉であったが，近年開廃業率の逆転が起こり，新規公開企業数（図1）[2]も，その源になる新規創業（図2）[2]自体が減少してきていることがある。新規雇用数の3分の2が中小企業セクターから生み出される米国では，これは政治的にも由々しき事態であった。そこで，オバマ大統領も中小企業にとって重要な資金調達を容易にする，すなわち米国資本市場を再開放する意図で，Jobs Act（注2）という法律を制定した。規制緩和の流れの中で登場してきたのが世界的に有名だが，規模としては中堅中小企業であるMANUであった。

　プロサッカークラブを企業経営の見地から見ると，売上高人件費率が高く，したがって成績不振になり，主なタイトルから遠ざかるとか，いわんや下のリーグに降格することになれば売上高が急減する一方，選手の年俸は容易に下がらないため倒産が頻発する

---

† 原稿受付　2014年9月11日　　原稿受諾　2014年12月4日
*東海大学　〒862-8652　熊本県熊本市東区渡鹿9-1-1
* Tokai University, 9-1-1, Toroku, Higashi-ku, Kumamoto, Kumamoto, Japan (862-8652)

第 2 部　応用編

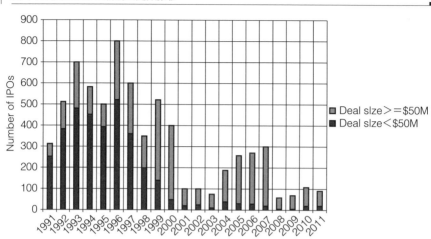

図 1：米国における新規公開数推移[2)]

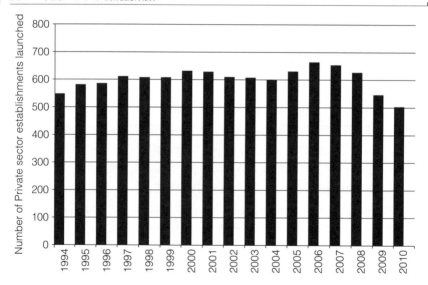

図 2：米国における新規創業数[2)]

ビジネスである（図 3）。したがって，株式による資金調達で経営安定性を確保することが重要になってくる（注 3）[3)]。しかし，公募株であれば，それは返済の必要のない資金を，企業内容を十分知らない不特定一般大衆から集めることであるので，財務諸表を

3 クラブ株式上場によるサッカークラブのガバナンス―マンチェスター・ユナイテッド―

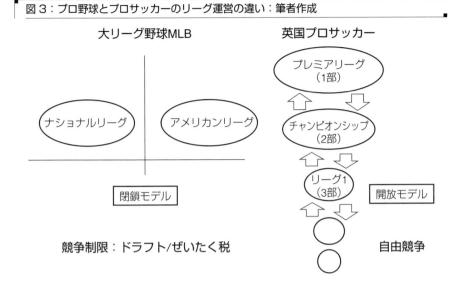

図3：プロ野球とプロサッカーのリーグ運営の違い：筆者作成

公開して，企業内容の定期的な開示が必要とされる。それが上場によるガバナンスのメリットの第一である。本論文では，ガバナンスを「さまざまな利害関係者の利害を経営に反映させる仕組み」と定義する。第二のメリットが，上場後の株価を経由しての，ガバナンスである。経営者は一般上場企業の経営者同様，日々株式市場から評価をされる。企業が株主の期待通りに経営されているかどうか，それが反映されるのが株価である。したがって，期待通りでないと株価に反映されると，株主から経営者更迭を要求される可能性がある（注4）。

　今般のMANUのNYSE上場及びそれに続くIPOによる資金調達を行った後，MANUのチーム成績等が株価に影響を与え，最終的に監督の更迭の事態（注5）に至ったわけである。そこでは株価を経由してのガバナンスがいかに強いものであるかを見ることができる。監督更迭に見る，株式市場を通じたサッカー企業経営のガバナンスの有効性を論じるのが本論文の目的である。

2. 研究方法

　NYSEに上場（2012年8月）以来のMANUの株式のパフォーマンス推移（図5後掲）にクラブ経営に影響を及ぼすと想定されるイベントをプロットし，株式市場を経由したクラブ経営に対するガバナンスの有無（それがMoyes監督の更迭につながったとの報道あり）を分析した。

第2部　応用編

　NYSE上場以降のMANUの株価推移とNYSE上場株式全体の株価推移（S＆P500）の比較を行った。その際にクラブ経営に影響を与えたイベントとMANU株価の動向の分析を行った（図5）。
(1) クラブ経営に影響を与えたと思われるイベント：
① 20130509 監督交代発表（FergusonからMoyesへ）[4]
② 致命的な敗戦：20130922 Man City (A) 1-4, 20130928 West Brom (H) 1-2
③ 20140422 Moyes更迭発表
④ 財務諸表開示（年4回, a. 20130918, b. 20131114, c. 20140212, d. 20140514）
(2) MANU株価動向分析（対NYSE S＆Pインデックス）
(3) 上場サッカークラブ間での株価推移比較（於NYSE）（図7後掲）

　本論文では、MANUとの株価比較は、時価総額を基準に、株価の連続性の観点からイタリアのユベントス（JVTSF）と、株価の連続性に難点があるが、ドイツのドルトムント（BORUF：2013/6/10基準とした）とイタリアのローマ（ASRAF：2013/10/25基準）を対象とした（Yahoo.financeのhistorical dataを使用）。MANUだけがNYSEに上場しているが、他のクラブはそれぞれ母国の証券取引所に上場されている。ただし、株式は店頭取引が可能であるので、NYSEにおける売買による各クラブ株式の価格はトレース可能で、同時間帯で、米ドル建て価格で比較ができる。価格に発行済み株数を乗ずると、時価総額（企業価値）となるが、MANUは他を圧して、大きい時価総額を持つ流動性のある企業といえる（表1）。機関投資家から見れば流動性が少ない

表1：上場サッカークラブ株式時価評価額（注6）[5]

クラブ株式名称	上場会社名	株価	時価総額 (B：10億, M：100万)
MANU	Manchester United	US$16.52	US$2.71B（≒2,700億円）
JVTSF	Juventus Torino AZ	0.300	302.33M（≒300億円）
TTTHF	Tottenham Hotspur plc	0.0010	132.12M
CLTFF	Celtic Plc	0.830	75.68M
BORUF	Borussia Dor GMBH&Co	5.04	309.77M
ASRAF	AS Roma Spa	1.24	164.33M
RNGFF	Rangers Football Club	0.530	34.50M
参考）WWE World Wrestling		US$11.17	US$839.48M

3 クラブ株式上場によるサッカークラブのガバナンス―マンチェスター・ユナイテッド―

株式は自由に売買できないデメリットがあるので，魅力がなく投資の対象になりにくい。換言すると，企業は上場していても流動性が小さいと新規資金調達ができないので，上場の意味がないとも言える。

3. 考察

(1) 図 4 は，今回のテーマである 1 シーズンで監督を更迭した MANU の 2013/2014 のプレミアリーグ順位推移表である。リーグ優勝はもちろん，クラブの貴重な収益源であるヨーロッパでの試合，特に Champions League 出場権（注 7）は強豪クラブの最低の達成条件であったが，MANU はシーズンを通して達せず，監督更迭につながったと思料される。

(2) 次に，MANU の株価を相場全体のインデックスと比較する。

図 5 は 2012 年 8 月の MANU 上場時の公開価格 $14 を 100 として，その後の株価を相対的にプロットしたものである。株価自体は公開価格を上回っているため，MANU は市場から評価されているように見えるが，機関投資家（注 8）[7]）は顧客から高いパフォーマンスを要求されており，投資対象のパフォーマンスは市場のインデックスと比較して評価される。2014 年 6 月末現在の株主リストによれば，機関投資家比率は 47.36 ％に及び，機関投資家からの反応は非常に重要である。ニューヨーク証券取引所での全体のパフォーマンスを示すインデックスは S&P500 である。前掲の図 5 には MANU の経営に影響を及ぼしたと思われるイベント（前掲）も合わせてプロットしている。（注 9）

結論としては，MANU の株価は成績が下降するにつれて株価もインデックスに対して大きく割り負けた。これは MANU のオーナーで大株主であるグレイザー氏にとっては巨額の機会損失と認識され，単なるサッカークラブオーナーとしてではなく，監督更迭については大株主として決断を下したと推定される。それが株式市場と通じた市場参加者（株主）からのガバナンスであり，今回モイーズ（Moyes）監督更迭の重要な要因となったと思われる。

MANU の経営成績を見れば，この 1 年 MANU は増収増益だったが，比較対象となる米国の主要企業の増益率（予想値含む）がそれを上回ると市場は見たのである（図 6）。

NYSE では，優良株のインデックスであるダウで見ても一時 17,000 ドルを超え，史上最高値を更新している。それに対して，サッカークラブは売上高人件費率を制御するのが難しいビジネスモデルであるので，不安定な経営を強いられる。そこで MANU の株式はほかの上場プロサッカークラブと比較してパフォーマンスを検討する。

図 7 では，伝説的な名監督 Ferguson 監督の引退発表，Moyes 新監督の就任発表時である 2013 年 5 月 9 日を基準に，他のクラブとの株価相対比較を行ったものである。

第 2 部　応用編

図 4：マンチェスターユナイテッド順位推移表 2013/14[6]：筆者作成

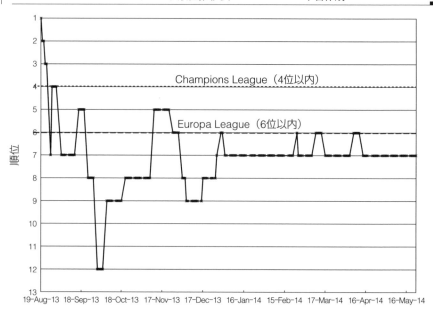

図 5：S ＆ P500 と MANU 株価推移比較[8]：筆者作成

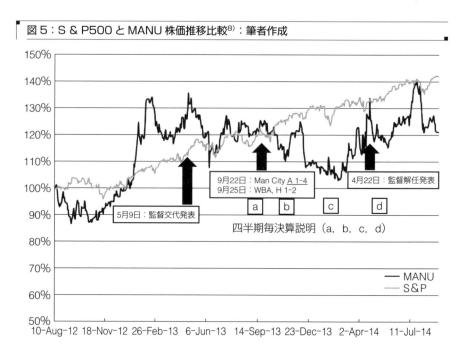

3　クラブ株式上場によるサッカークラブのガバナンス―マンチェスター・ユナイテッド―

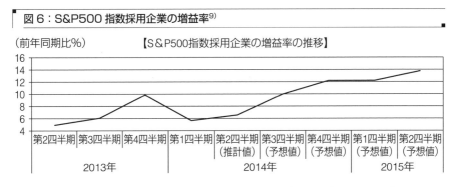

図6：S&P500指数採用企業の増益率[9]

期間：2013年第2四半期～2015年第2四半期（四半期ベース），2014年7月25日現在
出所：トムソン・ロイターのデータを基に新光投信作成
※　推計値および予想値の集計はトムソン・ロイター

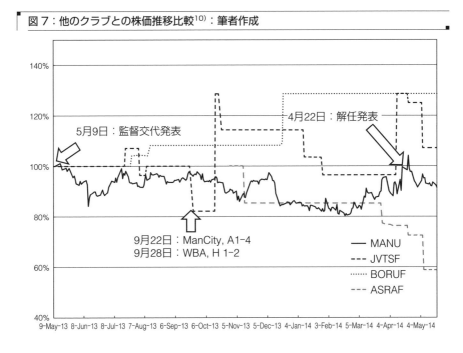

図7：他のクラブとの株価推移比較[10]：筆者作成

　流動性に劣るほかのクラブの株式と比較するのは困難であるが，それでもMANUの株価は好調とは言えなかった。サッカークラブの売り上げの構成比率は，大きく①入場料収入　②TV放映権料　③スポンサー（グッズ含む）に分けられるが，MANUの場合はその比率は表2の通りである。

261

第 2 部　応用編

　スポンサー料が大きいため MANU の経営にインパクトがあるように見えるが，リバプール FC の経験からすればスポンサー料は中長期的にはともかく短期的な成績の変動によって影響される度合いは小さいとの実証分析（注 10）がある。それより短期的に大きな影響を受けるのが，放映権と入場料なのである。MANU は最低限の目標であった Champions League はおろか Europa League にも進出できず，それが放映権料ゼロに結びつき，損失（放映権料減収）が確定したわけである（表 2）。それが株価にも反映され，前監督が引退，モイーズ監督の下，成績不振で 2014 年 1 月末にはプレミアリーグ優勝のみならず，Champions League 進出すら絶望的になったため，1 月末の時価総額では，時価総額の下落は 5 億 3,000 万ドル（53 億円）に上った（新株発行時比較，時価総額は 17 ％強縮小した）（図 8 後掲）。

　ファンのみならず，投資家，株主も MANU の営業成績，すなわちリーグでの成績を，固唾をのんでみている。そして，株式市場経由で，声を上げる。それが上場の意味であり，株式市場からのガバナンスといえる。MANU はニューヨーク証券取引所に上場しているが故に，どんぶり経営が多いプロサッカークラブで，ガバナンスを強く要求されるクラブである。

　MANU は世界的なブランドとしてスポンサー企業から人気が高く，2014 年 4 月から米大手自動車の GM（シボレー部門）が胸ロゴスポンサーとして多額の契約金を支

表 2：クラブ低迷がクラブ売上高に与えるインパクト[11]
1.　Manchester United 売上高構成比率 　　（2013 twelve months ended June 30 売上高合計　英ポンド 363.2 million）[12]
・Matchday（入場料）30 ％（109.1 million） ・Broadcast（TV 放映権料）28 ％（101.6 million） ・Commercial（スポンサー，広告宣伝等）42 ％（152.5 million）
2.　Commercial に与えるインパクト
Liverpool FC（2009/2010〜2013/2014　Champions League 出場なし）の例では，売上高は減少せず。短期的にはインパクトなし。
3.　Broadcast（放映権料）：損失は明確。53 億円損失。
Manchester United 3,130 万ポンド（＝53 億円＠ Y170）（Champions League 放映権料）（2013 年度比　▼ 30 ％確定）Europa League にも進出できなかったので，その放映権料（最低 700 万ポンド（12 億円））もなし。
4.　Matchday（入場料）
シーズンチケット保有者に大きなインパクトあり。推定難であるが，2000〜3,000 万ポンド（34 億円〜51 億円）との見積もりもある（2013 年度比　▼ 18 ％〜▼ 30 ％推定）

3 クラブ株式上場によるサッカークラブのガバナンス—マンチェスター・ユナイテッド—

図8：元監督 Ferguson 引退発言以来の MANU 時価総額推移[11]

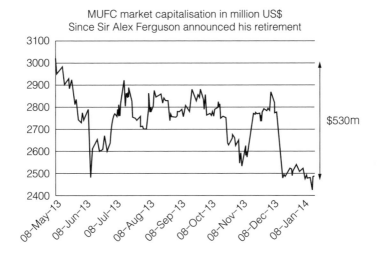

払っている。クラブの不振は熱狂的サポーターの怒りを買うだけでなく，営業成績や毎日の株価に反映，企業価値（株式時価総額）が日々変動し，一般投資家にも影響が及ぶ。売上高規模では中小企業にすぎず（注11），勝負の結果にこだわりがちなサッカークラブも，スポーツビジネスの上場企業として，経営意思決定に頭を悩ますことになる。

4. 結論

(1) MANU 株式は昨年秋までは NYSE 株価（指標）には劣後していなかった。しかし昨年秋以降，指標に大幅劣後した。
(2) クラブ経営に影響を与えたイベントと MANU 株価の変動に関係が見られた。
(3) 上場クラブ間株価比較は，MANU 以外は店頭価格であること，株式時価総額が小額すぎて流動性が乏しいため，MANU との比較は困難であったが，その欠点を除いても MANU の株価は好調とは言えなかった。

　上場がなければ，サッカー界からの批判はあっても会社（クラブ経営）に対する損害は評価できなかったが，MANU の事例では NYSE という世界一の規模を誇る証券市場で上場，取引されているため，他の上場企業の経営者同様に，株価面からのガバナンス機能（ビジネス判断）が強く作用し，監督更迭に至ったと推測される。プロサッカーは米国を除く世界各国ではアマチュアリズムの伝統を継承し，クラブ経営者もファンも試合の勝ち負けだけに焦点が行きがちである。その一方，選手獲得競争で移籍料が高騰しクラブが財政難で倒産に至る例も多い。現時点では，熱狂的なサッカーファンである投

資家，またはブランド資産としてのクラブに興味があり投資する投資家等がクラブ買収を行うケースが多い。その対象にならない中小のプロサッカークラブはファンが支えるサポータートラストが救済しているのが現状である。これがいつまでも続かないことはUEFAのフィナンシャル・フェアプレー（FFP）規制導入が示すとおりである。MANUのケースは本来あるべき企業経営という視点が，上場に伴い，株価を経由してのガバナンスの問題が監督交代に至ることもあることを示している。米国のプロスポーツのビジネスモデルで運営されるMLS（メジャーリーグサッカー）が一つの方向性を与えるかもしれない。

5. 今後の課題

　株価に影響を与えると推測されるイベントが多いため，今回の分析では定性分析を行ったが，定量化が課題である。まずは株価とクラブの成績（リーグトップ等との勝点差等）で相関関係を確認する一方，多変量解析を試みたい。

(注1) 2012年8月NYSE上場1,670万株発行（2億3,380万ドル）。
(注2) JOBS Act：the Jumpstart Our Business Startups Act, 2012.
(注3) MANUのNYSE上場とUEFA（The Union of European Football Associations：欧州サッカー連盟）のFFP（フィナンシャル・フェアプレー規制）：欧州リーグにおける激しい選手獲得競争に起因する選手年俸の急騰によるクラブ運営悪化，さらにはリーグ運営悪化を防止するためにUEFAが課した収支均衡規則である。あくまで（収入－支出）の赤字幅を規制する際に支出（spending）を抑制することに主眼があるため，上場による資金調達安定化は赤字削減に対する直接的な効果はない。従ってFFPを充足するためにNY上場したとは言えない。
(注4) 英国サッカークラブは株式市場から撤退した後，資本市場からの調達を債券市場から行った。2006年7月のArsenalの2億6,000万ポンドに達する「公募債券，かつ資産担保証券」，またMANUの非公開化の際のLBOの資金借入の借り換えとしてのMU Financeの約5億ポンドの債券発行がなされた。いずれも財務内容開示がなされガバナンスに寄与するものであるが，焦点は債券の償還の安全性にあり，株式のように発行会社の収益性，成長性を毎日の株価を通して示すほど，強い縛りではない。
(注5) 監督はクラブの経営者とは言えない。しかし，クラブのリーグ成績が会社の経営成績とつながるので，投資家からの直接的なプレッシャーは経営者に対するものであるが，最終的には監督が責任をとることにつながる。現に元の監督で

3 クラブ株式上場によるサッカークラブのガバナンス―マンチェスター・ユナイテッド―

ある Ferguson 監督はその自叙伝[4]で，(Alex Ferguson が家族の問題で監督辞任を決めてオーナーの了解を取り付け，いつ発表するかという段階となった時，辞任発表の前日5月7日に)「発表の段取りは難しい，特に NYSE に上場している見地からすると（筆者注：監督交代が株価に影響を与える可能性があるので）。そこでそのニュースを一部だけ自分が信頼する何人かの人たち（クラブの仲間）に言うことにした」。勿論 Ferguson 氏は MANU の director（取締役）でもあったことが責任をより重いものにしたが，監督の交代が，いかにインパクトが大きいか示したものである。「Alex Ferguson, My Autobiography」 Hodder & Stoughton Ltd p. 8.

(注6) MANU 以外はニューヨーク証券取引所における OTC（over-the-counter）店頭価格による評価である。JVTSF，ASRAF：ミラノ証券取引所上場，BORUF：フランクフルト証券取引所上場 CLTFF，RNGFF：ロンドン証券取引所上場（AIM），TTTHF：2012 上場廃止。

(注7) Champions League 出場による収入：放映権料だけで（Champions League に進出した前年比）MANU は 53 億円の減収となる（英ポンド@ Y170）。下位大会である Europa League へも進出できなかったので，その放映料 12 億円も獲得できなかった（英ポンド@ Y170）。

http://andersred.blogspot.jp/Andy Green/Manchester United Supporters Trust 20140313.

MANU は上場企業であるので，財務内容の開示を四半期ごとに行っているが，リーグ順位が先行指標と言えよう。ただし，株価終値と順位の相関を計算したところ，S & P 500 で補正をかけた場合の相関係数は−0.1589 となり，0.2 未満ということで相関なしとなる。

(注8) 2014/6/30 現在 MANU 株式の機関投資家の持株数，持株シェア，持株時価総額（機関投資家：株主に掲載される投資家のリストであり，最終投資家が誰かは不明である）。さらに最終投資家のリストも開示されていない。勿論これは上場している Class A 株だけの計算であり，グレイザー家が全株所有する Class B 株が A 株に転換されれば，状況が大きく変更となる。

(注9) 「定性的情報（イベント）」による株価への影響：図5は，2012 年8月 MANU が NY 証券取引所に上場され取引された8月10日上場初日終値を@ 100 とする一方，S & P 社が算出しているニューヨーク証券取引所，アメリカン証券取引所，NASDAQ に上場している銘柄から代表的な 500 銘柄の株価を基に算出されるアメリカを代表する株価指数の同日終値を@ 100 として比較したものである。S & P500 は機関投資家の運用実績を測定するベンチマークとして利用

第 2 部　応用編

(注 8) MANU の A 株における機関投資家持株比率 47.36 ％

Holder	Shares	%
Tybourne Capital Management (HK) Limited	3,060,052	7.69
Lansdowne Partners (UK) LLP	2,731,445	6.86
BlackRock Advisors, LLC	2,059,121	5.17
BAMCO Inc.	9,862,699	24.77
BlackRock Group Limited	655,049	1.65
Blackrock Investment Management LLC	181,594	0.46
Deutsche Bank AG	110,232	0.28
Soros Fund Management LLC	69,703	0.18
Jefferies Group Inc	64,172	0.16
Value Partners Ltd/Adv	56,690	0.14

されているので，MANU に投資している機関投資家は S & P500 と比較してパフォーマンスを測定する。MANU の株価終値が濃い太線，S & P500 の指数を淡い太線としてプロットする一方，定性的情報（イベント）をプロットしたものである。2013 年 5 月 9 日，20 数年間監督を続けた伝説的な名監督 Alex Ferguson が辞任，そして後任監督として David Moyes が就任することが発表され，MANU 株価の相対的パフォーマンスが悪化したことが観察される。9 月 22 日，9 月 28 日の試合で MANU は敗北したので，一時は順位が 12 位まで下落するなどクラブの試合成績の不振が MANU 株価の相対的パフォーマンスをさらに悪化させた（図 5 参照）。そして最終的に 4 月 22 日 David Moyes 監督解任発表まで，相対的株価不振は継続した。その間，4 回の MANU4 四半期決算（時点：a，b，c，d）が発表され各決算とも増益を記録したが，相対的株価には反映されていない。これは S & P500 を構成する 500 社の決算が好調であったことが影響していると思われる。同時に MANU の経営において，監督の人事が一番大きなイベントと市場では認識されているからと思われる。Moyes 監督更迭発表後は，MANU 株価は対 S & P500 に対し上回ったことが観察される。

(注 10)　リバプールは 2009/10 シーズンからチャンピオンリーグに出場していないが，スポンサー料は一貫して増加している。2011/12 シーズンも増加を記録したが，プレミアリーグでは Manchester United, Manchester CityArsenal, Chelsea に次ぐトップ 5 に位置づけされている。Deloitte Annual Review of

3 クラブ株式上場によるサッカークラブのガバナンス―マンチェスター・ユナイテッド―

Football Finance 2013 pp. 30-31.
The Liverpool World April 4, 2013, http://andersred.blogspot.jp/.

(注10) スポンサー収入推移：

	2008/09	2009/10	2010/11	2011/12	2012/13
Commercial	60,266	62,075	77,418	63,897*(注)	97,707

(注) 2011/12年度　会計年度変更による10か月決算：
出典：The Liverpool Football Club and Athletic Grounds Limited Director's report and Financial Statements2009/2010/2011/2012/2013より，著者改変。

以下の表は2011/12シーズンの調整後のスポンサー料（Commercial）の数字で比較すると前年比増加となる。The Liverpool World April 4, 2013.

(注10) 2011/12シーズンの調整後のスポンサー料

Revenue	2010/11	2011/12*	Deloitte's Football Mones League (FY2011/12)	Director's report and Ayre's intervuew (FY2011/12)
Match day Income	£40.9m	£42.3m	£45.2	£42.3m
Media Income	£65.3m	£62.8m	£63.3	£62.8m
Commercial	£77.4m	£63.9m	£80.2m	£83.6m
Total revenue	£183.6m	£169m	£188.7m	£188.7m

＊10 months period

(注11) 参考文献13) 参照

参考文献

1) Preliminary prospectus: 16,666,667 Shares Manchester United pls Class A Ordinary Shares.
2) Cunningham, W. M.; The Jobs Act, Apress, pp. 23-24, 2012.
　図1　Source：IPO Task Force, a small group of professionals representing the investment industry and formed at the U.S. Treasury Department-sponsored "Access to Capital Conference." October 20, 2011.
　図2　Source："Taking Action, Building Confidence: Interim Report of the Presidents' Council on jobs and Competitiveness," October 2011.
3) http://www.uefa.com/MultimediaFiles/Download/uefaorg/Clublicensi

ng/01/50/09/12/1500912_DOWNLOAD.pdf　2014/05/29 アクセス。
4) Ferguson, A; Alex Ferguson, My Autobiography, Hodder & Stoughton Ltd p. 8, 2013.
5) https://www.google.com/finance?q=NYSE:MANU 2014/05/01 アクセス。
6) http://www.statto.com/football/teams/manchester-united/2013-2014/table/2014-05-11 アクセス。
7) http://finance.yahoo.com/q/mh?s=MANU+Major+Holders　2014/08/20 アクセス。
8) http://finance.yahoo.com/q/hp?s=MANU+Historical+Prices　2014/12/01 アクセス。
9) 新光投信：Market Report 2014 年 7 月 29 日。http://www.shinkotoushin.co.jp/pdf/market_report/168/cn15734.pdf　2014/8/28.
10) http://finance.yahoo.com/q/hp?s=MANU+Historical+Prices　2014/12/01 アクセス。
http://finance.yahoo.com/q/hp?s=JVTSF+Historical+Prices　2014/12/01 アクセス。
http://finance.yahoo.com/q/hp?s=BORUF+Historical+Prices　2014/12/01 アクセス。
http://finance.yahoo.com/q/hp?s=ASRAF+Historical+Prices　2014/12/01 アクセス。
11) Andy Green　http://andersred.blogspot.jp/2014/03/13 アクセス。
12) Manchester United plc 2013 Fourth Quarter Results 2014/07/25 アクセス。
13) Kuper, S. & Szymanski, S.; Why England lose & other curious football phenomena explained, p. 84, 2009.

4 ファンがスタジアムを所有しトップクラブに貸し出す：CPO（Chelsea Pitch Owners Plc）[†]

スポーツ産業学研究, Vol. 26, No. 2, 日本スポーツ産業学会, pp.269〜278
西崎信男（2016）

Fans Lease a Stadium Out to the Top Club–Chelsea Pitch Owners plc（CPO）: Its Structure and Significance[†]

1. はじめに

　チェルシー（Chelsea FC）は 2014/2015 シーズンのプレミアリーグ優勝クラブで，ロシアの石油王であるロマン・アブラモヴィッチがオーナーを務めるヨーロッパでも有数のビッグクラブである（注1）。その富裕なクラブがなぜファンからグラウンドを借りているのか。その背景と意味づけを探ることによって，プロサッカークラブの経営，特にファンのクラブへの経営参加（地域密着）とスタジアム等不動産の有効活用という資本の論理との整合性を，法的側面も含めた経営学的な視点で整理する。

　CPO[1)]とは Chelsea Pitch Owners Plc（注2）という英国の株式会社組織[2)3)]である。株主はファンで，チェルシーの CPO がホームグラウンドであるスタンフォードブリッジ（Stamford Bridge）の所有権（注3）[4)]を持っており，それをクラブにリースで貸し付けている。CPO 設立は 1993 年で，クラブからの借入金 1,000 万ポンド（約 18 億円 @Y180）の資金でグラウンド買取選択権（注4）を行使してグラウンドを購入し，それを 199 年という長期間のリース（注5）でクラブに貸し付けているのである。

　なぜそのような取引が行われたのか。1970 年代から 1980 年代にチェルシーは野心的なスタジアム拡張計画を推進（注6）[2)5)]していたが，資金繰りに窮し経営危機に陥った。そこへ不動産開発会社がスタンフォードブリッジの商業再開発を狙って，所有権をクラブオーナーから購入した（注7）。そのためチェルシーは一時スタンフォードブリッジから追い出される危機に面した。幸か不幸かその後経済不況に陥り，その不動産会社が倒産したため，スタンフォードブリッジの所有権が資金を貸し付けていた銀行（注8）に差し押さえられた。銀行は担保不動産であるグラウンドをチェルシーに 20 年リースで貸し付けて当面の運用とした。その際にクラブに甘味剤としてグラウンドの買取選択権を与えたのである。その買取選択権を行使して当時のクラブオーナーのケン・ベーツが，危機を踏まえてクラブに将来どんなことが起こってもグラウンドを取り上げられない，チェルシーが末永くスタンフォードブリッジに本拠地をおける仕組みを生み出した

[†]原稿受付　2016 年 3 月 15 日　　原稿受諾　2016 年 4 月 18 日
＊上武大学　〒370-1393　群馬県高崎市新町 1270-1
＊ *Jobu University, 1270-1, Shin-machi, Takasaki, Gunma, Japan (370-1393)*

第 2 部　応用編

図 1：Chelsea Pitch Owners Plc をめぐる流れ（筆者作成）

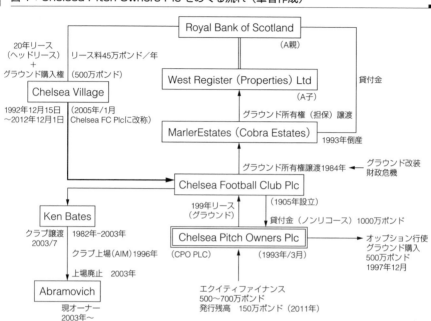

のである。それが，ファンが株主となる CPO がグラウンドを所有してクラブに貸し付ける仕組みである（注 9）。

しかし，そもそも CPO は収入源がない。そこでグラウンド購入資金を一旦はクラブからの借入金で賄った。その借入金を返済していくために，CPO の株式を 1 株 100 ポンドで一般に売り出して資金を調達することになったのである。その株式は証券取引所に上場しておらず他への転売もできない上に，配当金ゼロの株式であるので投資商品としては魅力がなく，応募したのはほとんどがファンである。その額は 2012 年 10 月現在約 17,700 株（約 3.2 億円 @Y180）にとどまっていて借金返済には遠い道のりになっている（圧倒的多数が額面 100 ポンド株券での応募。他に株券に額縁がついた 125 ポンド株券，額縁以外に選手のサインがある 150 ポンド株券の 2 種類がある）。運用商品としてではなく，クラブの会員証的な位置づけになっているのである。（図 1）

2. 研究方法

CPO の株主宛に配布された資料及び，CPO の HP の過去からのファイルをフォローすることで CPO の仕組み，及び CPO をめぐる取引について関係者を明らかにして資金の流れを整理整頓する。その上で，CPO の意義，問題点を考察する（仕組図は前掲

4 ファンがスタジアムを所有しトップクラブに貸し出す：CPO（Chelsea Pitch Owners Plc）

の図1参照[1][2][5]）。さらにロンドンへ出張してCPO関係者にフォローアップの取材を行った。その上で，クラブの公式伝記（Glanvill（2006）[5]）で当時の時代背景も含めて裏付けを行った。

3．考察

プレミアリーグで優勝するためには，スター選手を獲得する軍資金が必要である。しかし，降格制度がありクラブ倒産が頻繁におこるプロサッカーリーグ，今やビッグクラブになった富裕なチェルシーも暗黒の時代には降格に見舞われ，倒産の危機に瀕したこともあった（注6）。クラブ間の競争激化による財政悪化によって，今のままではヨーロッパ（EU）では統合の象徴ともいえるサッカークラブがなくなるおそれがある。そこで出てきたのがフィナンシャル・フェア・プレー規制（FFP）である。2013/14シーズンからヨーロッパサッカー連盟（UEFA）加盟のクラブに課されるクラブ収支均衡の規制である。この規制のためにオーナーがいかに富裕であっても，無制限に資金を出し続けることが出来なくなったのである。チェルシーであればオーナーのアブラモヴィッチが今までのように緩い条件の貸付金（ソフトローン：注10[2][3]）を出し続けることが出来なくなった。そうなると新たな資金源が必要になる。その中で放映権料，スポンサー収入（グッズ含む）も金額は大きいが，景気の変動に大きな影響を受ける。最近までプレミアリーグは他のリーグに比較して，収入のバランスが取れたリーグだったが，そのプレミアリーグですら，スポーツチャンネルの隆盛により放映権料が急騰し，収入の半分以上を放映権で賄う不安定な財務構造になっている。

以前より，放映権料の比重が高かったセリエAに対して，プレミアリーグも売上高構成比が放映権料に重点がシフトしたことがわかる（表1）。

もちろん，プレミアリーグは売上高の金額・上昇率が一番高く（図2），ヨーロッパプロサッカーでは他を圧してナンバーワンの地位を確立しているのは確かであるが，その収入に併せて選手獲得等のための支出も急激に増えている。財務の安定性をどう確保していくのか。そこで重要になるのは，景気が悪くても，負けても熱いサポートを続けるファンの入場料収入なのである。しかしチケットの価格がすでに高く，さらにスタジアム稼働率が90％を超える人気のプレミアリーグでは，入場料値上げはもはや限度に来ている。

そこで各クラブはスタジアムの新築・増改築に走っている。チェルシーのライバルは，マンチェスターユナイテッド（スタジアム入場者定員75,957人），アーセナル（同60,355人）マンチェスターシティ（同47,715人）リヴァプール（同45,276人），それに対してチェルシーは入場者定員が41,837人とスタジアムが小さいので入場料収入でライバルに負けている。そうであればチェルシーもスタジアムを拡張すればいいでは

第 2 部　応用編

表 1．プレミアリーグとイタリア・セリエ A との売上高構成比推移

	入場料	放映権料	(スポンサー)	(その他)
プレミアリーグ				
2005/06	33 %	42 %	25 %*1	
2014/15	19 %	54 %	27 %*1	
イタリア　セリエ A				
2005/06	13 %	62 %	14 %	15 %
2014/15	11 %	59 %	30 %*1	

上段：2005/06 シーズン　Deloitte 2007[6]p. 14
下段：2014/15 シーズン　Deloitte 2015[7]p. 15
＊1：スポンサー料＋その他商業収入含む

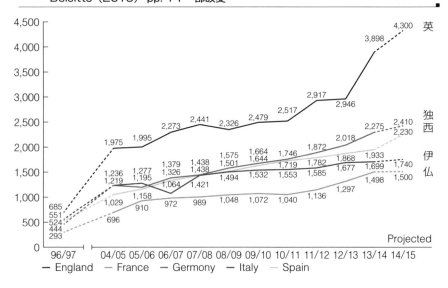

図 2：5 大プロサッカーリーグの売上高金額と売上高増加率（1996/97 と 2004/05 シーズンからと 2013/14 シーズンまで：単位は 100 万ユーロ））
Deloitte（2015）[7]pp. 14 一部改変

ないかという意見が出るが，地価の安い地方の立地，またはロンドンでも下町に立地する他のクラブと異なり，チェルシーはロンドンの中心部の地価の高い商業地域（例：東京青山）にスタジアムが立地している。従って，スタジアム拡大が立地面から難しい。そうであれば他への移転という選択肢も出てくる。移転となると地域密着の英国サッカークラブではファンの反対が根強い。チェルシーはまさにその問題で頭を悩ませてい

4 ファンがスタジアムを所有しトップクラブに貸し出す：CPO（Chelsea Pitch Owners Plc）

る。特にチェルシーの場合は，ファンが CPO を経由してスタジアムを所有しているので，移転に際しては CPO の株主総会で決定される必要がある（注11）。まさに 2011 年の総会では移転がクラブ側から提案されたが，CPO の株主からは反対がでて提案（3 分の 2 以上の賛成が必要）が否決された。クラブには強くなってほしい，しかし他へ移転してほしくないというファンの気持ちがある。他のライバルへの競争戦略と地域密着，相反する目的をどう調整するのかがクラブの課題である（注12）[8]。

4. 展開

ファンがクラブの経営に関与する仕組みには，このチェルシー独自の CPO と，中小クラブで広がっているサポータートラスト（Supporters' Trust）がある。法的側面から見ると CPO は，ファン株主がグラウンドにかかわる決定を行う際に，1 株主が持つ票数は金額のいかんにかかわらず 100 票を上限として所有株式 1 株について 1 票（議決権）を持つ点が，サポータートラストの一人 1 票とする完全民主制の仕組みとは異なる。さらに何よりサポータートラストは資金繰りに苦しむ中小クラブ経営にファンが直接乗り出す仕組みであるのに対して，CPO はあくまでグラウンドの維持管理を行う仕組みなのである。

チェルシーがスタジアム拡張又は移転にどのような決断を行い，CPO がそれにどう対処するか。ロンドンの不動産価格が高騰し，現スタジアムに近い代替地を見つけることが難しく，また現在の地での増設も簡単ではない新スタジアム問題，クラブ側も遠くへ移転した場合，CPO との規約で「チェルシーの名称」を捨てることになるので決断は難しい（注11）。

Planning for the future CPO meeting（2011/10/27）でクラブ側からの提案の中に，移転する場合も Stamford Bridge から 3 マイル（4.8 キロ）以内を約束するなどファンの本拠地への執着心を理解した提案をクラブも行ったが，結局は 2/3 以上の賛成が得られず，流れた（重要案件であるので，過半数ではなく 2/3 以上の賛成必要）。アーセナル（Arsenal）の移転（18 キロ直線距離），ウインブルドン（Wimbledon FC）（Milton Keynes へ 74 キロ）の移転など，過去の本拠地移転と比較すれば，チェルシーのクラブ側の最大限の配慮がわかる。いやウインブルドンの移転距離が地域密着の英国サッカーではあり得ない移転というべきであろう。従ってクラブが分裂したのは肯ける。そこまで経営者がサッカーファンのメンタリティを理解せず，資本の論理だけで判断したことが原因である。

そこでチェルシーは現在地元自治体に対して，現スタジアム（Stamford Bridge）改築計画の承認を求めていて，現在自治体が審議中である。2016 年 1 月 29 日の CPO 年次総会（定時株主総会）用の資料（Chelsea Pitch Owners Plc Annual General

273

第2部　応用編

Meeting 2016）によれば（注12）次のようになる。

2015年7月31日期末の1年間のCPO戦略レポート
- 株主にとって最重要な出来事はスタジアムの再開発に関する議論の進捗状況
- CPOはグラウンドの所有権の大部分の所有者である
- CPO株式の売却（販売）717株。その多くはCPOが開催した2つのイベントの際に販売された。
- このイベントのおかげで，CPOとして，またグループとして，この何年にもわたる中で初めて利益を計上できた。そこでChelsea Football Clubに対して，CPOと全額持ち株子会社であるChelsea Stadium Limitedから25,000ポンドの返済を行った。（表2）

主たるリスクと不安定要素
　スタンフォード・ブリッジの再開発検討の中でCPO株式を販売するのは困難が伴う。さらにCPOとして意思決定を行う際に受ける専門的サービス（弁護士，会計士）に対する支払手数料も大きい。株主による意思決定を行う際には，臨時株主総会（EGM：Extraordinary General Meeting）を開催しなければならないし，それには経費がかかる。それら費用をすべて含めるとCPOの財務に影響を与えるし，損失に至る可能性がある。

　Chelsea Pitch Owners Plcは歴史的な経緯の産物とはいえ，他のクラブと比較して

表2．CPOの株式販売（売却）数及び損益推移

年	売却株数	税前損益（損）	イベントからの利益
2014/15	717株	583ポンド	26,149ポンド
2013/14	570	(13,224)	18,799
2012/13	721	(51,067)	7,401
2011/12	2,548	(134,279)	開催なし
2010/11	487	446	10,900
2009/10	183	1,328	16,166
合計			
2009/15	5,226株	(196,213)	79,415

（出典）2016年1月29日のCPO年次総会（定時株主総会）用の資料（Chelsea Pitch Owners Plc Annual General Meeting 2016）

4 ファンがスタジアムを所有しトップクラブに貸し出す：CPO（Chelsea Pitch Owners Plc）

恵まれた立場にある。ホームグラウンドをファンが所有し，それをクラブに貸し出す形になっているので，そこで本拠地移転においてもファンがキャスティングボードを握る形式となっている。しかし，実態は，CPO はクラブ（Chelsea Football Club）に多額の借金を負っており（ただし金利は名目だけの金利。その代わりにスタジアムを名目だけのリースで貸与している），現実には CPO は借財を返済するために，CPO の株式をファンに販売する必要があるのである。CPO 株式は，クラブが本拠地移転して出ていくかもしれないスタンフォードブリッジを所有する会社の株式であるため，販売は困難を極めている。クラブ側から提供された CPO 通常株主総会での資料によれば，CPO は収入源が限られており，選手やクラブに協力を求めてイベントを開催することで CPO の売上高を拡大し，同時に CPO 株式をファンに販売している。移転の話がさらに具体化すれば，株主は決断を求められる。その際には弁護士，会計士等の専門家のアドバイスが必要である。必然的に CPO は赤字体質を抜け出せない仕組みとなっている。CPO はグラウンドを所有するが，結局はクラブ，選手，ファンが一体となって，CPO を支えているともいえる。CPO はクラブ，選手，ファンの統合の象徴である。まさに「複数の人（クラブ，選手，ファン）が，共通目的（チェルシーをサポートすること）を持って，協働する」という経営組織論で定義される「組織」なのである。

それとの対比で，イングランド4部リーグ（リーグ2）のAFCウインブルドン[9]（AFC Wimbledon）はスタジアム移転問題でウインブルドンFC（Wimbledon FC）が分裂し，そのサポーターが組織したクラブとしてスタートした。2002年に9部リーグからスタートし，現在の4部（プロリーグ）にまで昇格したのであるが，その原動力になったのが，サポータートラストである。サポータートラスト経由でファンがクラブを所有するスキームが成功した例である。その AFC ウインブルドンが元の本拠地ウインブルドンへ復帰する計画が進展しており，その自治体からも承認されたと報道されている。スタジアム新設については外部経済（雇用創出，施設の地域住民への開放等），外部不経済（騒音，交通渋滞。治安の悪化等）両面での検討が必要である。必ずしも誘致することが都市の再開発[8]（urban regeneration）にとって全面的に利益をもたらすとの実証研究はない。ウインブルドンに速やかに承認が下りたのは，主体が地元ファンである利益を目的としないサポータートラスト（相互会社形態）が所有するクラブであることが，有力な材料の一つとなったものと思われる。それに対してチェルシーの場合は，CPO が PLC（株式会社形態）であり，地元自治体とのコミュニケーションがより必要かと思われる。

プロスポーツで先駆している米国では，地域活性化，地域のシンボルとして，全米各地の都市が4大スポーツの本拠地（フランチャイズ）誘致合戦を繰り広げている。スタジアム建設費用を地域が税金を活用して建設することすら行われている。それに対し

て英国では地方公共団体が誘致するという段階にはなく，進出を計画しているプロスポーツクラブは建築申請を行うためにお伺いを立てる流れとなる。プロスポーツ先進国米国では，豊かな球団オーナーのために，誘致する地方公共団体が税金を投入してスタジアムを用意して誘致する。そして数年したら，球団オーナーが球団を売却して巨額の利益を挙げることすら発生している。

英国のサッカーがプロ化したのは1885年，欧州大陸の国々は更に遅れて，ドイツのサッカークラブがプロ化したのは1963年であった。そのようにヨーロッパ大陸の諸国においては英国の伝統を受け継いだアマチュアリズムが，英国がプロ化した後も長く栄えた経緯がある。しかしTV時代の幕開けで，プロスポーツ全盛時代を迎えている。紳士（Gentleman）のスポーツとされたラグビーも，先般のワールドカップのスタジアムや観客の雰囲気を見れば明らかなように，1995年のプロ化以来，大衆化してサッカーとラグビーのファン気質にも差を見出しにくくなってきている現実がある。その流れの中で，プロサッカーが商業的な成功を求めて本拠地を移転することも当然起こりうる。そこでのファンが如何にしてクラブの発展と地域密着の整合性を図るのか，ファンの今後の動きが注目される。

5. まとめ

（1）CPOはクラブを消滅に陥れる不動産開発業者からのアプローチからクラブを守るためのスキームであった。それはチェルシーが本拠地を置くロンドン市内西南部の高級商業地区では常にホテル，ショッピングセンター，高級マンション等の開発を狙う買収の脅威にさらされる可能性から自らを守るためである。

（2）その過程で，クラブをサッカークラブと不動産会社（CPO）に分離して，CPOの株式を議決権の最大を一人100票に制限すると同時に，株式を広範囲に販売し株主分散化を図ることによって，特定勢力に乗っ取られないための仕組みになっている。すなわち買収を行いにくい案件（ポイゾンピル内蔵型）としている。

（3）英国プロサッカー（特にプレミアリーグ）がメディアの最高のコンテンツと人気を集め，放映権料は急増している。それが売上高急拡大に結びつく一方，放映権料という景気変動に影響されやすい収入が売り上げの過半を占めるなど，財政基盤のバランスが偏ってきている問題点がある。すなわち，入場料収入の割合が2割を割るまで急減している。チケット価格がすでに庶民の手に届きにくい水準に達した現在（注13），残された選択肢はスタジアムの拡大，またはスタジアム移転である。チェルシーのCPOはまさにその点で自らの方向性を決定する難しさに陥っている。またプロサッカーの人気により，収入も拡大するが，選手獲得競争が年々激化の一途で，クラブの売上高人件費率も上昇しており，クラブ経営は難しさを増している。

4 ファンがスタジアムを所有しトップクラブに貸し出す：CPO（Chelsea Pitch Owners Plc）

（4）完全自由競争のプロスポーツで，それが興奮を呼ぶ人気の原動力でもあったプロサッカーも，クラブ経営安定化のための規制を導入することになった。それがUEFAのフィナンシャル・フェア・プレー（FFP）規制[9]である。

（5）サッカー，特に英国のプロリーグは地域密着がファンに根付いている。過去の本拠地移転の例は数少ないが，いずれも短い距離となっているのは，クラブ側もそれに最大限の配慮を払った証拠とも言える。唯一の例外がウインブルドンFCで，クラブの所在地から遠く離れた地域に移転することに反対したファンが移転したクラブについて行かず，地元に残り更に自分たちのクラブを立ち上げた事例がある。すなわちサッカーの場合は，資本の論理だけでは動けないのである。

（6）チェルシーの場合はサッカー専用スタジアムにすると，年間50日しか稼働しないことになる。それが商業的に最高評価される地域で経済の論理から許されるかどうか。米国の事例であれば，プロスポーツ（例えば大リーグ野球の球場）では，年間150日の試合の他，年間50日もロックコンサートを開催するなど，スタジアム稼働率を上げるシステムを作っている。英国生まれのサッカー（メジャーリーグサッカーMLS）もアメリカでは，アメリカ4大スポーツの経営に倣い，リーグ運営方法からスタジアムの運営まで，経済の論理が貫徹されている。今後英国プロサッカーも，スポーツマネジメントの見地から経営されていく必要があろう[9]。

（注1）Deloitteのサッカーマネーランキング（売上高ベース2014/15シーズン）ではチェルシーは世界で8位で3億1,950万ポンド（約575億円＠Y180）である。http://www.bbc.com/sport/0/football/35373796.

（注2）plcはpublic limited companyの略称で公開責任会社のことである。英国の会社には二種類の会社があり，公開責任会社（plc. 公開会社public companyの場合にはすべて公開責任会社となる。有限責任会社。）と私的責任会社（private limited company：略称limitedまたはLtdと記載する。私的会社でも無限責任の場合はlimited/Ltdは付かない）がある。2種類の会社の大きな相違点はplcが最低5万ポンドの資本金で，そのうち4分の1以上が払込資本金である必要があるのに対して，私的会社には資本金の規定がないこと。さらにplcでは証券取引所に上場可能であるのに対して，私的会社では上場不可または株式販売のための広告が禁止されている点である。今回のCPO plcの案件では，株主総会で移転に関する決議（否決）が行われたが（2011年），plcではAGM（annual general meeting年次株主総会）の開催が必須であるのに対して，私的会社では不必要である点である。背景として2006年会社法（Companies Act 2006）によって，株主の権利を守り長期投資を促進することが最初の目標とされた。そのため

'Think Small First' アプローチが採用され，会社が運営されるように規制が改善されたことによる。Think Small First とは会社法が新規創業・その後の運営を容易にすると同時に，小企業のため規則を作成し，それによって plc に対して以前より規制が課され，特に上場会社に対してはさらに多くの規制が課されることになったことである。

(注3) 所有権 (freehold)：土地 (land) の所有 (ownership) の完全な形式。Oxford (2009)[4]p. 241。リース (leasehold) に対比する形式である。

(注4) 選択権 (option)：選択権（オプション）取引とは，ある商品（原資産）を将来のある期日（満期日）までに，あらかじめ決められた特定の価格（権利行使価格）で買う権利，または売る権利を指す。本 CPO のスキームでは図1にある通り，オプションは，原資産：スタンフォードブリッジの不動産，満期日：2012年12月1日（オプション行使期間：1992年12月15日～2012年12月1日），権利行使価格：500万ポンドである不動産を買う権利（コールオプション）である。グラウンドの20年リースに合わせて，オプションの行使期間も20年とした。CPO は資金を持っていなかったので，クラブから 1,000 万ポンドの借り入れを行い，権利を行使して 500 万ポンドを支払った。（残額 500 万ポンドは当時グラウンド拡張計画等他の資金ニーズがあったため余分に借り入れを行った[2]）。

(注5) リース (lease)：不動産所有者 (owner/lessor) が他人 (tenant/lessee) に対して，一定期間，通常，家賃 (rent) 及び時としてプレミアムと言われる現金の受け取りを対価として，当該不動産の独占的使用権を供与する契約を指す。一定期間リース契約で供与された不動産を leasehold と呼ぶ。Oxford (2009) p. 319。

(注6) 1972年の段階で，世界で最高のスタジアムを 625 万ポンドで建設予定であった。第1期工事は東スタンドから始まった。しかし建設の総合管理（プロジェクトマネジメント）を担当する設計事務所が経験が乏しかったこと，労働争議の勃発，工事に伴う入場料の減少，建設コストの上昇，建設の遅延等不測の事態が発生した。それに加えて 1975 年チェルシーが2部（当時の Second Division）へ降格，翌年1部（First Division）へ昇格，しかし 1979 年再度降格。チェルシーの歴史で一番の暗黒の時代であった。1977年の時点で負債は 400 万ポンドに達し，クラブ清算 (liquidation) の瀬戸際であった。「Bridge（チェルシー）を救え」との運動が起こった。Glanvill (2006) p. 87。

(注7) 借金漬けになったクラブを救う方法として，オーナーのケン・ベーツはクラブからグラウンドを所有する不動産管理会社 Stamford Bridge (S.B.) Properties Ltd を分離する仕組みを作った。その上で 1982 年彼はクラブを買取価格1ポン

4　ファンがスタジアムを所有しトップクラブに貸し出す：CPO（Chelsea Pitch Owners Plc）

ド（180円@¥180）で購入したのである。当時プロサッカー経営は利益を生むものではなく，経済的な価値はほぼないものと思われていた。従って，プロサッカークラブの買収はスタジアムの土地の買収と同義であった。チェルシーFCの場合は，ロンドン都心にあるため，ホテルを含む一大商業施設と高級住宅地分譲の再開発がメインであった。Glanvill（2006）p. 88。

（注8）倒産した不動産会社の取引銀行はBarclays Bankで，当時の担当部署は企業再生部門（the intensive recovery department）であった。Glanvill（2006）p. 88。

（注9）仕組んだケン・ベーツが，グラウンドを二度と不動産開発会社に取られないように，不動産の所有者をCPOにした。そしてCPOの株式を広範囲に販売した。議決権が1人最高でも100票しか持てないようにして，株式をありとあらゆるところに販売したのである。アブラモヴィッチオーナーの前にもクラブ（グラウンド）を視察に来た不動産開発会社がいくつかあったが，グラウンドの所有権がCPOと知り，皆あきらめて手を引いた。CPOが一種のポイゾン・ピル（poison pill『毒薬』：会社が敵対的買収から自らを防衛するために仕組んだ，買収があれば会社価値が著しく減少する条項。Oxford（2014）p. 356）になっているのである。アブラモヴィッチが買収の前に視察に来た際も，最初にチェックしたのはグラウンドの広さ，すなわち収容人数であった。彼にとっても不動産の価値が一番の魅力だったのである。Glanvill（2006）pp. 91-92。

（注10）ソフトローン：優先債権（senior loan）であるが，条件面が借入人にとって大変有利な条件になっているものである。株式（equity）に近い扱いになっている。法的弁済順位が劣後する劣後債権（subordinated loan）ではなく，他の優先債権と同順位である。クラブ経営の安定化のためには株式化が望まれるが，債権者にとっては法的弁済順位が最劣後となるため了解しがたい。本CPOのスキームもクラブからCPOに対する貸付金の金利等返済条件が緩く，その資金で購入したスタジアム等不動産のCPOからクラブへの貸付条件もタダ同然（peppercorn rent）と言われている[1)2)]。

（注11）グラウンドの所有権を持つチェルシー（Chelsea Football Club Limited）をCPO（Chelsea Pitch Owners plc）に名称変更した際に，CPOはサッカークラブであるChelsea Football Clubに対してグラウンドの使用権を供与する条件に「チェルシーのトップチームの試合をスタンフォード・ブリッジで実施すること」とした。アブラモヴィッチがクラブ買収の際にも，本拠地を移す話が出てきた。そこでクラブは「どうぞ。その代わりにChelsea Football Clubの名前以外を使用してくれ」と言明した。ここでもCPOがポイゾンピルになった。

Glanvill（2006）p. 92。
（注12）2015年12月チェルシーFCの親会社であるFordstan（アブラモヴィッチオーナーのファミリーカンパニー）からCPOの株主向けに，現在のスタジアム所在地のスタンフォードブリッジにて60,000人収容のスタジアムへの建て替えの計画が進展していることの報告があった。
（注13）2016/2/6のリヴァプールFCのホームゲームで開始77分に数千人のホームファンが一斉に退場した前代未聞の出来事が発生した。来シーズンのメインスタンドの料金が最高77ポンド（約1万4000円@180）にまで価格引き上げられることに対する抗議行動である。BBC Sport：http://www.bbc.com/sport/football/35513425.

参考文献

1) CPO：http://www.chelseafc.com/the-club/about-chelsea-football-club/contact-us/contact-cpo.html（2015/12/05アクセス）.
2) http://www.chelseafc.com/fans/chelsea-pitch-owners.html（2015/12/20アクセス）.
3) MacIntyre, E: Buisness Law 3rd edition Pearson, pp. 94-98, 2013.
4) Oxford Dictionary of Law, Oxford University Press, 2009.
5) Glanvill, R.: Chelsea FC the Official Biography, the definitive story of the first 100 years, updated to include the 05/06 season, Headline Book Publishing, 2006.
6) Deloitte: Annual Review of Football Finance, Sports Business Group, 2007.
7) Deloitte: Annual Review of Football Finance, Sports Business Group, 2015.
8) Malcolm, D: The SAGE Dictionary of SPORTS STUDIES, Sage, pp. 7-9, p. 44, 2008.
9) 西崎信男：スポーツマネジメント入門～プロ野球とプロサッカーの経営学～，税務経理協会，pp. 83-89, pp. 90-97, pp. 110-113, 2015.

5 スタジアム拡大競争の背景にあるもの
―英国プロサッカーの二極分化―

早稲田大学スポーツナレッジ研究会編『スタジアムとアリーナのマネジメント』，
創文企画．pp.54-66（一部加筆修正） 西崎信男（2017）

1. はじめに

　スタジアム拡大（移転）競争が英国で近年激しさを増している。1989年シェフィールドのヒルスバラ・スタジアムで行われたFAカップ準決勝戦で，スタジアムに入りきれないファンをやむなく場内に入れたため，ファンが殺到し96人もの犠牲者を出した事件が英国におけるスタジアム改装・新設のその契機となった。本来，民間の活動に介入しない英国政府が，ファンを守るためにクラブのスタジアム建設に補助を出したこと，1992年にプレミアリーグが創設され，サッカーが世界的なプロスポーツになったこと，スポーツ有料チャンネルの隆盛等で，プロサッカーのエンターテイメント化が進んだこと等も要因である。その流れの中で，スタジアムは，その舞台となるので，増設・新設・移転が頻繁に行われることになった。

　ビジネスとしてのプロスポーツが盛んな米国では，顧客の最大満足を獲得するために，以前より最新鋭設備を持つスタジアムを続々と建設していった。資金面の問題はあっても，地方公共団体が都市間競争に勝ち残るためにスタジアム建設に多額の公的資金を供与した為，四大メジャースポーツではスタジアム建設競争が止まらない[注1]。

　本稿は，英国（本稿ではイングランドを指す）におけるスタジアム拡大競争の背景にあるものを基礎的な数字を分析することによって，英国プロサッカーリーグの二極分化の様相を解説することが目的である。

2. 創設25周年を超えたプレミアリーグの変遷

　世界で一番人気があるのがサッカー，その頂点を極めているのが英国プレミアリーグであることは争いが少ないと思われる。

　プレミアリーグが誕生したのは1991/92シーズンである。25周年の振り返りとして，サッカーファイナンスでバイブルと言われるDeloitteの最新の年報Deloitte（2016）によれば，プレミアリーグ初年度（1991/92シーズン）の売上高1億7,000万ポンド（238億円＠Y140）に対して，2014/15シーズンでは売上高33億ポンド（4,620億円＠Y140）となり，1991/92の19.4倍と急激な伸びを記録している（図1）。この25年間のテーマは常に放送局（broadcaster）との関係であり，放映権料がクラブの財政状況に大きな影響を与えてきた。まさに2016/17シーズンは3年契約サイクルのスタートとなる年である。英国内でのプレミアリーグの試合のライブ放映（国内放映権料）は1回あたり1,020万ポンド（約14億2,800万円＠Y140）になると思われる。

第2部　応用編

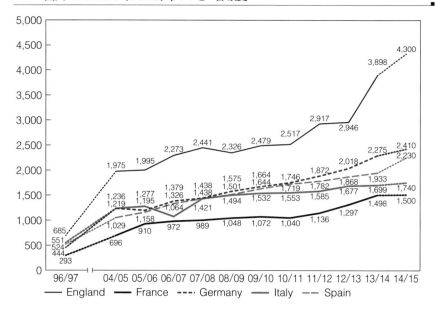

図1：5大プロサッカーリーグの売上高推移（1996/97 と 2004/05 シーズンから 2013/14 シーズンまで：単位は 100 万ユーロ）
出典：Deloitte（2015）p14 を一部改変

表1．プレミアリーグとイタリア・セリエAとの売上高構成比推移比較

	入場料	放映権料	スポンサー	その他
プレミアリーグ				
2005/06	33％	42％	25％*1	
2014/15	19％	54％	27％*1	
セリエA（伊）				
2005/06	13％	62％	14％	15％
2014/15	11％	59％	30％*1	

上段：2005/06 シーズン　Deloitte 2007 p.14
下段：2014/15 シーズン　Deloitte 2015 p.15
＊1：スポンサー料＋その他商業収入含む

　25年前の1部リーグ（現在のプレミアリーグ）22チームの年間の合計放映権料は 1,500万ポンド（21億円@Y140）であったので，プレミアリーグ（20チーム）の2試合分の放映権料にしかすぎない金額であった。

　金額だけではなく，過去25年間でファンの試合への関わり方も大きく変化した。

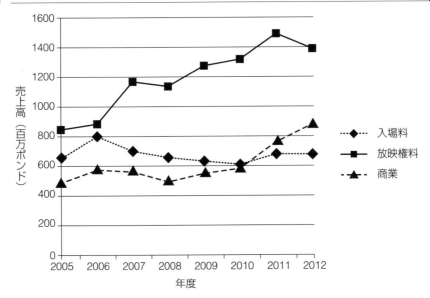

図2：英国プレミアリーグ売上高推移

　1991/92シーズンでは入場料収入が売上高の中で最大部門を占めていたが，2014/15シーズンまでには入場料収入の割合は最低にまで低下して，放映権収入が他を引き離してトップとなった（表1）。それが入場料の価格付け（ticket pricing）に影響を与えている。すなわちファンが購入できる価格に入場料を維持できるかどうかが今後数年間の重要な課題と言える[注2]。クラブはスタジアム開発（拡大）を行い，観戦体験の改善を行うことに注力している，その結果，2014/15シーズンの英国のプロサッカーの施設に対する資本支出は過去最高を記録した。（出典：Deloitte（2016）序言pp.2-3要約）

3. スタジアム拡大競争とその背景

　公表されているスタジアム拡大競争（拡張計画）は表2，3の通りである。

　直接的なライバルはイングランド内のクラブであり，その中でスタジアムの拡張競争があるが，選手の獲得競争がそうであるように，スタジアム拡張競争も全ヨーロッパに及ぶ。したがって，マンチェスター・ユナイテッドの動き（うわさ）も理解できる。

　プレミアリーグでも，トテナム・ホットスパー，チェルシー，リバプールも現有スタジアムの狭隘から逃れるために，スタジアムの拡大を企図して動いている。注目されるのは，チェルシーである。他の都市・地域のスタジアと異なり，ロンドンの中心部の商業地区・高級住宅地に所在しており，スタジアム拡張は周辺の交通混雑，騒音，治安等

第 2 部　応用編

表 2．英国プレミアリーグのクラブのスタジアム拡張計画

クラブ	現有スタジアム定員	計画スタジアム定員
1．Man. Utd Old Trafford[注3]	75,635	75,635（拡張計画なし）
2．Tottenham	36,000	61,000
2．Man City Etihad	55,000	61,000
4．Arsenal Emirates	60,432	60,432（拡張計画なし）
5．Chelsea Stamford Bridge	42,000	60,000
6．Liverpool Anfield	45,000	59,000
7．West Ham Olympic Stadium	54,000	54,000（拡張計画なし）
8．Newcastle Utd	52,401	52,401（拡張計画なし）

出典：http://talksport.com/football/top-10-biggest-football-studiums-england-future-check-out-planned-capacities-150817163099?p=8　20161220

表 3．世界のスタジアム定員ランキング

順位	スタジアム	場所（ホームクラブ）	スタジアム定員（人）
1．	Camp Nou	Barcelona（FC Barcelona）	99,354
2．	Wembley	London（国立）	90,000
3．	Santiago Bernabeu	Madrid（Real Madrid）	85,454
4．	Signal Iduna Park	Dortmund（Borussia Dortmund）	81,359
—	—	—	—
9．	Old Trafford	Manchester（Manchester United）	75,811

出典：Daily Mail 2017/1/25

の問題があるため，拡張の困難度は高い。さらにチェルシーは 1980 年代のクラブ経営危機の際に，金銭的価値の高いスタジアム（グラウンド）と，当時は企業価値がほとんど見込めないサッカークラブの所有を分離して，スタジアムをファンの会社に所有させ，それをクラブにリース（リースバック）するという複雑なスキームをとっているので，スタジアム移転を行うのであれば，クラブのみならず，ファンの出資する会社（CPO）の合意を必要とされる点が特異な事例である[注4]。幸い，現スタジアムでのスタジアム拡張計画が，地元自治体（ロンドンの Hammersmith & Fulham Council）から認可

が得られ，次にロンドン市長の最終判断を待つ段階まで進んだ。その前提として，地元に対して2,200万ポンド（30億円＠Y140）の直接的な資金提供が認可の条件になっていた。そこでは種々の地元コミュニティ計画及び地元の施設の整備を行うこととなった[注5]。しかし，総額6億ポンド（840億円＠Y140）と言われるスタジアム新設費用，また建築期間中の仮のホームグラウンドの確保（現状，国立ウエンブリースタジアムと言われている）等，どういう形態で資金調達するのか不明である。スタジアム建て替え，新設，移転等，地元を含める利害関係者の調整は難しい。

その中で懸念されるのは，クラブ（CPOに資金を融資し，グラウンドのリーズバックを受けている）とファン（スタジアムを所有するCPOの株主）のコミュニケーションである。下部リーグであるリーグ1のAFCウインブルドン（AFC Wimbledon）でもスタジアム移転，そして新設する計画が地元自治体（移転先である元の地域）の認可も取得して順調に進展している。ファンがクラブ株式を100％所有するというクラブの性格上，コミュニケーションは密である。スタジアム移転に係る情報も，適宜速やかにサポータートラストからネットで，書面で，または対面で，ファンに流されていてクラブとファンの関係は良好である[注6]。それに対して，チェルシーの場合は，クラブのオーナーであるアブラモヴィッチ氏の個人会社（Fordstam Ltd）が，私的会社（private company）であり，公的会社（public company）ではないため，会社法上の情報開示の要求はあるものの最小限にとどまっており十分ではない。また，ファンへの情報開示も秘密主義で積極的ではない。2017年1月でCPOの年次総会が開催され，その席上でCPOのディレクターがCPOの実績，業績見通し等議案の賛否について報告したが，その報告の最後でグラウンドの移転問題に触れて，地元自治体からゴーサインが出たのはいいが，クラブからCPO株主（ファン）への説明は未だなされていない[注7]。しかし，CPOの議長から裏で自分たちだけでクラブと取引することはないとの苦しい弁明があった[注8]。マスコミでの報道でも書かれているが，チェルシーのファンとのコミュニケーションは十分ではなく，また資金計画についても不透明であるとの懸念もある[注9]。

4．スタジアム拡大競争の経営学

なぜクラブはスタジアムの拡大競争に走るのか，ジャーナリスト的に記述されることが多いが，その理論構成を現実の数字をベースに実証し，英国のプロサッカーリーグの二極分化について論じる。

①売上高の分解公式

売上高＝入場料収入＋商業収入＋放映権料

放映権料及び，商業収入（グッズ販売，スポンサー収入含む）はクラブの成績，すな

わちスタジアムが満員となり，その興奮がファン，視聴者に伝わるかどうかで左右される。したがって，入場料収入が売上高の基盤となるといえる[注10]。
②その入場料収入の概念式は以下で表きれる

入場料収入＝チケット価格×スタジアム入場者定員×稼働率（満員率）

チケット価格は先述（注2）の通り，ファンが購入したい価格からはかけ離れた水準になっており，これ以上の価格上昇は難しい状況である。

次に稼働率（入場者数／スタジアム定員）を見てみる（表4，表5）。

プレミアリーグにおいては，稼働率は96％に達するレベルで，これは常に満席と言える状況である。経済学の基本からすれば，価格の需給均衡機能が作動して価格が上昇し，需給が均衡する。しかし，サッカーは地域密着スポーツであるので，プレミアリーグのクラブにとって，ファンの反発を無視してチケット価格を上げることは難しい。上記②入場料概念式からすれば，残るはスタジアムの拡張によるスタジアム定員拡大しか残らない。それが表2のスタジアム拡張競争につながっていくのである。しかし，表2，5を見ると明らかなように，スタジアム拡張競争はプレミアリーグに留まる。2部のチャンピオンシップ以下の下部リーグでは，スタジアム入場者定員がプレミアリーグよりもはるかに少ないうえに，稼働率も水準が低いのがわかる。

上記の数字を踏まえてプレミアリーグ，そして2部リーグ以下の経営行動を実証分析してみる。プロサッカークラブはサービス業であり，プレイヤーの人件費が費用の中で最大割合を占めるのは自然である。

表4．プレミアリーグにおけるスタジアム稼働率推移

2005/06	06/07	07/08	08/09	09/10	10/11	11/12	12/13	13/14	14/15
91.1	92.5	92.8	92.4	92.4	92.2	92.5	95.2	95.9	95.9

出典：Deloitte（2015）p.26

表5．英国（イングランド）スタジアム別スタジアム稼働率

	2011/12	12/13	13/14	14/15	15/16
プレミア（1部）	93%	95%	96%	96%	96%
チャンピオンシップ（2部）	68%	65%	65%	68%	65%
リーグ1（3部）	48%	43%	48%	46%	46%
リーグ2（4部）	45%	43%	48%	48%	50%

出典：Deloitte（2016）p.30 Chart 18 改変

表6. プレミアリーグとチャンピオンシップの売上高人件費率推移
Premier League と Championship の wage/revenue ratio

	2009/10	2010/11	2011/12	2012/13	2013/14	2014/15
プレミア	69%	70%	70%	71%	58%(注11)	61%(注11)
チャンピオンシップ	88%	90%	89%	106%	105%	n.a

出典：Deloitte 2016 p.18, 2015 p.19

　トップリーグであるプレミアリーグとそれに次ぐ2部リーグであるチャンピオンシップの人件費を見ると，経営行動が2つのリーグで全く異なることが明らかである（表6）。
　英国プロサッカーリーグに限らず，ヨーロッパのプロサッカーリーグでは，図1でも示したがリーグ自体は活況を呈し，売上高は順調に増加している一方，クラブの倒産，身売りが増加しているのである。最大の原因はプロサッカーリーグにおける昇格・降格のシステムの存在である。トップリーグであるプレミアリーグのクラブは下位リーグであるチャンピオンシップに降格しないように行動し，チャンピオンシップのクラブはトップリーグに昇格しようとして有力選手を積極的に移籍で獲得しようとする。それが表6の数字に表れている。チャンピオンシップの常軌を逸した経営行動，すなわち収入を上回る支出を継続していることが顕著である。その理由は，トップリーグに昇格できれば，人気クラブとの対戦が増えて，観客動員数が増え，それが商業収入や放映権料収入につながるためであり，それゆえ，短期的な行動に走るのである。
　他方プレミアリーグの大多数のクラブは，選手の移籍金・報酬の急騰で売上高人件費率が持続不可能に達すると欧州サッカー連盟（UEFA）での合意により，無理な選手獲得競争を行わない，すなわちクラブの財務規律を守るための段階的支出規制（フィナンシャル・フェア・プレー）を2011/12シーズンより導入した。その結果，表6にある通り規制が課されるプレミアリーグクラブの売上高人件費率は導入前と比較して，大幅に改善している。
　「"Living within their means" ようやく財布に応じた生活を始めた」(Deloitte (2015), p.48)
　これに対する攪乱要因として最近憂慮されていることは，中国スーパーリーグによる欧州プロリーグの選手に対する想像を絶する移籍金及び報酬での引き抜きが発生していることである。例えば，2016年12月にチェルシーから上海に移籍が決定したオスカル（Oscar）のクラブからクラブへの移籍金は6,000万ポンド（84億円＠Y140），選手個人への報酬が「週給」40万ポンド（5,600万円＠Y140）と報道されている。さらに元アルゼンチン代表テベス（Tevez）は週給61.5万ポンド（8,610万円＠

Y140)で契約し，世界最高給選手となったと報道されている（Mirror 2016/12/29）。勿論，中国リーグと欧州5大リーグではプレーのレベルが大きく異なるので，有力な選手が今後多数中国に移籍するかどうか不明であるが，少なくともそれを交渉材料にして報酬アップを狙う選手も出て来るのは不自然ではない。フィナンシャルフェアプレーでせっかくプロサッカーリーグが安定を取り戻しつつある中で，中国の動向は注目される。報道によれば「サッカーを中心とするスポーツ産業を2020年までに50兆円以上にする国策がある。その国策に沿って，企業は積極的にサッカービジネスに投資している」とのことである（参考文献参照，NHK（2017））。そうであれば，今後数年間は選手の年俸の急騰が継続する懸念があると言わざるを得ない。

なお，現在英国内で一番の高給プレイヤーが揃っていると言われるマンチェスター・ユナイテッドでも，現在の給料（週給：weekly wage，2016/17シーズン）は表7の通りである。

このような高給を払いながらも，マンチェスター・ユナイテッドは商業収入（スポンサー契約，グッズ収入），放映権料収入が多額であるため，売上高人件費率はプレミアリーグ平均を下回る47.2%と健全な経営を達成できている（表8）。

表7．マンチェスター・ユナイテッド高給プレイヤーリスト（2017/1/25現在）

順位	選手名（年齢）	（契約年数）期限	週給
1.	Paul Pogba（23歳，新加入）	（5years）2021	29万ポンド
2.	Wayne Rooney（31歳）	（3years）2019	25万ポンド
3.	Zlatain Ibrahimovic（35歳，新加入）	（1years）2017	22万ポンド

出典：http://www.totalsportek.com/money/manchester-united-player-salaries/

表8．マンチェスター・ユナイテッド売上高・賃金総額等内訳

項目	金額
2015/16シーズン売上高	4億3,000万ポンド（602億円 @Y140）
内　商業収入	1億5,300万ポンド（214億円）
内　放映権料収入	1億200万ポンド（143億円）
内　入場料収入	1億900万ポンド（153億円）
賃金総額（2016/1現在）	2億300万ポンド（284億円）
移籍金収入	3,920万ポンド（55億円）

出典：http://www.totalsportek.com/money/manchester-united-player-salaries/

マンチェスター・ユナイテッドのライバルであるリバプールFCのエースであるクーチーニョ（Coutinho）が，年初契約更改を行いクラブ史上最高の給与を獲得したが，その金額でも週給22万ポンドである（BBC Sport 2017/1/25）。
　中国のスーパーリーグが如何に高い給料を払っているか際立つ結果となっている。

5．まとめ

　近年，英国プロサッカーリーグ，特にプレミアリーグでのスタジアム拡張（建て替え，移転）が目立っている。1990年代中盤以降のグローバル化，IT化によって，プロサッカーは世界的な人気を博し，放映権料はうなぎ上りになり，それにともなって商業収入（スポンサー収入，グッズ販売）も増加しているため，リーグとして，クラブとして収入面では豊かになってきている。問題は放映権料，商業収入は，クラブの人気（チーム成績がよく，スタジアムが満員であること）及び一般経済情勢に依存するので，放映権収入に大きく依存している現状は経営のリスクである。
　そこであくまでサッカー経営の基本は入場料収入になるが，サッカーが地域密着スポーツである限り，価格面でファンの意向を無視した入場料値上げは許容されない。その一方で，ライバルとの競争に勝ち抜くためには，売上高（入場料収入）アップが必要である。残された選択肢は，スタジアム定員の拡充である。昨今のスタジアム拡張競争はそれを物語っている。それを実現するためには，現スタジアムの建て替え，または移転する方法があるが，英国ではアメリカとは事情が異なり，自治体が積極的にスタジアム誘致競争を行うことはなく，むしろ地元住民等からのクレーム調整の問題が多い。英国のプロサッカークラブのスタジアムはチェルシー等ロンドンのクラブは例外としてはあるが，郊外に立地することが多いため，移転に関する問題は資金面を除いては少ない。
　しかし，スタジアム建て替え，移転によるスタジアム定員拡充による入場料収入アップは数字で見てきたように，トップリーグであるプレミアリーグでしか可能ではない。2部以下ではそもそもスタジアム定員がプレミアに比較して少ないうえに，スタジアム満員率は50％内外という厳しい状況である。彼らにとっての課題はスタジアム拡張ではなく，現スタジアムでの入場者数アップである。特に，2部のチャンピオンシップでは，FFP導入後もプレミアリーグ昇格に賭けて，無理な選手の引き抜きを行い，売上高人件費率が100％を超える異常事態が継続している。米国プロスポーツの採算重視に比較して，相変わらずの希望的観測に基づいた経営が行われているのは問題であろう。
　プロサッカーがヨーロッパにとどまらず，世界的な人気スポーツになると同時に，選手の報酬も急騰している。プレミアリーグ誕生から25年が経過して，クラブの売上高は急拡大している。しかし，それ以上に選手の報酬が急騰しているので，クラブの経営は決して楽ではない。2016年の英国のEUからの離脱決定が話題となっているが，小

国が集まった EU の中で，サッカーはヨーロッパ統合のシンボル的存在である。それが選手の引き抜き合戦によってクラブの倒産騒ぎも頻発して，サッカーの維持発展が懸念される状況が続いた。そこで，サッカーを守るために登場したのが，FFP（フィナンシャル・フェア・プレー規制）である。それによって，売上高人件費率はプレミアリーグでは下降して望ましい状況が達成されることが期待されている。かく乱要因は中国の強引なヨーロッパ選手の引き抜き，それによる巨額の報酬提示である。

　サッカーが地域密着，ファン密着である限り，地域，ファンとのコミュニケーションは，特にスタジアム建て替え，移転という大きなプロジェクトを円滑に実施するためには，重視しすぎることはない。事例で挙げた，プレミアリーグの華，チェルシーのスタジアム建て替えのプロセス，それとは離れた3部 AFC ウインブルドンのクラブ誕生の地への復帰（移転）のプロセスを比較すると，プロサッカークラブにとっての地域，そしてファンとのコミュニケーション（dialogue＝対話）の重要性，クラブの方向性をまさに物語っている[注12]。またそこには，クラブの所有形態（チェルシーが私的会社の子会社，ウインブルドンがファンが所有する公的会社）とクラブの経営の問題（情報開示に対する積極性）が色濃く反映されているといえる。

(注1) 西﨑（2015）pp.78-79
(注2) 例えば，Chelsea FC はホームのスタンフォードブリッジの入場料を 2011/12 シーズンの価格に凍結している（Chelsea FC HP 2016/12/16）。またサッカーサポーターズ連盟（The Football Supporters' Federation）はアウェイポーターのチケットを 20 ポンド以下に抑えるキャンペーンを行ってきた活動もあり，2016/17 シーズンから 3 年間プレミアリーグはアウェイチケットを 30 ポンド以下に抑制することで合意したと報じられている（BBC Sport 2016/03/09）。
(注3) マンチェスターユナイテッドは，最近のニュースによれば，現スタジアム（Old Trafford）の拡張計画が出ており，計画によれば 12,000 人増やしてスタジアム定員を 88,000 人にして，ヨーロッパでバルセロナ FC について 2 番目に大きなスタジアムにする動きがあるとのこと。ヨーロッパの現在の規模の大きなスタジアムの順位については表 3 の通りである。
(注4) 西﨑（2016）pp.269-278
(注5) Hammersmith and Fulham Council https://www.lbhf.gov.uk/articles/news/2017/01/chelsea-fc-pushed-deliver-22m-community-benefits 2017/1/27
(注6) AWC Wimbledon HP http://thedonstrust.org/2016/12/23/stadium-presentation-on-the-trust-webjam/ 2016/12/25

5　スタジアム拡大競争の背景にあるもの―英国プロサッカーの二極分化―

(注7)　公的会社（plc）では年次株主総会（annual general meeting）の開催が必須であるが，私的会社（private limited company。略称Ltd）では不必要であるため，開催されなくても違法ではない。西崎（2016）p.276

(注8)　Chelsea Pitch Owners http://www.chelseafc.com/fans/chelsea-pitch-owners/cpo-news/cpo-statement-from-the-chair-.html 2017/1/28

(注9)　Eurosport http://www.eurosport.com/football/is-there-another-twist-in-the-plans-for-chelseas-new-stadium_sto5557302/story.shtml 2016/12/5

(注10)　（アメリカの大リーグ野球の話であるが）チケットマーケティングといういいかたをしているが，極論すればチケットが売れると，観客動員数が増え，広告媒体としての価値が上がり広告収入や放送収入が増える。つまりチケットマーケティング（販売）は球団経営の根幹なのである。（早稲田大学スポーツナレッジ研究会編（2016）p.63）

(注11)　有力選手に対する果てしない獲得競争によるクラブ財政破たんを防ぐために導入されたFFP（フィナンシャル・フェア・プレー）によって，2014/15及び2015/16では売上高人件費率を60％程度に抑える取り決めになっている（Deloitte（2015）p.10）（FFPは2011/12シーズンから段階的にプレミアリーグとチャンピオンシップに導入された。その規制に従わなければ，ヨーロッパリーグ，例えばチャンピオンズ・リーグに参加する権利を与えられない。西崎（2015）pp.110-113）。

(注12)　1988年FAカップ優勝クラブで当時1部リーグに属していた旧ウィンブルドンFCの経営陣は，スタジアムの狭隘さによる財政難から逃れるために，ライバル（クリスタルパレスFC）のスタジアムを共同使用するなど努力を重ねたが，2001年にホームであるウィンブルドンから60マイル（約100キロ）も離れたロンドン北部の衛星都市ミルトン・キーンズ（Milton Keynes）へ移転する決断を行った。ホームとは縁もない遠く離れた都市への移転に対して，ウィンブルドンのみならず英国中のサポーターから激しい反発が起こった。結果，移転したクラブMilton Keynes Dons（MKドンズ）は英国で最も憎まれているクラブの一つになる一方，地元に残留したサポーターは自分たちで新たなクラブAFCウィンブルドン（サポーターがクラブを所有）を創設し，9部リーグから出発し，現在は3部（リーグ1）にまで上昇してきている。2007年MKドンズは旧ウィンブルドンFCの商標や記念グッズをすべてAFCウィンブルドンに譲渡することに同意した。Szymanski,S（2015）pp.183-184。スタジアム移転の難しさを物語る英国では最も有名な事例である。

第2部　応用編

参考文献

西崎信男（2015）スポーツマネジメント入門～プロ野球とプロサッカーの経営学～，税務経理協会。

西崎信男（2016）ファンがスタジアムを所有しトップクラブに貸し出す：CPO（Chelsea Pitch Owners Plc），スポーツ産業学研究，日本スポーツ産業学会，第26巻第2号．

Deloitte Annual Review of Football Finance 2007.

Deloitte Annual Review of Football Finance 2015.

Deloitte Annual Review of Football Finance 2016.

Chelsea FC HP 2016/12/16

BBC Sport 2016/03/09

http://talksport.com/football/top-10-biggest-football-stadiums-england-future-check-out-planned-capacities-150817163099?p=8 20161220

早稲田大学スポーツナレッジ研究会編（2016）スポーツ・ファン・マネジメント，創文企画．

http://www.dailymail.co.uk/sport/sportsnews/article-4153990/Man-United-looking-Old-Trafford-88-000-capacity.html Daily Mail 2017/1/25

http://www.totalsportek.com/money/manchester-united-player-salaries/

Total Sportek2017/1/25

NHK（2017）14億の熱狂を生み出せ～中国 膨張するサッカー"バブル"～ NHKクローズアップ現代（総合テレビ）2017/1/30.

Szymanski,S（2015）Money and Football-a Soccernomics Guide, Nation Books New York.

索　引

（数字）

1933年証券法 ………………………… 245
1934年証券取引法 …………………… 245
1986年倒産法 ………………………… 177
1995年ボスマン判決 …………………… 54
2002年企業法 ………………………… 177
2006年会社法 ………………………… 277
50％＋1票 …………………………… 187
6か国対抗（6 Nations）………… 140, 143
7人制ラグビー（Sevens）…………… 141

（A～F）

administration
　……………… 142, 177, 178, 199, 238
AFC Wimbledon
　………………… 74, 96, 186, 220, 275
AIM（Alternative Investment Market）
　………………………………… 184, 192
Arsenal ………… 163, 184, 205, 207, 211
Arsenal Bond ……………………… 209
asset-backed ……………………… 207
Ballpark ……………………………… 23
Barcelona（バルセロナ）…………… 189
Best Practice ……………………… 194
Bradford City FC …………… 195, 199
Brexit ………………………………… 68
broken-time payment ……………… 110
buy-out clause ……………………… 66
CBA ………………………………… 155
Champions League ………… 111, 259
Chelsea ……………………… 185, 193
Chelsea Pitch Owners Plc ……… 269
Cleveland Indians ………………… 252
collective bargaining agreement … 155
Combined Code …………… 163, 190
Companies Act 2006 …………… 277
Company Voluntary Agreement … 200
compensation …………………… 196
competition ……………………… 177
Competitive Balance …… 53, 141, 166
cooperation ……………………… 177
cooperative ……………………… 222
corruption ………………………… 119
CPO ……………………………… 269
criminal misconduct ……………… 122
cross border business …………… 120
CVA ………………………… 177, 200
DFB ……………………………… 187
Distributed Club Ownership
　………………………………… 132, 135
enactment ………………………… 31
endorsement ……………………… 59
entrapment ……………………… 119
EPL ……………………… 48, 51, 168
EU ………………………………… 68

293

Europa League	112, 260
European Championship	111
Events of Default	212
External Marketing	21
FA（イングランドサッカー協会）	112, 138
FA（フリーエージェント：クラブを自由に移る権利）	55, 101
FATCA	121
FCPA	121
Federation Internationale de Football Association	109
FFP	38, 114, 264, 271, 291
FIFA	109, 119, 150
Financial Fair Play Regulation	114
Financial Service Authority	219
fixed charge/specific charge	241
FL	176
floating charge	241
Football Association	112
Football Creditors Rule	176, 201, 239
Football League	112
Foreign Account Tax Compliance Act	121
franchise	52
Fraser v. Major League Soccer	135
freehold	278
FSA	219
Fulham	185

(G〜M)

GDP	16
Gerling	200
GNP	16
Greed is good	124
Hillsborough stadium disaster	80
hooligan	80
Independent Supporters' Association	223
Industrial and Provident Societies Act1965	219
insider trading	124
insolvency	170, 238
Insolvency Act 1986	177
Interactive Marketing	21
Internal Marketing	21, 25
Invariance principle	164
IPO	245
IPS法	95, 219
Jobs Act（Jumpstart Our Business Startup Act）	243, 246, 255
Juventus（ユベントス）	188
Lazio（ラツィオ）	188
LBO	246
lease	278
Leeds United	195, 198
Life Time Value	15
limited company	182
LSE	165

LTV	15
luxury tax	54, 55
Major League Soccer	131
Manchester United	185, 193, 243
maximum wage	174
MLB	5, 35, 48, 51, 52, 125, 129, 168
MLS	130, 131, 151
Multi-Class Equity Structure	248

(N〜R)

National Collegiate Athletic Association	153
NBA	54, 129
NCAA	62, 153
Neale	164
negative pledge	210
Newcastle United	205
NFL	53, 54, 63, 129, 133, 136
NPB	5, 125
NYSE	243
OECD Principles of Corporate Governance（OECD ガバナンス原則）	163, 193
one member one vote	221
option	278
ownership	182
Peoples' Game（国民的スポーツ）	211
player registrations	174, 196
plc	75, 183, 239, 277
plea bargaining	119, 121
PLUS	184
PPM	43, 147
private company	183, 285
private limited company	2
public company	285
public limited company	2, 75, 183
release clause	66
reserve clause	11, 52
Revenue Sharing	53, 54
RFU	138, 143
Roma（ローマ）	188
roster	106
Rottenberg	164
Rugby Championship	140
Rugby Football Union	138, 143
Rugby School	137

(S〜W)

Salary Cap	53
Sale-and-Leaseback Arrangement	196
Securities Act of 1933	245
Securities Exchange of 1934	245
Securitization	201
senior loan	279
Single-Entity Ownership	131, 132
Single-Entity Structure	131
Sloane	164
Small business concern	244
sponsorship	59

sport	3
Stamford Bridge	269
Structure follows Strategy	33
subordinated loan	279
Supporters' Direct	219
Supporters' Trust	273
SWOT（スウォット）分析	33
the Designated Player Rule	134
The Dons Trust	220
the retain and transfer system	11
ticket pricing	283
Tottenham	183, 192, 211
transfer fee	196
True-Sale Securitization	163, 203
TV視聴者の平均年齢（メディアン／中央値）	129
UBS銀行による米国人の脱税ほう助事件	120
UEFA	49, 68, 111, 150
UEFA欧州リーグ	112
UEFAチャンピオンズリーグ	111
unincorporated organization	2
union	55
Union of European Football Association	111
Wages/revenue ratio	238
WBS（Whole Business Securitization）	163, 208
Wimbledon FC	88
World Rugby ワールドラグビー	139

（あ行）

アーセナル	72, 86
アジア諸国の経済発展	152
アシックス	41, 43
アメリカンフットボール	53, 54
アルビレックス新潟	46, 47
アルビレックス新潟シンガポール	152
アンゾフの成長ベクトル	39, 147
移籍金	196
五つの競争誘因	35
イナクトメント	31, 32
イングランドサッカー協会	112
インサイダー取引	124
インディペンデント・サポーターズ・アソシエーション	99
ウインブルドン現象	50
ウォールストリート Wall Street（1987）	124
売上高人件費率	73, 130, 161, 172, 227, 238
売上高の分解公式	285
英国（イングランド）スタジアム別スタジアム稼働率	286
英国金融サービス機構	95, 219
英国サッカー	51
英国プレミアリーグ	48, 168, 170
英国プレミアリーグのクラブのスタジアム拡張計画	284
エリートのスポーツ	139

エンジェル······················· 71, 247
エンターテインメント ····· 23, 35, 85, 146
エンドースメント契約················· 59
欧州サッカー連盟········· 49, 68, 111
欧州選手権······················· 111
欧州連合·························· 68
オーストラリアン・フットボール······ 138
オープン・モデル（開放型）
················ 101, 162, 168
汚職···························· 119
囮（おとり）捜査
············ 119, 121, 122, 124, 151
オリンピック···················· 153

（か行）

海外腐敗行為防止法················ 121
外国口座税務コンプライアンス法····· 121
会社は誰のものか······ 2, 29, 104, 181
会社法··························· 96
買取条項························· 66
開廃業率························ 255
外部環境························ 146
外部経済························ 275
外部不経済······················ 275
外部マーケティング················ 21
カネ（財務面）··················· 147
ガバナンス········· 7, 108, 150, 160, 161,
                    181, 182, 257
ガバナンスの理論················· 210
株式発行························· 70

カルテル························ 142
管理レシーバー制度··············· 215
機会···························· 146
企業経営························ 146
企業スポーツ······················· 3
企業統治············· 7, 150, 176, 181
企業内容開示···················· 213
議決権·························· 248
議決権行使······················· 95
議決権種類株式··················· 248
議決権割合······················ 100
寄付金························ 76, 78
休業補償························ 110
球団の戦力均衡·················· 102
脅威···························· 146
業界分析派······················· 33
競争・協調のビジネスモデル······· 152
競争力均衡·············· 11, 53, 141
協調と競争·················· 131, 177
金融イノベーション··············· 163
クラウドファンディング··········· 247
クラブ所有権と収益の分配を別にするモデ
ル ······················ 132, 135
クリーブランド・インディアンス······ 248
クローズド・モデル（閉鎖型）··· 101, 168
グローバル化···················· 13, 18
経営資源派······················· 33
経営戦略···················· 33, 144
経営戦略の三層構造················ 47
経営戦略論······················· 30

297

経営組織論 28
経営破たん 49, 60
経営理念 36
健康志向 15, 18, 146
権利放棄条項 66, 73
コアコンピタンス 46
公開責任会社 75, 277
公開有限責任会社（公開会社） 183
更生手続 177, 178, 199, 238
公的（公開）有限責任会社 2, 82
公的会社 285
合同規準 163, 190
公募債 207, 210
効用最大化 48, 227
ゴーイング・コンサーン 160
顧客生涯価値 15
顧客満足とロイヤルティ（忠誠心） 25
国際サッカー連盟 109
国際ビジネス 120
国内製造業空洞化 13
国内総生産 16
国民総生産 16
固定担保権 241
コベナンツ 163, 204, 212
コミッショナー 125
コミッショナー事務局 49
コモンロー 83
コンティンジェンシー理論 31
コンプライアンス 7

（さ行）

サービス 146, 166
サービス・コンセプト 24
サービス・デリバリーシステム（サービス提供システム） 25
サービス経済化 15
サービスの特徴 20
サービスの品質評価 25
財務制限条項 163
財務制限条項他制限条項 212
債務優先弁済 161
最良慣行 194
サッカー関係者債券 176
サッカー関係者債券優先ルール 176, 239
サッカーリーグ 176
サポーターディレクト 94, 99, 150, 219
サポータートラスト 74, 93, 94, 96, 98, 99, 150, 155, 186, 215, 273
サラリーキャップ 48, 53, 54, 133, 142
サンウルブズ 140
産業福利給付組合法（相互会社法） 219
事業主 100
事業の証券化 163, 204, 208
事後的経営戦略 34
資産担保 207
市場拡大戦略 40, 153
市場細分化（セグメンテーション） 23
市場浸透戦略 40

指定選手規則	134	信託	97, 225
私的（非公開）有限責任会社	2, 82	スーパーラグビー	140
私的会社	183, 285	スタジアム	87, 89, 149
私的責任会社	277	スタジアム移転	76, 88
司法取引	119, 121, 124, 151	スタジアム拡大競争	281
シボレー	252, 262	スタンフォードブリッジ	269
資本主義的	91	ステークホルダー	161, 182
社会関係資本	160	ストライキ	102, 150
社会主義的	91	スポーツ	58
社債発行	70	スポーツ・マーケティング	58
収益シェアリング	48, 53, 54, 142	スポーツ経済学	10
収入シェアリング	142	スポーツサービスの共同生産	217
種類株式	248	スポーツと都市	87
昇格・降格制度	61, 93, 142	スポーツの定義	2
証券化取引	201	スポーツのもつイメージ	155
条件適合理論	31	スポーツマネジメント	2, 30, 148
証券取引所改革	250	スポーツ目的（効用最大化）	161
少子高齢化	9, 13	スポンサー契約	59
上場廃止	193	ぜいたく税	48, 54, 55
情報化（IT化）	13	セール・アンド・リースバック取引	163, 196
勝利第一	68	セール・アンド・リースバック取引事例	198
勝利による効用	101		
勝利優先（効用優先）	115	世界のスタジアム定員ランキング	284
所有形態	182	全国大学スポーツ協会	153
所有権	269, 278	選手移籍金ファイナンス	195
新規株式公開	245	選手代理人	61
新規創業	245	選手登録権	174, 196
人口減少の社会	9	選手の自由の限界	102
真正売買証券化	163, 203	選手の登録権売買（移籍）	76
新製品・サービス開発戦略	40		

選手報酬の総額に対する上限枠 ……… 54	地方公共団体 …………………… 89, 90
選択権 ……………………… 269, 278	仲介人 ………………………………… 61
戦略代替案 …………………………… 36	中核的能力 …………………………… 46
戦略は組織に従う …………………… 33	中国スーパーリーグ ……………… 287
相互会社 …………………… 97, 219	中小企業 …………………………… 244
相互扶助の精神 …………………… 222	中小企業基本法 ……………………… 17
総収入 ……………………………… 169	定款 …………………………………… 96
双方向コミュニケーション ………… 25	低成長 ………………………………… 13
双方向マーケティング ……… 21, 147	テイラーの科学的経営管理 ………… 29
組織 ………………………… 28, 275	ドイツサッカー協会 ……………… 187
組織構造 ……………………………… 8	倒産 ………… 142, 148, 166, 170, 238
組織特殊的能力・スキル ………… 106	倒産隔離 …………………………… 203
組織は戦略に従う …………………… 33	倒産条項 …………………………… 212
ソフトローン ……… 179, 271, 279	投票権 ………………………………… 96
存続企業体 ………………………… 160	答弁取引 …………………………… 121
	独占禁止法 ………………… 11, 101
（た行）	独占禁止法適用免除 ……………… 101
	賭博法違反 …………………………… 86
大学スポーツ ………………………… 62	ドメインの再構築 …………………… 45
代替投資市場 ……………… 184, 192	ドメインの再定義 …………………… 23
大リーグサッカー ………………… 130	トラスト ……………………………… 97
大リーグ選手会 …………………… 102	ドラフト制度 ………………………… 48
大リーグ野球 ……… 5, 35, 48, 51, 125	トリガー条項 ……………………… 210
代理人 ………………………………… 60	
代理人ビジネス …………………… 148	**（な行）**
多角化戦略 …………………………… 41	
立見席（terrace） …………………… 88	内部経営資源 ………………………… 68
単一事業体所有構造 ……… 131, 132, 133	内部マーケティング ……… 21, 25, 147
地域のソーシャルキャピタル ……… 160	二重国籍 …………………………… 141
地域密着 ……………… 19, 49, 75, 77	日米の開廃業率推移 ………………… 17
チェルシー（Chelsea FC） ……… 98, 269	日本的経営 …………………………… 8

日本プロ野球 ················· 5, 9, 125
入場料収入 ····················· 169, 286
入場料の価格付け ··················· 283
ニューヨーク証券取引所 ··········· 243
ニューヨーク同時多発テロ ········· 151
任意引退選手 ························· 104
任意組織 ································· 2
人間関係論 ····························· 29
人間の合理性 ·························· 28
年俸制限 ······························ 174
野茂英雄 ······························ 104

(は行)

パイゲート (Piegate) 事件 ········ 86
配当制限の撤廃 ······················ 173
バスケットボール ···················· 54
犯罪行為 ······························ 122
ハンデをつけた不公平な競争 ······· 142
反トラスト法 ··················· 11, 101
汎用的スキル ························· 105
ビジネス（利益を生むこと）第一 ··· 68
ビジネス目的（収益最大化） ········ 161
ビジネスモデル ················ 48, 148
ビジネス優先 ························· 115
ビジネス利益 ························· 101
非担保条項 ···························· 210
一人1票 ······························ 221
標的顧客（ターゲット）の明確化 ···· 23
ヒルスバラ事件 ········ 72, 80, 88, 94
ファイナンス ·························· 60

ファンクラブ ····················· 94, 98
ファンの経営参加 ··············· 93, 215
フィナンシャル・フェア・プレー
 ···· 38, 49, 68, 114, 264, 271, 287, 291
封鎖勘定 ······························ 206
フーリガン ······················· 80, 83
複数種類株式構造 ········· 75, 100, 248
負債ファイナンス ···················· 163
普通株式 ························ 100, 248
フットボールリーグ ················· 112
浮動担保権 ···························· 241
不当な取引制限 ······················ 101
不変原則 ······························ 164
フランチャイズ（本拠地：地域独占）
 ····························· 49, 50, 52, 149
フリーエージェント ················· 196
プリンシパル・エージェンシー問題 ··· 182
プレミアリーグ ················ 112, 160
プレミアリーグとチャンピオンシップの売
 上高人件費率推移 ··············· 287
プロセス・イノベーション ········· 195
プロダクト・イノベーション ····· 195, 199
プロダクト・ポートフォリオ・マネジメン
 ト ···································· 43
プロ野球の球団運営モデル ············ 5
プロラグビー ························· 137
米国の大リーグ ················ 10, 168
ヘーゼルスタジアム事件 ············ 80
ペティ＝クラークの法則 ······ 16, 160
ベンチャーキャピタル ·············· 247

ベンチャー創業 …………………… 245
ポイゾンピル ……………………… 276
ホールドアップ …………………… 105
ボールパーク ……………………… 23
ポジショニング・マップ …… 36, 147, 167
ポジショニング派 ………………… 33
補償金 ……………………………… 196
ボスマン判決 ……………………… 174
保有・移籍原則の撤廃 …………… 174
保有・移籍システム ……………… 11
保有条項 …………………………… 102
保留事項 ……………………… 11, 52, 101

(ま行)

マネーボール ……………………… 26
マンチェスター・シティ ………… 152
マンチェスター・ユナイテッド
 …………………… 72, 74, 82, 99, 149, 152
美津濃 …………………………… 41, 42
メジャーリーグサッカー ………… 151
メジャーリーグラグビー ………… 141
持株比率 …………………………… 100
持株会 ………………………… 97, 222
モノの特徴 ………………………… 20
モラル・ハザード ………………… 53
森嶋通夫 ……………………… 56, 86

(や行)

八百長 ……………………………… 85
有限会社 …………………………… 182

優先債券 …………………………… 279
優先弁済順位 ……………………… 210
ユニクロ（UNIQLO） …………… 37
余暇志向 …………………… 15, 18, 146

(ら行)

ラグビー（ユニオン） ……… 137, 141, 151
ラグビー校 ………………………… 137
リーグ ……………………………… 149
リーグスポーツ …………………… 131
リーグの共同生産 …………… 126, 176
リース ………………… 240, 269, 278
リーマンブラザーズ倒産（2008年）
 ………………………………… 127, 163
利益最大化 …………………… 48, 227
利益相反 …………………………… 64
利害関係者 ………… 89, 103, 161, 182
リソース・ベースト・ビュー …… 33
レスター・シティ ………………… 152
劣後債券 …………………………… 279
労働協約 ……………………… 103, 155
労働組合 ……………………… 55, 102
労働者 ………………………… 100, 102
労働生産性 ………………………… 14
労働法 ……………………………… 101
ロースター …………………… 106, 133
ロックアウト ………………… 102, 150
ロッテンバーグ …………………… 127
ロンドン証券取引所公式リスト …… 165

（わ行）

和議 ……………………………… 177, 200

著者紹介

西崎　信男（にしざき・のぶお）
　東京都出身。慶応義塾大学経済学部卒。
　博士（経営学）（長崎大学），MBA（米・テンプル大学）
　中小企業診断士。
　住友信託銀行（現三井住友信託銀行），大和証券SMBC等を経て，
　2006年〜2016年東海大学経営学部経営学科教授（経営学，経営戦略論，スポーツマネジメント，財務管理等担当），
　2016年〜上武大学ビジネス情報学部国際ビジネス学科教授（経営戦略論，経営組織論，スポーツ産業論，国際経営論等担当）。
　在英9年（ロンドン大学LSE大学院等留学，証券現地法人勤務）。
　東京，ロンドンでの投資銀行業務，国際金融業務の経験が長い。
　所属学会：日本経営診断学会，日本スポーツ産業学会，証券経済学会，日本ホスピタリティ・マネジメント学会，早稲田大学スポーツナレッジ研究所（招聘研究員）。

（近著）
1. 西崎信男（2015）「スポーツマネジメント入門〜プロ野球とプロサッカーの経営学〜」税務経理協会　（単著）
2. 日本経営診断学会（編）（2015）「経営診断の新展開〜日本経営診断学会叢書第3巻」同友館（第5章第8節「サービス業としてのプロスポーツと経営診断」執筆, pp.248-252）
3. 早稲田大学スポーツナレッジ研究会編（2016）「スポーツ・ファン・マネジメント」創文企画（第2章「英国サッカーリーグにおける中小クラブの方向性について─AFC Wimbledonを例にして─」執筆 pp.21-30）
4. 柳沢和雄・清水紀宏・中西純司編著（2017）「よくわかるスポーツマネジメント」ミネルヴァ書房（第Ⅱ部5.5「大リーグ野球（MLB）とプレミアリーグサッカー（EPL）のビジネスモデル」執筆 pp.100-101）
5. 早稲田大学スポーツナレッジ研究会（編）（2017）「スタジアムとアリーナのマネジメント」創文企画（第4章「スタジアム拡大競争の背景にあるもの─英国プロサッカーの二極分化─」執筆 pp.54-66）

著者との契約により検印省略

平成27年 3 月30日 初 版 発 行
平成29年 8 月31日 第 2 版 発 行

スポーツマネジメント入門
～プロ野球とプロサッカーの経営学～
（第 2 版）

著　　者	西　崎　信　男	
発 行 者	大　坪　克　行	
製 版 所	美研プリンティング株式会社	
印 刷 所	税経印刷株式会社	
製 本 所	牧製本印刷株式会社	

発 行 所	東京都新宿区 下落合2丁目5番13号	株式 会社	税務経理協会

郵便番号 161-0033　振替 00190-2-187408　電話 (03) 3953-3301 (編集部)
　　　　　　　　　　FAX (03) 3565-3391　　　　　(03) 3953-3325 (営業部)
URL http://www.zeikei.co.jp/
乱丁・落丁の場合はお取替えいたします。

Ⓒ 西崎信男 2017　　　　　　　　　　　　　　　　　Printed in Japan

本書の無断複写は著作権法上の例外を除き禁じられています。複写される
場合は，そのつど事前に，㈳出版者著作権管理機構（電話03-3513-6969，
FAX03-3513-6979, e-mail：info@jcopy.or.jp）の許諾を得てください。

JCOPY ＜㈳出版者著作権管理機構 委託出版物＞

ISBN978－4－419－06475－4　C3034